URBAN AESTHETIC REGULATIONS FOR TOWNSCAPE

JUNG-HYUNG LEE

도시의 경관계획

이 정 형 (저)

圖書
出版 世進社

도시의 경관계획

도시의 경관계획

정가 15,000원

저 자	이 정 형	
발행인	문 형 진	

2002년 7월 5일 제1판 인쇄
2002년 7월 10일 제1판 발행

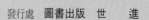

發行處 圖書出版 世 進 社
136-087 서울특별시 성북구 보문동 7가 112-8
(世進빌딩 5층)
TEL : 922-6371~3, 923-3422·7224 / FAX : 927-2462
〈1976. 9. 21 / 登錄·서울 第6-28號 / 登錄番號〉

ⓒ 2002 도서출판 세진사 ISBN : 89-7121-609-3
http://www.sejinbook.com
E-mail : sejin112@lycos.co.kr
※ 파본은 구입하신 서점에서 교환해 드립니다.

책 머리에

최근 들어 우리 나라에서도 '도시경관'이라는 말이 차츰 널리 사용되기 시작하고 있다. 1994년 남산 외인 아파트 파괴를 계기로 도시경관의 중요성이 부각되면서 행정적으로 경관을 규제·유도하려는 시도가 활발하게 전개되고 있다. 한강연접지역, 구릉지 지역 등에 난립되어 있는 고층아파트군, 도시의 가로경관을 해치며 무질서하게 난립하고 있는 옥외광고물, 자연경관을 파괴하는 난개발적 건물들을 바라보면서 도시의 공유자산으로서 아름다운 도시 만들기의 중요성이 새삼 부각되고 있다. 하지만 우리의 경관시책은 일과성 전시행정의 성격이 강해 아직까지 사회적 시스템으로서 정착하고 있지 못한 실정이다.

우리 나라도 많은 사람들이 해외 선진국을 여행하면서 정말 아름다운 도시가 어떤 모습인가를 쉽게 접할 수 있게 되었고, 우리는 왜 이렇게 아름다운 도시를 만들지 못하고 있는가를 안타까워한다. 하지만, 정작 우리의 도시를 아름답게 만드는 데에는 매우 인색하다. 특히 해외 선진국의 많은 아름다운 도시들이 그렇게 아름답게 유지, 관리되기 위해서는 시민, 행정, 기업 등 도시의 다양한 주체들이 엄청난 노력을 통해 만들어진 노력의 산물인 것을 간과하고 있다. 도시는 우연히 만들어지는 우연의 산물이 아니라 도시구성원들의 수많은 노력으로 만들어지는 것이며, 이를 위한 사회적 매카니즘의 결과물인 것이다. 즉, 아름다운 도시를 만들고 관리해간다는 것은 그 이면에 이를 지원하는 사회적 매카니즘이 존재하고 그러한 사회적 매카니즘을 효율적으로 운용하고 관리하는 수많은 사람들의 노력의 결과물이라는 사실을 인식해야만 한다.

우리는 오랫동안 도시를 개발의 대상으로 여겨왔고, 고도성장기에는 수많은 도시개발을 경제발전의 상징으로 여겨왔다. 지금도 대도시 주변부의 산지나 구릉지가 난개발되고 있는 것은 개발시대의 유물이라 할 수 있다. 하지만, 이제 우리는 안정화된 사회를 향해 나아가면서 우리의 도시환경을 '개발'의 대상에서 '관리'의 대상으로 바라보아야 할 것이며 점진적인 도시관리를 위한 다양한 노력이 요구되고 있다. 도시를 구성하는 건축물, 가로시설물, 광고물 하나 하나를 도시환경과 조화되도록 디자인·건설·관리하는 사회적 매카니즘의 마련과 이를 적극적으로 수용하는 도시구성원의 노력이 필요하게 된 것이다.

미국에서는 이미 1896년 콜롬비아 박람회를 통해 '도시미화운동'이 일어나 도시미관에 대한 일반시민의 관심이 모아지고 있었으며, 1950년대 중반부터는 보다 체계화된 도시미관에 대한 다양한 시책이 전개되고 있다. 특히, '죠닝(zoning)제도'라는 도시기능에 맞추어 설정된 도시 및 건축규제시책이 가지는 경직성의 한계를 극복하기 위해 다양한 미관시책이 전개되고 있다. 일본에서도 고도성장기를 거쳐 1960년대 이후가 되면서 역사적인 지구보존을 중심으로 도시경관시책이 출발했고, 1980년대 들어 도시경관시책이 지자체를 중심으로 본격화하면서 최근 들어 일반의 기성시가지를 대상으로 한 경관조례가 활발하게 전개되고 있다. 이처럼, 대부분의 국가나 도시에서 일련의 고도성장기 즉 개발 성장기를 거치면서 과도한 개발로 인한 생활환경의 파괴에 대한 반성으로 도시경관시책이 등장하고 있다. 생활공간에 대한 최소한의 '방어적 수단'으로서 경관규제시책의 필요성이 강조되어지고 나아가 바람직한 도시환경의 창출을 위한 '유도적 수단'으로 도시경관시책이 도입되고 있는 것이다.

한편 우리 나라에서도 지금까지 도시경관에 대한 아무런 규제수단이 존재하지 않았던 것은 아니며, 현재의 제도적 장치(풍치지구, 미관지구 도시설계제도, 상세계획제도 등) 속에도 이와 관련된 내용을 포함하고 있기는 하다. 하지만, 이들은 수려한 자연풍경, 역사경관 혹은 도시의 주요 간선도로변을 대상으로 최소한의 기준설정을 통해 더 이상의 훼손을 막기 위한 수단으로서의 기능은 일정한 성과를 달성하고 있지만, 특히 일반의 기성시가지를 대상으로 보다 바람직한 도시상(都市像)의 창출을 위한 도시관리수단으로서 보다 적극적인 시책으로서의 한계를 가지고 있다.

오늘날 지구촌이라는 말이 당연시되듯 국가라는 개념이 점점 희박해지면서 이제 각 나라의 도시가 도시간 경쟁을 벌이듯 도시환경의 질적 향상을 통해 자산적 가치를 높이려 하고 있다. 이런 자산적 가치향상에 있어 도시의 물리적 환경은 직접적으로 관련되는 내용이 될 것이다.

필자가 이러한 도시경관의 문제에 본격적인 관심을 가지게 된 것은 일본유학 시절 박사논문을 준비하면서였다. 당시 미국과 일본에서 5년 간의 실무활동을 마치고 다시 박사논문을 준비하는 과정으로 돌아와 필자가 경험한 많은 아름다운 도시를 되돌아보며, 우리의 도시는 왜 아름답지 못한가라는 단순한 문제의식에서 출발했다. 우리는 아름다운 도시만들기의 능력이 근본적으로 부족한 것인가, 아니면 개발시대의 과도기적인 현상이며 시간이 지나면 우리의 도시도 아름답게 되는 것일까?

이러한 소박한 문제의식에서 출발한 필자의 연구는 미국과 일본에서 도시만들기의 일선에서 활동하는 행정담당자, 지역주민협의체 주민들과 접하면서 그들의 엄청난 노력과 도시만들기를 지원하는 사회적 시스템으로서의 도시행정시스템에 큰 감명을 받았다. 도시는 우연히 아름답게 만들어지는 것이 아니며 하나의 사회만들기와 마찬가지로 많은 주체들의 관심과 노력, 그들을 지원하는 합리적인 사회 시스템의 산실이라는 결론에 도달하면서, 우리 도시의 나아갈 방향을 조심스럽게 제안해보려는 욕심이 생겨나게 되었다. 이 책은 이러한 노력의 첫 출발점에서의 조그마한 성과물에 불과하다.

무엇보다 이 책을 준비하면서 미국과 일본의 많은 도시들을 방문하면서 짧게는 일주일 길게는 한달간 그 도시에 머물면서 그 도시를 체험하고 일선의 행정 담당자와 많은 얘기를 나누면서 우리의 도시를 생각할 수 있었던 것이 소중한 경험이었다.

이 책을 준비하면서 많은 분들에게 많은 신세를 졌다. 지도교수이신 도쿄대학 니시무라(西村幸夫)교수님은 도시경관계획에 있어 실증적 연구의 필요성을 수없이 강조하시면서 현장조사의 중요함을 항상 일깨워주

셨다. 미국조사에서는 옛 동료이자 현재 보스턴재개발국(BRA)에서 도시
디자인을 담당하고 있는 Kairos Shen군이 장기간 보스턴 체제에 있어 숙
박은 물론 BRA의 귀중한 자료를 일일이 챙겨주고 밤늦게까지 도시디자
인문제에 대해 격론을 벌이면서 필자에게 많은 것을 생각하게 해주었다.
그 외 미국과 일본의 많은 지자체 담당자를 일일이 여기에 열거하지는
못하지만 그들의 아낌없는 자료제공과 조언으로 이 책이 만들어질 수 있
었다. 이 분들에게 특별한 감사의 마음을 전하고 싶다. 또한 책의 편집과
정에 수고하신 세진사 문형진 사장님과 김한신 상무님을 비롯한 편집자
여러분께 감사드린다.

2002년 6월
흑석골에서 이정형

차   례

책 머리에 ·· 5

책의 구성과 시점 ··· 13

서장 도시경관계획의 개념

서장 도시경관계획의 개념 ··· 19

   1. 도시디자인과 경관계획 ··· 19

   2. 도시경관의 사회적 컨트롤 ·· 21

제1부 미국 도시미관시책

제1장 미국 도시미관시책 개관 ·· 35

   1. 높이규제의 도입 ··· 36

   2. 초기 옥외광고물 규제 ·· 41

   3. 초기 죠닝과 미관의식 ·· 42

   4. 디자인 심사제도 ··· 43

   5. 미관규제의 법적근거 ··· 44

   6. 미관규제 동향 및 특징 ··· 45

제2장 죠닝(zoning)제도 ··· 49

   1. 죠닝제도와 경관컨트롤 ··· 50

     1.1 죠닝제도를 둘러싼 법적 논의 / 50

     1.2 새로운 토지이용 컨트롤수법의 등장 / 58

   2. 죠닝제도의 실제 : 보스턴시 죠닝조례(Zoning Code) ······················· 61

     2.1 보스턴시 죠닝조례 이념 / 61

     2.2 죠닝조례의 구성과 내용 / 65

     2.3 제소위원회(Board of Appeal)의 구성과 운용 / 69

3. 소결 ··· 71

제3장 미국 옥외광고물 규제시책 ·· 75

1. 미국 옥외광고물 규제시책 개요 ··· 76

   1.1 옥외광고물규제 약사(略史) / 76

   1.2 옥외광고물을 둘러싼 법적 논의 / 78

   1.3 연방정부의 시도(연방고속도로 미화법안) : The Federal Highway

      Beautification Act(23 U.S.C. 131) /81

2. 옥외 광고물 시책의 실제 ··· 84

   2.1 보스턴시 옥외광고물 시책 / 84

   2.2 샌프란시스코시 옥외광고물 시책 / 90

3. 소결 ··· 98

제4장 조망경관 보호시책 ···103

1. 미국 조망보호시책 개관 ···104

   1.1 미국 조망경관시책 약사(略史) / 104

   1.2 미국 조망경관시책 유형 / 106

   1.3 조망확보를 위한 규제수법 / 106

2. 유형별 조망경관 시책 ···108

   2.1 모뉴멘트 조망확보형 / 108

   2.2 자연조망형 / 112

   2.3 어반 콜리도(Urban Corridor)형 / 116

   2.4 지구단위 가로조망(streetscape) 보호형 / 124

3. 소결 ··129

제5장 디자인심사(Design Review)제도 ·····························133

1. 미국 디자인심사 제도 개관 ···134

   1.1 디자인심사제도 도입현황 / 134

   1.2 디자인심사의 법적 근거 / 136

   1.3 디자인심사의 내용 / 138

   1.4 디자인심사제도의 최근동향 / 140

2. 보스턴시 디자인심사제도의 구성과 운용 ························142

   2.1 대규모 개발심사와 공공디자인심의회 / 143

2.2 소규모개발 심사제도 / 146

2.3 역사지구 심사제도 / 147

3. 샌프란시스코시 디자인심사제도의 구성과 운용 151

3.1 샌프란시스코시 도시디자인 계획체계 / 152

3.2 디자인심사 제도의 구성과 운용 / 158

4. 소결 169

2부 일본의 경관시책

제6장 일본 경관시책 개관 175

1. 일본 경관시책 동향 176

1.1 일본 경관시책 흐름 / 176

1.2 경관시책의 최근 동향 / 179

2. 경관시책관련 제도적 장치 181

2.1 현행 법제도의 구성 / 181

2.2 경관관련 사업제도 / 183

3. 지자체 경관시책의 유형과 특징 188

3.1 경관시책의 유형과 수법 / 188

3.2 지자체 경관시책의 실제 / 193

4. 지자체 경관시책으로서 '시정촌(市町村) 마스터플랜제도' 198

4.1 일본에 있어서 마스터플랜의 등장과 기존 유사계획 / 198

4.2 '시정촌 마스터플랜제도' 관련 계획체계 / 202

4.3 '시정촌 마스터플랜제도'의 구성 / 204

4.4 지자체 경관시책으로서의 가능성과 한계 / 206

5. 소결 208

제7장 경관조례(景觀條例)에 의한 경관시책의 전개 211

1. 토시마구(豊島區) '어메니티형성조례' 211

1.1 어메니티 형성기본계획 / 211

1.2 '어메니티 형성조례'의 구성과 운용 / 214

2. 신쥬쿠구(新宿區) 경관시책과 '경관조례' 221

    2.1 경관기본계획 / 221

    2.2 경관조례의 구성과 운용 / 223

  3. 소결 ·· 231

제8장 일본 옥외광고물 규제시책 ································· 235

  1. 일본 광고경관시책 개요 ································· 235

    1.1 일본 광고경관시책 약사(略史) / 236

    1.2 '옥외광고물법' 개요 / 237

    1.3 옥외광고물 규제의 최근동향 / 237

  2. 광역지자체에 있어 광고경관시책 ··············· 238

    2.1 광고경관시책 현황과 전개수법 / 238

    2.2 홋카이도(北海道) 광고경관시책 / 239

    2.3 미에현(三重縣) 광고경관시책 / 241

    2.4 효고현(兵庫縣) 광고경관시책 / 244

    2.5 미야기현(宮城縣) 광고경관시책 / 245

    2.6 도쿄도(東京都) 광고경관시책 / 247

  3. 시정촌(市町村) 광고경관시책 ··················· 254

    3.1 가와사키시(川埼市) 광고경관 컨트롤 / 255

    3.2 토시마구(豊田區) 광고경관 컨트롤 / 258

    3.3 요코하마시 광고경관시책 / 259

  4. 소결 ·· 264

결 도시경관계획의 향후 발전방향

결 : 도시경관계획의 향후 발전방향 ··························· 271

  1. 기성시가지 경관계획을 위한 제언 ··············· 271

  2. 도시경관계획 실현을 위한 몇 가지 쟁점들 ········ 274

저자후기 ·· 279

책의 구성과 시점

본서는 우리가 생활하고 있는 도시환경을 어떻게 하면 아름다운 도시로 만들고 관리해 갈 것인가에 관한 내용을 다루고 있다. 도시환경은 우연히 만들어진 것이 아니라 명확한 도시의 미래상을 설정하고 그에 맞는 계획체계를 통해 아름다운 도시환경의 창출을 실현할 수 있다는 전제하에, 이를 위한 계획 매카니즘 즉 사회적 매카니즘으로서 경관형성수법을 연구의 대상으로 한다.

우리가 생활하는 도시환경은 매우 사적(私的)인 대상물에서 공공이 공유하는 공적(公的) 공간까지 다양하게 구성되고, 바람직한 도시환경 혹은 도시경관의 형성수법은 공공의 이익을 위해 사적 소유물(대개 건축물)을 얼마나 어떻게 컨트롤(규제)할 것인가, 공공시설물(도로 등)은 어떻게 관리해 갈 것이며 이를 위해 공공과 일반시민은 어떻게 협력해 갈 것인가, 또 이의 합의형성을 위한 법적 제도적 장치는 어떻게 마련되어야 할 것인가 등 매우 복잡한 문제들이 도시경관 컨트롤 수법과 관련해 나타나게 된다. 본서에서는 이러한 내용들에 대한 개념을 정리하고 구체적인 사례를 통해 실증적으로 접근해 보고자 한다.

현재 우리의 도시상황 혹은 도시관리수법의 주요논의가 대규모 도시개발(대규모 주거단지 재건축 등)을 어떻게 규제할 것인가, 도시공공 인프라(도로, 공원 등)를 어떻게 확보해 갈 것이냐, 역세권 주변지구의 죠닝문제는 어떻게 대응해 갈 것인가 등 매우 다이나믹한 도시계획문제에 집중되어 있다. 2000년 개정된 도시계획법에 의한 '지구단위계획' 또한 지자체가 이러한 문제에 능동적으로 대응하기 위한 계획적 수단으로서 얼마만큼 강력한 수단이 될 수 있는가 라는 문제에 초점이 맞추어져 있다. 하지만, 본서에서 다루어지는 내용들은 아마 이러한 논쟁이 한참 진행된

후, 도시관리는 좀더 개별적 사안으로 접근해야 한다는 점에 눈을 돌리기 시작할 때 참고가 될 책이 될 것이다. 아니면, 지금 이러한 상황에서도 개별적 개발행위의 컨트롤이 필요하다고 생각한다면 당장에 참고가 될 수도 있겠다. 다시 말해 본서는 기성시가지를 대상으로 개개의 건축행위에 대한 규제 및 유도를 통해 점전적인 지구개선을 전제로 한 도시관리수법의 제안을 주요시점으로 한다. 기성시가지의 개별적인 개발(건축)행위를 구축된 매카니즘 속에서 점진적으로 적용시켜 나감으로써 도시경관 혹은 미관의 향상을 도모하고자 하는 것이다. 따라서, 현재의 대규모 난개발 사업이나 대규모 프로젝트의 가이드라인 설정 등의 내용과는 다소 거리를 두고 있다. 특히 규제 및 유도적 수법을 위한 사회적 시스템형성에 초점을 두고 있어 규제 및 유도기준의 상세한 내용보다는 운용시스템적인 면에 중점을 두면서 사례조사를 통한 실증적인 연구를 통해 결론을 도출하고 있다.

구체적으로는 지자체의 마스터플랜 계획이념에 근거해 지구단위의 계획목표와 계획수법에 근거하면서 기성시가지 내 개개의 개발행위를 도시경관(혹은 미관)적 시점에서 컨트롤(규제 및 관리)해 가는 수법에 관해 고찰한다. 특히 이를 위한 계획지침과 더불어 사회적 시스템을 고려한 운용시스템의 제안을 통해 보다 실효성 있는 도시관리시스템의 제안에 중점을 두었다.

현재 우리 나라에서 논의되고 있는 경관시책은 경관기본계획, 경관형성계획, 경관조례, 경관심의제도 도입 등을 통해 최소한의 '규제적 수단'으로서 경관시책 전개를 시도하고 있으며, 이를 위한 최소한의 기준설정인 지표설정이 매우 중요한 요소가 되고 있다. 하지만 도시경관형성의 경우 규제기준에 의한 일률적인 '규제적 수법'에는 한계가 있으며, 그보다 주관적이면서 다소 논의가 필요한 '유도적 수법'이 보다 효과적인 대응수법이 될 것이다. 따라서 규제기준의 상세한 설정보다는 즉지적 특성을 고려한 보다 유연한 시책대응을 위한 매카니즘(시스템)디자인이 중요한 사항으로 다루어져야 한다. 누가 어떠한 권리로 어떤 수단을 통해 규제·유도해 나갈 것인가, 사회적 합의형성(컨센서스)은 어떻게 만들어 갈 것인가 등에 대한 논의가 필요하게 되는 것이다.

본서에서는 '미국', '일본'을 대상으로 현재 진행중인 경관관리시책의 운용실태를 고찰한다. 미국이나 일본의 경우 '죠닝(Zoning)제도'에 의한 도시계획적 계획시스템의 한계를 보완하여 도시와 건축의 괴리를 보완하는 수단으로서 도시미관(경관)시책이 전개되어지고 있다. 또한 동일한 죠닝시스템 하에 도시건축을 관리하는 기본적인 매카니즘이 필요하다는 점에서 우리보다 한발 앞서 진행되고 있는 이들 선진국의 시책들은 우리에게 많은 시사점을 줄 수 있다고 생각된다. 다만, 각 나라나 도시가 가지는 특수성은 충분히 감안되어야 하며 미국이나 일본에서의 경관시책이 현재의 우리 나라 실정에 그대로 적용되리라고 보기도 힘들다. 다만, 외국의 선진사례를 참고로 우리의 나아갈 방향을 명확히 하고 그 지침을 제시해보고자 하는 것이다. 물론 지금까지 단편적으로 해외의 경관사례를 소개하는 보고서는 있었지만, 해외경관시책의 운용시스템을 포함한 실제적인 운용실태를 실증적으로 소개한 저술은 아직 부재하며 이러한 점에서 본서는 충분한 자료로서의 의미가 있다고 생각한다.

최근 우리 나라에서도 새롭게 '지구단위계획'을 도입해 도시를 3차원적으로 관리하려는 움직임이 급격하게 활기를 띠고 있다. 이것은 기존의 도시설계제도와 상세계획제도를 통합한 이 새로운 제도에 대한 기대를 반영한 것이라 생각된다. 하지만, 각 자치구별 도시기본계획 혹은 마스터플랜이 명확하지 않은 상황에서 지구단위별로 지구의 목표설정 내지는 도시관리방향이 명확히 설정될 수 있을까. 이러한 마스터플랜적 도시관리방안이 우리 나라와 같이 계획적으로 건설되지 않은 도시상황에서도 실효성 있는 제도운용이 가능할지는 좀더 두고보아야 할 내용이다. 일본에서도 지구계획제도가 도입되어 20년 가까이 시간이 지났지만 법정도시계획수법으로서 한계를 가지고 있으며, 이는 일본의 도시상황에서 지구를 단위로 한 계획이 가지는 한계이기도 하다. 즉 지구단위계획을 지정할 수 있는 지역은 한정되어 있는데, 시가지는 개개의 개발행위를 통해 변용되어 가고 있는 현 상황에서 어떻게 도시를 관리해 갈 것인지가 문제인 것이다.

본서는 이러한 문제들에 대해 우리의 현실을 감안하면서 좀더 체계적인 사회적 시스템으로서의 도시경관시책의 구축이 어떠한 모습일까를 생각해보고자 하는 것이다.

서장

도시경관계획의 개념

1. 도시디자인과 경관계획

　기성시가지 재편의 수단으로서 현대 도시디자인은 도시공간을 안전하고 아름답고 편안하게 재편하는 인간적인 가치복원에 공헌할 역할을 가지고 있다. 도시디자인은 사람과 조직의 협조·협력관계 속에서 구축되어져 간다. 도시를 만들고 재편하는 주체나 방법도 다양화되고 있다. 도시디자인은 공간을 활동에 맞게 연출해 가거나 새로운 활동을 만들어 내는 공간재생의 행위이다.

　근대 도시계획은 도시의 모든 기능을 효율적 효과적으로 구성하고 거주환경에 따른 보존과 개선을 도모하는 것이 목표였다. 좁은 의미로 도시계획의 기본은 '죠닝(zoning)제도'이며 성장의 프레임(개발가능지, 인구, 산업예측 등)을 설정하는 것으로 기반시설의 계획에 그 근거를 제시할 수 있었다. 또한 기능 상호간에 합리적인 공간확보를 위해 주택과 공업을 분리하는 '용도지역제' 등의 규제계획을 전개해 오고 있다. 즉 근대도시계획은 기능주의적 계획으로 전개되어온 것이다. 하지만 이러한 근대의 도시계획은 다양한 도시문제에 능동적 창의적으로 대응하기보다는 도시문제의 증상(症狀)을 치유하는 문제해결 방식의 처리에 전념해 오늘날까지 또 다른 형태의 많은 도시문제를 야기시키고 있다.

　최근들어 이러한 기능주의적 도시계획에서 탈피하여 도시마다 고최유의 자연, 지형, 풍토, 산업 나아가 역사적으로 축척된 공간이나 문화가 있다는 사실을 재인식하게 되고 '기능'과 '공간'이 통합된 새로운 도시계획으로 도시디자인의 역할이 부각되고 있다.

이러한 움직임은 1950년대 미국에서의 도심재개발사업을 통한 많은 교훈에서 출발된다. 즉 미국의 도심재개발 프로젝트에 있어 주택공급이라는 단일목적이 아니라 경제, 사회, 복지, 커뮤니티 재생 등을 포함하는 종합적인 시점에서의 접근방식과 더불어 공간적으로도 전면재개발에서 보전, 수복의 개념이 도입되기 시작했다. 1970년대 이후부터는 죠닝제도에 있어서도 획일적 경직적인 내용에서 다양성, 유연성, 창조성이라는 요소가 가미되었다.[1]

도시공간재생의 기본개념은 자원의 활용, 가로공간 등의 휴먼스케일 회복, 광장 등 다양한 커뮤니티 활동의 장(場)의 창출 그리고 다양한 기능, 용도, 공간을 통합하는 커뮤니티 활동의 장을 연출하는 것이다. 구체적으로는 지구경관의 개성을 높이는 것인데, '지구단위'로 지구의 비젼과 가이드라인을 책정하고 있는 뉴욕시 특별지구(special district)는 전형적인 예이다. 이로써 일반적인 죠닝의 기준을 바꿔 지구고유의 기준이 만들어지게 되었는데, 디자인 가이드라인은 지구별로 공유되어져야 할 목표이며 공공성을 나타내고 있다. 이러한 지구가 증가하면 죠닝규제 자체가 다양화하게 되고 도시전체가 다양한 기능이나 다양한 공간이 매력적으로 연출될 수 있다. 공간실태나 역사적 공간을 해독해 도시공간 자체에 의미를 찾으려는 움직임도 있었지만 공간을 연출하는 힘과 제도를 바꾸지 못하고 오늘날에까지 이르고 있다고도 말할 수 있다.

한편 '도시경관(혹은 미관)'의 문제는 기능적 도시디자인의 개념에 대항(대응)하는 새로운 패러다임으로 등장하게 되었다. 경관의 문제는 단순히 '정비'나 '형성'의 문제에 국한하지 않고 근대 도시계획의 과제가 '양(量)'의 확보에서 '질(質)'적 향상으로 변화하는 것에 그 근거를 찾을 수 있다. 물론 현재 우리의 도시에 있어 기본적인 도시기반시설이 완료된 상태는 아니지만 양적 정비만으로는 세간의 설득력을 얻기 힘든 시대가 도래한 것이다.

따라서 도시계획 체계의 새로운 시점정립으로 '경관'을 포함한 광범위한 환경문제에 대응할 수 있는 새로운 시책이 요구되어지고 있는 상황이다. 즉 경관문제를 논의한다는 것은 보다 광범위한 도

1) 예를 들면, incentive zoning, 공중권이양(TDR), performance zoning, 특별지구(special district), contextural zoning 등 다양한 새로운 죠닝시스템이 도입되어 도시디자인의 유효한 수단으로 자리잡고 있다.

시계획규제의 논거를 '경관'이라는 새로운 시점에서 새롭게 바라보자는 데 그 의미가 있다고 하겠다. 경관의 논점을 전면에 내세울 수 있는 것은 현재 지구 및 지역의 물리적 현상을 정비하는 행위가 기존 경관을 해치는 행위로서 누구나 쉽게 이해될 수 있기 때문이다. 물론 이러한 시책은 계획규제 시스템의 정비가 완성되기까지 중간단계의 논리이며 계획규제가 어느 정도 제도적 장치로서 정비되어지면, 경관은 도시계획의 종합적인 컨트롤수법의 한 분야로서 정착하게 되는 것이다.

2. 도시경관의 사회적 컨트롤

2.1 경관컨트롤의 의미

시가지 경관을 컨트롤한다는 것은 시가지를 구성하는 물리적 요소에 관련된 사적활동(건축활동)에 대해 공적주체(행정 등)가 어떠한 가치옹호를 전제로 이해관계자와의 합의형성을 도모하면서 그것에 근거해 규제를 행하는 것이다. 즉 규제(컨트롤)란 권한을 위임받은 공적주체가 사적주체의 요구에 따라 합의형성을 거쳐 사적활동에 일정한 제한을 가하는 것을 기본적인 내용으로 하고 있다.

한편 사적활동의 범위에는 '건축의 자유'라는 문제가 포함된다. 이것은 1) 용도규제, 용적률 등으로 대표되는 '공권(公權) 대 사권(私權)'의 문제, 2) 일조문제로 대표되는 '사권(私權)과 사권(私權)'의 문제로 대별될 수 있는데, 이러한 문제들을 어떻게 다룰 것인가는 국가나 지역의 자유화나 사회화가 어느 정도 진행되어 있는가와 법체계가 어떻게 구성되어 있는가 등으로 집약된다.

이처럼 경관컨트롤의 개념을 일반화해 생각해보면 그 내용은 현실의 건축물 자산상태, 토지제도, 공적조직의 재정적, 행정적, 사법적 능력의 실태, 이러한 요소들의 반영으로서의 도시기반시설의 실태, 나아가 주민의 사회적 특성에 근거해 사회적 컨트롤에 관여하는 자세 등 다양한 요소들의 종합적인 표현으로 정해지게 된다고 할 수 있다.

사적영역에 대한 컨트롤이란 공적영역의 개입정도에 따라 변화하지만 우리 나라에서처럼 본질적으로 개발의 자유원칙에 입각할 경우 오히려 사적영역에 있어서 컨트롤시스템의 개선에 의해 총체적인 컨트롤시스템이 효율적으로 기능할 수도 있다.

여기서 경관컨트롤의 의미를 물리적 공간형성의 측면에서 생각해 보면 기존의 지역지구제(죠닝제도)의 체제하에서는 개개 건물을 디자인하지 않고 지구전체의 환경을 지키는 것이 가능한 개개의 대지 위에서 완결되는 2차원적인 규제수법이다. 건축법에 근거한 소위 집단규제나 사선제한 등 대지 주변환경에 관련된 규정이 없지는 않지만 어디까지나 자기 완결적인 개개의 건축물을 전제로 하고 있다. 따라서 시가지를 컨트롤한다는 것은 이러한 것을 일체적 종합적으로 다루어야 하는데, 예를 들면 가로경관의 경우에는 현실적으로 건축물의 상호관계, 가로, 스카이라인, 랜드마크 등 총체적인 어떤 특정의 도시상과 개개 건축물의 3차원적인 관계가 컨트롤의 대상이 된다. 즉 경관컨트롤이란 도시공간의 3차원적인 관계가 컨트롤의 주요 대상이며 도시공간의 3차원적 컨트롤을 전제로 이루어져야 한다.

2.2 시가지 경관의 특질과 컨트롤 논리

일반 기성시가지를 대상으로 경관의 특징을 살펴보면 다음과 같이 요약된다.

기성시가지는 소위 익명성(匿名性)을 가지며 그다지 경관형성과 관련되지 않는 장소로 취급되어 왔다. 물론 이 가운데에는 공공사업수법에 의해 주거환경의 개선이 필요한 주 환경개선지구도 존재하며 도시에 있어서의 공유자산으로 보존되어져야 할 가치 있는 지구도 있다. 그러나 실제 대부분의 시가지는 비교적 이 중간에 위치하면서 지역경관에 중요한 위치를 차지하게 된다.

또한 이러한 지구는 다양한 상황에서 점진적인 개선활동에 의해 시가지 경관을 형성하게 된다.

구체적인 경관적 특질을 정리하면 다음과 같다.

① 연속성(連續性)

도시공간의 공간적 구성이나 시간적 변화라는 시점에서 기성시가지의 경관적 특질을 고려할 때, 기성시가지는 역사적으로 중요한 건축물(혹은 지구)과 같이 점(点)적 혹은 면(面)적인 요소로 존재하는 것이 아니라, 보다 광역적인 시점(공간적인 시점)에서 시가지 경관이 '연속적'으로 구성된다. 또한 시간적으로도 시가지 경관형성의 '연속적'인 변화과정 속에 위치하게 된다.

② 개별성(個別性)

시가지 경관의 형성, 변화, 발전과정에 있어 그 경관활동이 극히 '개별적'으로 행해지게 된다. 기성시가지의 경관은 원래 우수한 경관으로 존재하지 않을 뿐만 아니라 공통의 경관 특성이나 문맥(context)이 명확하게 존재하지도 않는다. 따라서 경관형성은 개개의 경관활동에 의해 시가지의 발전방향이나 바람직한 도시상(都市像)에 근거해 그 적용능력에 많은 부분이 맡겨지게 된다.

③ 모순성(矛盾性)

기성시가지에 있어서는 '개별적' 경관활동이 '연속적'으로 행해지는 것에 모순의 원인이 있다. 이는 또 보다 바람직한 경관형성을 위해서는 개별의 경관활동이 연속성을 가진 광역적 전체성을 고려해야만 하는 것에 '모순성'을 가지게 되는 것이다. 이는 경관의 개성과 통일성의 문제와도 관련되는 문제이다.

이상과 같은 특질을 가진 기성시가지를 대상으로 한 경관컨트롤의 논리로서 시가지 경관을 다루는 것은 시가지의 시간, 공간, 생활형태 등 다양한 특성에 의해 극히 개별적이며 다양하고 복잡한 개념을 가지게 된다. 따라서 경관을 컨트롤한다는 것은 이러한 개념에 대한 합의형성의 프로세스이기도 하다.

2.3 컨트롤 대상으로서 경관요소의 인식

시가지 경관 컨트롤의 대상으로서 구체적으로 경관 구성요소를 어떻게 파악할 것인가를 지구단위에서 정리해보기로 한다. 그 시점으로는 '집합(集合)디자인'의 시점, '관계(關係)디자인'의 시점, '물리적(物理的) 디자인'의 시점으로 나누어볼 수 있다.

① 집합디자인 시점

집합디자인의 시점에서 공간을 파악한다는 것은 건축단위와 대지단위가 아닌 그러한 공간요소를 도시 및 지구단위에서 전체적으로 생각하는 것을 말한다. 특히 경관요소를 컨트롤 대상으로 검토하는데 있어, 물리적 상황을 시간적(연역, 변화, 발전), 공간적인 시점에서 종합적으로 평가할 필요가 있다. 그것은 건물이나 대지단위에 의한 지구전체공간의 평가이며, 도시의 공간자원을 경관구분에 의해 파악하는 것이다.

② 관계디자인 시점

경관을 구성하는 물리적 요소를 관계디자인으로 파악할 경우, 대지배치에 의한 경관특성 뿐만 아니라 토지의 형질에 의한 커뮤니티의 바람직한 모습과 같은 사회공간도 포함하게 된다. 특히 경관구성의 공간단위를 어떻게 파악할 것인가가 중요하며 그것은 다음과 같은 2가지 개념으로 이해된다.

• 물리적 공간의 이해 : 경관은 토지의 바람직한 상(像)의표현이다. 따라서 물리적 공간의 구조를 명확하게 하기 위해 대지의 형질을 파악하는 것은 중요하다. 대지분할의 현상(現狀)뿐만 아니라 대지의 변화에 의해 경관에 어떠한 영향을 미치는지를 고려해야만 한다.

• 경관의 공간단위 : 대지에 있어 물리적 요소가 어떠한 관계를 가지는가 하는 건축배열의 상황(배치유형이나 입면의 연속성 등)의 문제이다. 그것은 경관 매카니즘을 명확히 하기 위한 것이며 이러한 제 요소에는 건축요소 뿐만 아니라

환경요소도 포함된다. 특히 대지이용형식에 의한 건축의 배열이나 건축과 도로의 접속방식을 유형적으로 정리함으로써 경관요소를 평가, 파악할 수 있다.

③ 물리적 디자인의 시점

물리적 디자인으로서 공간을 파악하는 것이다.

• 양식 및 디자인적 가치 : 건축물 등의 디자인요소는 특히 건물의 외관형식이 중요하다. 일반적으로 건물의 입면도로 표현되는데, 건물의 외관요소를 디자인요소(design elements)로 간주할 수도 있다.

• 역사적 / 건축적 가치 : 건축디자인요소의 현상파악에 그치지 않고 건축양식의 원형을 찾거나 건축적 역사가치를 평가하는 것도 중요하다.

2.4 경관요소 분류 및 규정 방법

시가지 경관요소와 그 구조를 파악하기 위한 경관분류에 있어서는 크게 2가지의 목적이 있다. 우선 경관 구성요소의 특성에 의한 물리적 요소를 구조화하고 계획적 목적을 파악하는데 있고, 다음으로 경관요소를 분해해 개개 요소의 위치관계와 요소 상호간의 상호관계에 있어 디자인의 역할, 기능을 명확하게 하고자 하는 것이다. 예를 들면 대지단위의 건축활동 컨트롤과 관련되는 경관요소의 구조는 다음과 같이 구분할 수 있다.

① 프레임 요소

시가지의 경관수준에 관련되는 건축, 대지, 도로 등의 요소이다. 현행 건축법에 의해 건축물의 높이, 건폐율, 용적율, 도로의 폭원 등의 지표로 나타난다.

② 표층(表層)적 요소

건축물의 표층적 요소는 파사드와 건축의 전면요소를 포함하며, 대지의 표층요소는 도로의 포장, 식재 등이 있다. 이러한 표층요소는 시가지의 표정을 연출하는 중요한 요소이다. 이러한 경관요소는 각각의 특성에 따라 규정방법을 달리하게 되는데 프레임 요소는 경관수준을 나타내는 것으로 컨트롤 해야 하는 요소이며, 표층적인 요소는 시가지 경관의 가치를 나타내는 것으로 디자인되어야 하는 요소이다. 표 0.1은 지구 혹은 가구 레벨의 경관요소와 그 규정방법을 정리한 표인데 경관요소는 상황요소/프레임요소/형상요소/외부요소/이미지요소로 나눌 수 있다.

표 0.1 경관요소와 규정방법

상 황 요 소 (situation)	프레임요소 (frame)	형 상 요 소 (figure)	외 부 요 소 (outdoor)	이미지요소 (image)

1. 용도
• 용도규제(허가/금지)
2. 부지
• 형질변경(금지)
• 부지분할(금지)
• 부지규모(min./max.)
	1. 규모(2차원)
	• 건폐율(max.)
	• 건축면적(min.)
	• 유효공지율
	 － 모서리부지(min.)
	 － 모서리 부지 이외
	  (min.)
	2. 위치
	• 벽면후퇴
	 － 도로(min.)
	 － 부지(min.)
	 － 인접지(min.)
	3. 규모(3차원)
	• 높이
	 － 절대(min./max.)
	• 층수(min./max)
	• 용적율(min/max)
		1. 구조적 요소
		• 건물 폭길이(min.)
		• 지붕
		 － 지붕구배
		  (min./max.)
		 － 양식
		• 처마돌출(min.)
		• 부속건축물
		  위치(지정)
		• 건축양식
		2. 디자인요소
		• 출입구 위치
		 － 주택(지정)
		 － 옥내주차장(지정)
		• 외벽양식, 구조
		• 발코니(금지)
			1. 건축설비
			2. 담장
			 － 높이(max.)
			 － 위치
			 － 양식
			3. 공작물
			 － 높이(max.)
			 － 의장
			4. 옥외주차장
			 － 위치(지정)
			 － 출입구위치
			5. 보행자공간
			6. 식재
			 － 녹시율(min.)
			 － 수종
			7. 옹벽처리
				1. 색채
				2. 소재
				* 대상물 : 지붕, 외벽,
				  기둥, 문, 담장 등

2.5 경관 컨트롤의 제도적 유형

경관 컨트롤의 유형은 제도적 틀과 운용수법에 따라 다음과 같이 분류할 수 있다.

■ 제도적 틀에 의한 분류

도시계획시스템에 있어 경관 컨트롤의 방법을 제도론적 시점에서 대별하면 개발허가형/죠닝형/상세계획형 등으로 분류할 수 있다.

① 개발허가형

영국 등에서 전형적으로 보여지는 컨트롤시스템으로 단순한 건축행위 뿐만 아니라 모든 개발행위의 허가에 대해 개발계획(development plan)에 의한 계획허가(planning permission)의 재량권을 지방자치단체에 부여하게 된다. 이 제도의 특징은 지방행정청에 광범위한 재량권이 주어지고 있다는 점이다. 용적률 등 계획허가를 위한 기준은 설정되어 있지만, 이러한 규제 및 허가기준은 어디까지나 최고한도, 최저한도 등 획일적인 계획기준이 아닌 허가/불허가/조건부허가 등을 판단하는데 있어 참고가 되는 기준에 불가하다.

② 죠닝(zoning)형

이 방법은 지역에 따라 건축규제의 유형을 정하는 방식으로 미국에서 가장 발달한 방식이다. 1916년 뉴욕에서 건축물의 용도, 높이, 면적에 대한 3종류의 지역제가 제정되었다. 이는 개별 부지단위의 건축행위를 전제로 부지 내에 개발유형을 미리 정해놓는 컨트롤수법으로 '사전확정형'이며 '규제의 획일제'를 특징으로 한다. 따라서 이 수법은 목표상(像)인 토지이용계획을 기본으로 하며 몇 종류의 지역성격을 상정해 두고 각 지역에 적합한 규제방식을 적용하는 것이다. 일본, 우리 나라 등의 도시계획, 경관 컨트롤 시스템은 기본적으로 죠닝형으로 분류된다.

③ 계획상세형

독일 등에서 널리 사용되는 규제수법으로 토지이용계획을 실현해 가는데 있어 가장 충실한 규제수법이다. 이는 공원, 도로 등의 공공시설 이외에 건축물의 용도, 층수, 형식, 건폐율, 용적률 등을 구체적으로 정하는 제도로 토지이용계획을 지구레벨에서 구체적인 지구설계도(設計圖)로서 실현하고 법제화하는 방식이다.

■ 운용수법에 의한 분류

전술한 경관요소를 대상으로 경관 컨트롤을 실현해 가는 운용상의 수법으로는 크게 규제 / 유도 / 사업의 3가지 수법으로 나눌 수 있다.

① 규제적 수법

일반적으로 규제(컨트롤)라는 개념은 권한을 위임받은 공적주체가 도시를 균형 있게 발전시키기 위한 행위로 이해한다면 법률에 근거한 현행제도의 대부분은 규제적 수법에 속한다고 할 수 있다. 이러한 규제적 수법의 전제가 되는 것은 명확한 가치옹호를 목적으로 한 이해관계자 간의 합의형성이며, 도시거주자의 안전, 건강, 편리함에 직접적으로 관련되는 가치를 대상으로 할 때 이러한 합의형성이 쉬워진다. 그러나 도시미(都市美)나 도시경관은 도시공간의 질(質)적 내용 가운데서도 주관적인 가치에 속하는 것을 대상으로 하고 따라서 규제를 위해 합의형성을 얻기가 쉽지 않은 일이다. 더구나 공적주체에 의한 일률적이며 구체적인 개인권리의 침해에는 한계가 있다.

② 유도적 수법

유도적 수법이란 각 지자체의 조례에 근거한 지도요강(要綱)이나 협정, 사전협의제, 조성금 및 보조금의 지급 등이 이에 해당된다. 규제력의 한계 혹은 행정의 자의성이라는 운용상의 문제는 있지만, 경관이라는 주관적인 가치를 대상으로 강제적인 개인권리의 제한이라고 하는 한계성을 극복하고 이해조정의 측면에서 유연하며 개별적인 수법으로 유효하다. 도시를 균형 있게 발전시키기 위한 구체적인 수법으로 컨트롤수법의 일부로 생각할 수도 있다. 그러나 현실적으로 유도적 수법을 성립시키기 위한 종합적인 시스템이나 운용상의 문제에 대한 검토가 충분히 행해지지 않을 때에는 실제 지자체에서 이러한 수법이 충분히 활용되기 힘든 부분도 있다.

③ 사업적 수법

각 지방자치단체가 공공시설 정비사업을 통해 도시경관형
성 및 도시공간의 질적 향상을 도모하는 것으로 도시의 기
반시설정비 등이 중심대상이 된다. 이러한 공공사업은 사업
규모에 따라서는 도시공간구조에 큰 영향을 미치게 되며
주민의견의 반영과 더불어 지자체의 업무능력이 바람직한
도시공간창출의 기여도를 좌우하게 된다.

2.6 경관계획의 대상

도시의 경관을 논하는 대상이 점차 그 의미가 넓어지고 있다. 법
정 도시계획에 있어서도 경관의 개념은 확대되어가고 있다. 기성
시가지와 그 주변의 조망뿐만 아니라, 농지 등 생태적인 환경시스
템 전반을 비롯해 역사적 지구나 가로 등을 계획대상에 포함해 가
고 있다. 여기서는 이러한 경관의 계획대상을 유형별로 정리한다.

① 가로환경보전을 위한 규제

계획의 대상에 따라 경관계획을 분류하면 우선 가로의 물리
적 환경을 유지 보전하기 위한 건축선이나 도로사선의 제한
을 포함해 벽면선의 위치와 높이 규정 등이 대표적인 사례
이다. 이는 단순히 건축선이나 도로사선의 한계선을 제한하
는 방법과 보다 적극적으로 건축지정선을 설정할 수도 있
다. 건축선을 지정할 경우 가로에 면한 건물 파사드나 비례
가 미리 상정될 수 있다는 것을 의미한다. 즉, 가로경관의 환
경보전은 물론 가로의 경관을 계획적으로 만들어가겠다는
의도, 도시공간 그 자체를 종합적으로 컨트롤하겠다는 강한
의지의 표현인 것이다. 이러한 규제는 가로공간뿐만 아니라
광장 등 공공공간의 환경보전과 더불어 건축물의 규제를
넘어 옥외광고물이나 공작물의 규제까지 포함되는 경우도
종종 있다.

② **기념물 / 역사지구의 보전**

도시의 중요한 모뉴멘트나 역사적 지구를 보전하는 것을 목적으로 한 계획적 규제가 있다. 도시경관에 개성을 불어넣는 중요한 요소로 도시 내 존재하는 역사적 건조물 등 랜드마크의 존재가 있으면 이를 어떻게 파악해 보전해 갈 것인가가 과제이다.

역사적 건조물의 지정 및 등록방법은 나라마다 다른데, 예를 들면 국가에서 일원적으로 관리하는 방법(영국, 프랑스), 국가와 지자체가 다중적으로 관리하는 방법(미국, 일본), 그 권한이 완전히 주(州)정부에 이관되어 있는 경우(독일) 등이 있다. 한편 점(點)적인 모뉴멘트의 보전수법으로는 모뉴멘트 주변에 이와 조화하는 환경을 보전하기 위해 일정 반경의 범위를 대상으로 형태규제를 실시하는 방법이 일반적이다. 또 면(面)적 지구의 보전에 관해서는 대부분의 선진국에서는 1960년대 법적인 정비가 이루어졌다(대표적으로 미국의 경우 1966년 국가역사보전법이 제정되었다). 상세한 디자인컨트롤을 면적으로 실시하는 체계가 이 시기에 정비되어 디자인 가이드라인, 디자인심사제도 등이 정착되어 갔다.

③ **조망의 보전**

도시내외의 랜드마크를 바라보는 조망, 혹은 랜드마크에서의 조망을 보전하기 위한 계획이 있다. 도시의 특성을 살리는 조망과 시점을 전략적으로 파악해 그 보호를 통해 도시의 아이덴티티를 보전하려는 의도이다. 예를 들면 영국 런던의 10개소 이상의 조망지점에서의 경관은 단적으로 '전략적 조망(strategic view)'이라 불리고 있으며, 미국에서도 주의 사당이나 기념비적인 건물에의 조망과 그곳에서의 조망을 보호하기 위한 시책이 보스턴, 덴버, 오스틴 등에서 활발하게 전개되고 있다. 이러한 규제는 도시를 시점과 조망점을 연결하는 네트워크가 엮어내는 투시도적 조합에 의해 경관을 컨트롤하려는 의도이다.

④ 광역경관의 컨트롤

도시를 보다 넓게 주변지역까지 포함해 도시경관, 풍경을 고려한 계획방법의 모색이다. 도시를 조망할 수 있는 주변부에서 도시경관과 일체화된 농지의 보전이나, 반대로 도시 내부에서 주변의 자연환경(산, 하천 등)의 조망을 보호하는 것을 목적으로 한 규제의 도입이 이루어진다. 한편 도시의 외부에서 도시를 바라보았을 때의 경관을 보호하기 위한 규제도 있다. 도시의 원경 경관을 평가하는 수법도 다양하며, 멀리 보이는 교회, 주의사당 등의 기념비적 건물의 실루엣을 보호하는 수법이 일반적이며 3차원의 도시공간을 다루는 도시디자인의 중요한 전략의 하나가 되고 있다.

⑤ 농지 / 산림의 보전

도시주변의 광역경관의 규제, 유도와 관련해 도시주변의 농지나 산림의 경관 및 환경을 보전하기 위한 계획을 들 수 있다. 지금까지 자연보호는 도시계획과는 별도로 독립된 계획체계를 가지고 있으나 최근 들어 양자는 급속하게 상호 보완하며 발전해 가고 있다. 예를 들면 독일에서는 1986년 연방자연보호법에 의해 F플랜과 풍경계획, B플랜과 녹지정비계획이 서로 대응하면서 입안되도록 하고 있다. 즉 어떠한 단계의 계획에서도 조경건축가나 녹지계획 전문가들이 참여하도록 규정되어 있다.

농지나 산림, 그린벨트를 단순히 자연보호의 대상으로 취급하는 것이 아니라 도시를 포함하는 광역적 토지이용이나 생태계, 풍경의 보전 및 컨트롤의 일환으로 여기고 있는 것이다. 향후 보다 진일보해 이러한 모든 계획이 종합적인 지역환경계획의 일부로 다루어질 수 있을 것이다. 이미 미국에서는 1969년 국가환경정책법(National Environmental Policy Act, NEPA)이 입안되어 종합적인 환경계획체계를 확립하고 있다.

⑥ 경관계획 마스터플랜

도시전체의 경관구조를 의식해 이것을 의도적으로 보전하고 유도해 가는 것을 목적으로 하는 계획으로 경관계획의 마스터플랜이라 할 수 있는 계획이다. 마스터플랜은 도시를 총체적으로 다룰 뿐 아니라 기성시가지에 관해서도 새로운 시점을 제공해 준다. 그것은 기성시가지의 관점에서 종전의 역사지구뿐만 아니라, 각 지구가 가지는 고유의 커뮤니티 특성을 차별화하는 것이 도시의 매력이라는 시점이다. 지금까지 많은 관심을 기울이지 않았던 도시내 지역커뮤니티의 경관이 보호되고 관리되어야 할 계획대상으로 부상하게 된 것이다.

1부

미국 도시미관 시책

미국에 있어 '죠닝(Zoning)'으로 대표되는 도시계획시스템 속에서 미관 (경관)컨트롤 시책이 어떻게 전개되고 있는가. 즉 도시경관의 미(美)적인 질을 확보하고 향상시키기 위해 어떠한 법적 매카니즘을 가지고 있는가, 그 법적 근거는 어디에 있으며 실제로 어느 정도 실효성 있는 규제수법이 전개되고 있는가 등 도시미관규제시책 전반에 대해 살펴본다.

미국에서 '미관규제(Aesthetic Regulations)'로 들고 있는 규제(컨트롤) 수법 가운데는 옥외광고물규제, 조망보호시책 및 디자인 심사제도 등 다양 한 시책이 포함되어 있는데 이러한 규제시책이 성립되어 온 과정에서 구축 된 논리를 되돌아보며 아울러 규제수법과 그 운용실태를 지자체 사례를 통 해 검토함으로써 미국에서의 미관규제의 특질을 살펴보고자 하는 것이다.

한마디로 '미관규제'라고 해도 미국 도시계획 시스템이 각 지방자치단체 에 따라 시책의 내용과 전개방향이 조금씩 달라 하나의 법체계 하에 체계 화하는 데에는 무리가 있다. 따라서 미관규제의 관점에서 미국의 대표적인 선진지자체의 사례를 통해 구체적인 내용 및 운용실태를 파악해 본다.

제1장 미국 도시미관 시책 개관

미국에 있어 미관규제의 역사는 미국의 도시가 안고 있는 다양한 과제에 대응하는 미관규제 개념 및 실천활동 영역 확대의 역사이면서 민간 건축행위에 대한 공공의 '경찰력(police power)' 행사의 타당성 시비(是非)를 묻는 재판의 역사이기도 하다. 즉 공권력의 도시미관을 규제하는 합헌성(合憲性)은 사회적 합의를 전제로 하며 이를 가리기 위한 기나긴 재판의 역사인 것이다. 미국과 같이 다양한 문화와 인종으로 구성된 이민사회에서는 법령과 그 법적 담보성에 관한 재판이 사회적 합의형성의 기초적 조건이 되기 때문이다.

신생 미국이 건국된 지 얼마 되지 않은 1800년대 초 도시미관에 대한 관심은 그다지 크지 않았다. 국가적으로 중요한 건축물의 보존 등에 대해 일반시민들을 중심으로 그것을 매입해 보존하는 수법이 부분적으로 전개되고 있는 정도였다. 역사적 도시미관적으로 중요한 건조물이 민간의 손에 의해 '점(点)'적으로 보존되고 있었던 것이다. 당시 국가 차원에서도 도시미관을 목적으로 토지이용을 컨트롤하려는 움직임은 거의 나타나지 않고 있었다.

도시미관문제를 둘러싼 최초의 법적 분쟁의 시작은 1896년 Gettysburg시에 있어서 전쟁기념유적지의 매수에 대해 연방정부와 Gettysburg 철도회사와의 재판[1]에서 출발한다. 이 재판에서 최고재판소는 역사적으로 중요한 토지를 보호하기 위해 '공공의 목적(public purpose)'의 타당성을 부분적으로 인정했을 정도이며, 역사성이 없는 장소에 있어 미관을 목적으로 유사한 규제 혹은 정당화는 인정할 수 없다는 것을 명백히 했다.

1) Unites States vs Gettysburg Electric Railway Co., 160 U.S. 668 (1896).

　도시미관규제가 법적인 정당성을 확보하게 되는 것은 이후 많은 시간과 노력을 필요로 하게 되는데 여기서는 이러한 노력들의 개괄적인 내용을 살펴보기로 한다.

1. 높이규제의 도입

　실질적인 미관규제는 1900년 전후 건조물의 높이규제 및 옥외광고물의 규제시책에서 출발된다고 볼 수 있다. 특히 건축물에 대한 미관규제는 죠닝조례가 일반화하기 이전 높이규제로부터 시작되었다.[2] 도시미관과 관련해 건축물 등의 높이제한을 인정한 선구적인 사례로는 1888년 주거건축물에 대한 80ft(약 24m)의 높이제한을 뉴욕 지방재판소가 인정한 판례가 있다. 또 1904년에는 Baltimore시가 상업지구의 특성을 유지하기 위해 70ft(약 21m)의 높이규제에 대해 합법성을 인정받게 되었다. 이 규제는 Maryland주 최고재판소에 의해 미관의 향상뿐만 아니라, 법률상의 이유로서 화재 시 고층건축물은 소화작업이 곤란하다는 이유에서 지지되었고 장래 도시미관의 관점에서 판단할 수 있는 날이 올지도 모른다고 서술해 부분적이나마 도시미관의 시점을 인정하는 사례가 되었다.[3]

　한편 보스턴시 조례에서 보스턴시 중심부에 위치한 Copley Square 주변 건축물의 100ft(약 33m) 높이제한에 대해 최고재판소는 경찰력의 구사를 인정하고 게다가 미관이 중요한 위치를 차지하고 있다는 것을 인정했다. 이는 근대 죠닝 법제의 초기시도로 유명하며 미관규제를 인정하고 있다는 점에서도 그 의미가 깊다고 할 수 있다.(그림 1.1 참조)

2) 미국에서 죠닝조례가 처음으로 제정된 것은 1916년 뉴욕시이며, 죠닝조례가 합헌성을 가지게 된 것은 1926년 소위 '유클리드 죠닝(Euclidan Zoning)'에 대한 연방 최고재판소의 판결에서부터이다. 따라서 죠닝제도가 일반화한 것도 이 이후의 일이다.

3) Cochran v. Preston, 70 A.113 (Md.1908)

그림 1.1 보스턴시 Copley Square 주변 건축물

보스턴에서는 또 1899년에 주(州)청사 부근에 높이 70ft의 높이
규제[4]가 인정되었는데 그 판결문에서 '높이규제를 정한 이 법의
목적은 보스턴시의 권위와 아름다움이 모든 보스턴 시민에게 자랑
이며 즐거움을 위해 지켜져야 한다.'라고 서술하고 있다.(그림 1.2
참조)[5] 1904년에서 1905년에 걸쳐 보스턴시 전역에 걸쳐 80~100ft
의 높이제한이 설정되었으며(도심의 일부 상업지역만이 125ft가
인정되었다) 이는 1909년 연방최고재판소에 의해 지지되었다.[6]

4) Mass Gen Laws, ch 457, (1899)

5) 178 Mass at 209, 59 NE at 635(1901)

6) 214 US 91(1909)

그림 1.2 보스턴 주청사 주변 건축물

이와 같은 시기 미국에서는 미관규제를 둘러싼 사회적 움직임으로 1893년 시카고에서 개최된 세계 콜롬비아박람회를 계기로 '도시미화운동(City Beautification Movement)[7]'이 본격화되었다.(그림 1.3 참조) 오늘날 많은 미국의 도시에서는 도시공원, 시청사, 공공도서관 등의 공공시설로 구성된 '시빅센터(Civic Center)'라 불리는 지구가 있는데 이들의 배치나 디자인은 도시미화운동의 영향에 의한 것이다. 또 1901년 워싱톤 플랜(그림1.4), 1903년 크리브랜드 플랜, 1905년 샌프란시스코 플랜 등은 도시미화운동의 영향을 받은 대표적 사례이다.

이 도시미화운동은 축선(軸線)과 광장이라고 하는 고전적인 도시의 조형언어를 사용해 도시에 상징적인 질서를 부여하려는 것으로 도시의 형태를 직접 조형의 대상으로 하고 있다는 점에서 1960년대 이전 미국 도시디자인 개념을 대표하는 것이라 할 수 있다.

그러나 도시미화운동은 도시의 인프라 정비를 중심으로 그 이상의 미관을 추구하려는 시도는 없었다. 또한 도시미화운동 자체가 재정적인 뒷받침을 가지지 않는 계몽운동으로 법적인 규제력을 가지지도 못하는 한계를 가지고 있었다.

7) 도시미화운동은 시카고 박람회(1893년)의 성공이 많은 미국인들에게 감명을 주어 파리의 시가지와 같은 넓은 포장도로(boulevard), 광장, 사원, 공공건축, 강과 다리, 아름다운 조각 등으로 만들어진 장대하고 수려한 도시경관을 미국의 도시에서도 재현하려고 한 운동이다. 이 운동으로 특히 미국의 많은 도시의 도심부에 있어 대규모 광장이나 공공건축에 의한 '시빅센터지구'가 형성되게 되는 계기가 되었다.

그림 1.3   시카코 만국박람회장 전경

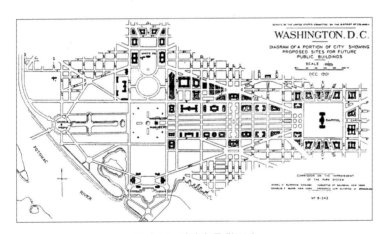

그림 1.4   워싱턴 플랜(1901)

한편, 실질적인 도시미관규제는 1920년대에 들어 차츰 법적인 근거를 가지면서 인정되었다. 특히 1919～1920년 미네소타주의 판례는 대표적인 사례로 꼽힌다. 주거지구에 있어 가족형 주택(one- and two-family houses)만을 허가하고 호텔이나 집합주택을 인정하지 않는 죠닝제도가 미네아폴리스 주에서 공표되었다(주법 1915년). 이것은 단독주택지에서 상업이나 호텔, 아파트와 같은 시설을 배제함으로써 재산의 가치보호를 목적으로 한 것이었다. 그러나 죠닝제도 타당성의 근거로 '미관(aesthetic)'의 문제를 들고있는 점이 특이하다.

It is time that courts recognized the **aesthetic** *as a factor in life. Beauty and fittness enhance values in public and private structures. But it is not sufficient that the building is fit and proper, standing alone; it should also fit in with surrounding structure to some degree. People are beginning to realize this more than before, and calling for city planning, by which individule homes may be segregate from not only industrial and mercantile district, but also from the districts devoted hotels and apartments.(144 Minn at 20, 174 NW at 162, Williams 2-319)*

하지만, 이때까지도 도시미관적 관점에서 건축물 등을 규제하는 것에 대해서는 많은 지지를 받지 못하고 있었다. 예를 들면 1947년 City of West Palm Beach v. State 판결에 있어 플로리다주 최고재판소는 건축물의 높이와 외관의 통일을 위해 규제하는 죠닝조례를 높이규제의 충분한 기준이 마련되어 있지 못하다는 이유로 무효화했다.

그러나 미관의 고려가 완전히 법적 논리로 인정된 획기적인 판결은 1954년 연방최고재판소의 판결이다(Berman vs. Parker, 348 U.S. 26, at33, 1954). 이 판결은 도시재개발을 위해 낡은 건물을 파괴하는 행위에 대해 '공공의 복리(public welfare)'개념 해석의 확대를 통해 경찰력의 정당한 행사의 조건인 안전(safety), 건강(h-ealth), 도덕(moral), 일반적 복지(general welfare)의 향상 가운데, 일반적 복지의 범위를 넓게 확대 해석해 미관개념을 폭넓게 첨가한 것이다. 이 판례문에서는 '공공의 복리' 개념에 대해 다음과 같이 서술하고 있다.

일반적 복지의 개념은 광범위하며 포괄적인 것이다. 그것의 평가는 물질적인 동시에 정신적인 것이며, 금전적인 동시에 미적인 것이다. 사회가 건강한 동시에 아름답고, 청결한 동시에 공간적인 여유가 있고, 신경을 써 감시 받는 동시에 조화로운 사회여야 하는 결정은 입법부의 권한 범위 내에 속한다.

The concept of public welfare is broad and inclusive...... The value it represents are spiritual as well as monetary. It is within the power of the legislature to determine that the community should be beautiful as well as healthy, spacious as well as clean, well-balanced as well as carefully patrolled (Berman vs. Parker, 348 U.S. 26, at33).

이 판례에 의해 복지향상개념의 일부로 '미관'이 첨가되어 처음으로 미관이 그것만으로 규제의 목적이 될 수 있음을 인정하고 있다. 이 판결은 2가지 개념을 제시하고 있다. 하나는 지자체가 미관형성을 위한 규제를 행할 수 있다는 점이며, 둘째로는 이미 존재하는 미관을 보호할 수 있다는 것이다.

2. 초기 옥외광고물 규제

옥외광고물은 20세기 초 이미 출현하고 있지만 그 규모나 설치 위치, 벽면과의 관계를 규제하려는 법령은 미관규제의 관점에서 이해되기에는 무리가 있었다. 예를 들면 1903년 뉴저지주는 광고물의 높이를 8ft 이하, 도로경계선으로부터 10ft 후퇴를 정한 주법[8]을 공포했지만, 1905년에 토지소유자의 합법적인 영업권을 침해한다는 이유로 위헌으로 판결되었다.[9]

이후 광고물 규제는 차츰 규제의 필요성에 대한 인식이 높아져 갔지만, 초기에 있어서는 옥외광고물을 미관의 관점에서 규제하는 것은 사치이며 개인의 감각적인 영역으로 행정의 범주를 벗어나는 것으로 기피되었다.

1930년대에 들어서 옥외광고물(billboards)에 대한 이해도 진전이 있어 도시경관 시책의 일환으로 옥외광고물에 대한 규제가 법적인 근거를 가지기 시작했지만, 초기의 판례에서는 보기 흉한 간판이나 성(性)의 노골적인 표현 등에 대해 규제가 주요 내용이었다. 또 경우에 따라서는 옥외광고물의 보행자에 대한 안전성을 이유로 규제를 행하는 경우도 있었다. 즉 당시로서는 미관규제를 의식하면서 미관적 관점에서 정정당당하게 규제를 논의하지 못하고

8) NJ Laws of 1903, c 240

9) 72 NJL at 287, 62 A at 268

다른 이유에서 규제의 필요성을 논의하던 시기라 할 수 있다.

하지만 1950년대에 들어서면서 미국 전역에 걸쳐 주간(州間)고속도로가 건설되기 시작하고, 고속도로 주변부의 광고물 규제가 사회적 문제로 대두되면서 차츰 미관적 관점에서의 광고물 규제에 대한 이해의 폭을 넓혀갔다.(자세한 내용은 제3장 참조)

3. 초기 죠닝과 미관의식

도시계획수법으로서 죠닝제도는 1910년대부터 미국전역에 걸쳐 급속하게 보급되었다. 초기에는 특히 주택지에 있어 미관의 유지가 주요한 목적의 하나로 의식되었다. 죠닝규제는 크게 건물의 '이용규제', '형태규제', '외관규제'의 3가지로 나누어지는데, 이중 미관규제의 근거로는 지구의 역사적 혹은 미관적 특질의 보전 및 주거지역, 상업지역 등 지구특질의 보전이 포함된다.

초기 죠닝조례에 있어서는 교외의 양호한 주택지의 자산가치를 보전하려는 상류계층의 요구가 큰 동기가 되었고 그 가운데는 당연히 미관적 관심이 포함되어 있었다. 그러나 동시에 이것이 재판소에 의해 명시적으로 지지되는 것이 많지 않았던 것도 사실이다.

하지만 주목할만한 판례가 1920년에 나타났다. 집합주택을 배제해 1세대 혹은 2세대만을 위한 죠닝 설정을 인정한 1915년 미네소타 주법이 위헌인지 아닌지를 가리는 재판이 그것이다. 1920년 주법의 합헌성이 인정되었는데, 그 판례문에는 주택지에 있어서 커뮤니티의 미관유지를 강조하고 있다.[10] 판결문에서는 '미관을 생활의 한 요소로 인지해야만 할 때가 왔다. 미(beauty)와 조화(fitness)는 공적(公的) 혹은 사적(私的) 건조물의 자산가치를 높이게 된다.'고 서술하고 있다.

이 후 건축디자인의 심사를 행하는 지자체 조례가 급증했다. 이러한 조례는 경관의 획일화를 피하려는 목적으로 건축의 다양성을 요구하는 조례와 경관의 통일성을 추구하기 위해 건축규모나 높이, 재료 등에 규제를 가하는 조례의 상반되는 2종류로 나누어지는데,

10) 다른 이유로는 단독주택이 집합주택에 둘러싸이면 자산가치가 떨어져 시(市)로서도 세제원이 감소하게 된다는 것, 개발업자가 소위 개발이익을 목적으로 근린 커뮤니티에 대규모 아파트를 건설한다는 점을 들고 있다.

어쨌든 상류계층의 주택지 자산가치를 보전한다는 점에서는 동일
하다.

또한 미관규제의 수법은 1931년 Charleston시 죠닝조례가 역사
지구(歷史地區)를 미국에서는 처음으로 포함시킴으로써 특히 역사
적 환경보전의 수법으로 차츰 특화되어 확립되어 갔다.

4. 디자인 심사제도

미국에서 최초의 디자인 심사제도는 1931년 최초의 역사지구를
지정한 Charleston시의 죠닝조례에 규정된 건축 위원회이다. 이 위
원회는 Charleston시 역사지구 내에 있는 건물의 신축 및 증축에
있어 건축디자인 일반, 마감, 재료, 색, 인접하는 건물의 건축적 특
징과의 관계 등에 대해 심사하고 허가를 부여할 권한이 부여되었
다. 허가신청을 해야하는 건물은 공공도로에서 보여지는 모든 건
축물이 포함된다.[11] 다만 건물의 파괴 및 이축(移築)에 관해서는
그 입지에 상관없이 모든 건축물에 대해 허가가 필요하다. 허가신
청은 계획의 기본구상단계, 기본계획단계, 실시설계단계로 나뉘어
각각의 단계에서 심사가 진행되도록 되어 있다.

이러한 디자인 심사제도가 역사지구 이외의 지구에도 적용된 것
은 1940년대 후반의 일로 플로리다주 West Palm Beach, 캘리포니
아주 Santa Barbara 등지에서 양호한 교외주택지를 지키기 위해
조례로 심사를 의무화한 것이 최초이다. 이후 획일적인 교외개발
을 방지하기 위해서도 디자인 심사제도가 이용되어 1970년대까지
많은 지자체에서 건축물의 디자인 심사를 규정하는 경관조례가 채
용되었다. 1970년대 이후가 되면 대도시 도심부를 대상으로 디자
인심사가 시도되게 되었다.

특히 1969년 제정된 국가환경정책법(NEPA, National Environ-
mental Policy Act)은 그 목적의 하나에 '모든 미국인에게 안전, 건
강, 생산적이며 미적, 문화적으로 만족할 수 있는 환경을 보장하는
것' 그리고 '우리들 국가유산의 중요한 역사적, 문화적, 자연적 측

11) City of Charleston Z-
oning Ordinance, ar-
tical 3, sec24-25 참조

면을 보전하는 것'을 명기하고 있다. 나아가 국가환경 성책법은 환경에 큰 영향을 미치는 사업에 대해 환경영향평가서(EIS, Environmental Impact Statement)의 작성을 의무화했다. 평가서 가운데는 단순히 계획된 개발에 의한 환경의 영향을 평가하는 것뿐만 아니라 가능한 대안서의 검토도 의무화하고 있다. 이 법은 많은 주(州)에서 참고하게 되고 이를 근거로 주의 환경정책법이 제정되어 갔다.

국가환경정책법이 요구하는 '환경영향평가서'는 이후 도시계획 컨트롤 수법에 많은 영향을 미치게 되었고 디자인심사제도 또한 예외가 아니었다. 개발을 제3자의 입장에서 심사하고 사전에 영향평가서를 공개함으로써 프로젝트의 평가를 객관적으로 논의해 가려는 자세가 모든 행정조직에 있어 가능하게 되었다.

5. 미관규제의 법적근거

이상에서 살펴본 바와 같이 미국에서의 미관규제는 약 100년의 역사를 거쳐 차츰 그 영역을 넓혀 갔다. 다양한 조례가 보다 적극적인 규제를 실험적으로 도입하고 조례의 합헌성을 가리는 판결에서도 점차 '표현의 자유'와 '재산권의 보장', '듀 프로세스(due process)론'을 전제로 하면서 도시미관행정에 이해를 나타내게 되었다.

여기서는 다시 이러한 미관규제시책에 있어 근본적인 문제인 법적 규제력을 가지는 미관규제가 어떠한 이유로 정당화될 것인가라는 문제를 재고해 보자.

당연히 20세기 초반부터 오늘날에 이르기까지 주류가 된 것은 '도시미관'을 보는 시각적 아름다움의 개념이다. 가장 알기 쉬운 주장이지만 이에 대해서는 전통적인 반론도 있다. 미관은 주관적인 것으로 규제행정의 개념과는 어울리지 않으며 사치스러운 주장이라는 논리이다. 이러한 논쟁은 궁극적으로는 경찰력(police power) 행사의 요건으로서 '일반적인 복지(general welfare)' 개념을 어느 정도까지 확대 해석할 수 있는가 라는 문제로 귀결된다.

다음으로 시각공해로부터 도시를 지킨다고 하는 '뉴이센스(nui-sance)론'의 부활이다. 1970년대가 되면 미관이란 지역공동체의 자산이라는 개념이 점차 설득력을 얻어가게 된다. 커뮤니티의 고유성을 호소하는 유력한 수단으로서 미관이 인식되어지게 된 것이다. 이 시대는 또 역사적 환경보존운동이 급속히 전국적으로 확산되던 시기이기도 하다. 지역의 고유성을 추구하는 것이 도시정책의 하나의 중요한 과제가 된 것이다.

나아가 최근에는 환경문제의 세계적인 영향으로 광역적 환경조화의 한 지표로 미관 개념이 생성하게 되었다. 특히 자연환경, 전원환경의 보전문제는 보존된 환경이 결과적으로 가져다주는 미적인 풍경과 관련되는 계획론 속에 포함되는 것이 세계적인 조류가 되고 있다.

미국의 미관개념은 이렇게 차츰 그 범위를 넓혀가며 환경총체를 평가하는 눈에 보이는 종합지표의 하나로 자리 잡아가고 있다. 따라서 미관규제도 그 전략적 중요성을 점점 더해가고 있는 상황이라 하겠다.

6. 미관규제 동향 및 특징

미국에서의 미관규제시책은 오랜 역사를 걸쳐 법적 규제력의 타당성을 확보해 감으로써 사회적 규범으로 자리잡고 있다. 특히 1900년대 초에 시작된 도시미관에 관한 관심이 제도적 장치를 수반하는 제도로 정착한 것은 1954년 연방최고재판소의 결정(Berman vs. Parker, 348 U.S. 26, at33 (1954)) 이후이다. 이후 도시미관시책은 단순한 건축 및 도시계획적 문제를 넘어 사회시스템의 결정방법으로의 접근을 시도하며, 근대도시계획의 모순된 규범(용도순화주의, 죠닝에 의한 토지이용의 사전결정주의 등)에 대응하는 새로운 계획논리로 미관규제수법이 자리잡게 되었다.

미관규제를 둘러싼 많은 판례를 통해 도시미관의 관점에서 옥외광고물의 규제, 보존규제, 높이규제 등과 관련된 시책의 타당성을

인정하게 되었다. 특히 기존에 존재하는 미관보호의 관점에서 1970
년대 후반이 되면 역사적 건축물 등은 공공이 공유하고 보호해야
할 것으로 인식되어 본격적인 역사적 건축물 보존이 법적 근거를
가지게 되었으며 연방 최고재판소도 '랜드마크 보호법(landmark p-
rotection laws)'의 타당성을 인정하게 되었다. 예를 들면 1978년
Penn Station 판례는 그 대표적인 예이다(자세한 내용은 2장 참
조). 이 판례에 의해 많은 지자체 조례에서 미관의 관점에서 경찰력
에 의한 토지이용컨트롤을 인정하게 되었다. 다만 각 지자체는 죠
닝제도에 있어 토지관련법의 제정 및 그 운용에 신중한 판단을 요
구하고 있다. 특히 언론의 자유에 관련되는 옥외광고물규제 등에서
는 세심한 주의를 환기시키고 있다.

오늘날 대부분의 주(州)가 지자체에 대해 미관에 관한 규제를 행
하는 경찰력(police power)의 권한을 인정하고 있다. 전반적으로 미
국에서는 20세기를 거치면서 다음과 같은 인식을 확립하기에 이르
렀다. '도시의 건강과 안전을 지키는 것뿐만 아니라 보다 나은 도시
를 창조하는 것, 즉 미관을 보존하고 창조해 가는 것은 하나의 합리
적인 가치'라는 공통인식이다. 나아가 미관의 의의를 경제적인 가치
나 안정성의 향상, 커뮤니티 안정화에의 공헌으로서 넓게 인식하게
되었고 인식의 확장은 지금도 계속되고 있다고 할 수 있다.

한편, 이상의 법적인 논의와 더불어 미국에 있어서 1960년대 이
후 도시미관규제, 디자인컨트롤을 둘러싼 실천활동의 영역에서는
도시를 건축적 스케일을 확대한 조형물로서 취급하려는 움직임도
있었다. 도시미관 개념의 새로운 경향이 도시디자인의 실천을 통
해 나타나게 된 것이다. 구체적으로는 도시의 생성이나 변화에 깊
은 연관이 있는 정치적, 사회경제적 배경, 의도에 근거해 다양한
의사결정의 프로세스에의 관심을 가지기 시작했다. 이는 미관시책
이 단순한 도시계획적 범위를 넘어 다양화하는 현대사회의 하나의
시스템으로 구조화된 것을 의미하기도 한다.

이후 1970년대에서 1980년대에 걸쳐 미국의 경관시책이 다양한
도시문제에 대응하는 병상 치료법적인 측면이 강한데 반해 1980년

대에서 1990년대에 걸쳐서는 도시의 장래방향을 주민 스스로가 선택하는 도시전략의 일부로서 미관시책이 자리 매겨지기 시작한 것이다.

끝으로 최근 미국에 있어 일반적인 미관시책 및 도시디자인시책의 개념 및 영역을 정리해 보면, 1) 대규모 건축물의 디자인 2) 건축 집합체의 디자인 3) 시가지 경관 디자인 4) 외부공간 디자인 5) 도시 비젼으로서의 디자인 6) 도시 공공공간 디자인 7) 도시구조로서의 교통시스템 디자인 8) 도시 비평으로서의 도시디자인 등으로 분류된다. 이처럼 오늘날 미국도시의 미관시책은 단순한 도시의 표면적인 요소의 치장에 그치는 것이 아니라 공공정책으로서 도시가 안고 있는 복잡한 과제에 대해 도시시책의 일부로서 적극적으로 대응하게 되어 점점 그 역할이 중요시되고 있다.

이는 죠닝으로 대표되는 토지이용계획을 중심으로 하는 근대 도시계획의 규범에 대한 또 하나의 대응논리로서 미관규제의 새로운 좌표를 제시하고 있다. 이러한 개념을 구체화하는 미관규제의 시책도 다양화하고 있어 물리적인 디자인에 더해 도시환경의 미래상과 그것을 지향하는 종합적인 시스템을 제시한 디자인가이드라인 행정, 디자인 심사제도에 의한 디자인컨트롤, 인센티브죠닝, TDR 등 죠닝제도에 의한 유도, 나아가 세제(稅制), linkage program, 개발부담금 등을 활용한 공공이익에의 환원 등 미국사회 고유의 수요에 맞추어 유연하게 활용하고 있는 점이 미국 미관규제시책의 특징이라고 할 수 있다.

참 고 문 헌

1. Jonathan Barnett(1982) : "An Introduction to Urban Design", Harper & Row, publishers

2. Christopher J. Duerksen(1986) : "Aesthetics and land-Use Controls", American planning Association.

3. Richard C. Smardon, James P. Karp(1993) : "The Legal landscape", Van Nostrand Reinhold

4. Christopher J. Duerksen, R. matthew Goebel(1999) : "Aesthetics, Community Character, and the Law", American planning Association.

5. Terry Jill Lassar(1989) : "Carrots & Sticks", the Urban Land Institute

6. Richard Wakeford(1990) : "American Development Control", London: HMSO

7. 渡辺俊一(1989) : "比較都市計劃序說", 三省堂

8. (財)日本建築センタ-(1989) : "海外における住宅に係わる都市計劃・建築規制に關する調査"

9. 鳴海邦碩(1988) : "景觀からのまちづくり", 學藝出版社

제2장 죠닝(Zoning)제도

　'죠닝제도'란 지자체 구역을 여러 개의 지역으로 구분하고 지역에 따라 동일한 컨트롤을 적용하는 것을 말한다. 도시(구역)를 각각 다른 법적 조건을 가지는 복수의 지구로 분할하여 각 존(zone)에서는 그 토지에 건축할 수 있는 건물의 규모와 형태, 건물의 용도를 법령으로 규정하게 된다. 즉 죠닝제도란 지자체가 그 구역을 몇 개의 지구로 구분해 공공의 건강, 안전, 윤리 및 일반적 복지(general welfare)의 목적을 위해 각 지구내의 토지, 건물 등의 위치, 볼륨, 형태, 용도 등을 지구에 따라 다른 기준에 의해 '경찰력(police power)'에 근거해 무상으로 규제하는 것이다.

　미국에서 최초의 죠닝조례가 법제화한 것은 1916년 뉴욕시 조례이다. 이 조례에서는 당시 로워 맨하탄(Lower Manhattan)지역에 현저하게 나타나기 시작한 건축물의 고층화로 도시가로공간이 점점 어두워져가는 것에 대해 일조와 통풍을 확보하기 위한 최소기준을 설정하는 것이었다. 또 공장, 점포, 주택 등 서로 공존할 수 없는 용도의 분리도 목적으로 하고 있었다. 1916년 뉴욕시 조례에서는 각 지구(zone)별로 어떠한 활동이 허가될 수 있는가를 규정하고 나아가 보도와 도로에 있어 일조와 통풍의 확보, 일정규모 이상의 고층건물에 셋트 백(setback, 벽면후퇴) 의무가 가해졌다. 이 규제에 의해 고층빌딩은 초기의 정방형 형상의 타워에서 고층부가 피라미드 형상으로 변하게 되었다.[1]

　죠닝제도가 연방최고재판소에 의해 합헌화 된 것은 1926년 '유크리드 판결'에 의해서이다. 이후 1930년대 죠닝제도는 미국 전역에 걸쳐 보급되었고 특히 당시 개발이 한창이던 교외부의 지자체를

---

1) 구체적인 내용은 Jornathan Bernett : "An Introduction to Urban Design", p113~115 참조.

중심으로 급격하게 번져나갔다.

미국에 있어서 죠닝제도의 성립 및 보급은 1940년대 거의 일단락 되었고 1950년대에 들어서면서 고전적인 죠닝수법에 대한 보완·대응논리로 많은 새로운 죠닝수법이 등장하게 되었다. 특히 1978년 뉴욕의 'Penn Station 판례'는 유클리드 판결 이후 50년만에 연방 최고재판소가 직접 죠닝제도와 연관해 기존의 토지이용문제를 다룬 것으로 그 의의가 있다고 할 수 있다.

1. 죠닝제도와 경관컨트롤

1.1 죠닝제도를 둘러싼 법적논의

지자체 행정의 조례에 의한 토지의 계획적 컨트롤을 시도한 죠닝제도는 헌법상 사유재산제도를 인정하는 미국에 있어 어떠한 법률적인 근거를 가지는가가 중요한 법적논의의 대상이 된다. 결론적으로 말하자면 죠닝제도의 법적 근거는 법에 따라 공중위생, 안전 및 일반복지를 옹호한다는 국가의 '공공복리(public welfare)' 개념에 근거하고 있다.

전술한 바와 같이 토지이용을 컨트롤하는 수단으로서 경찰력 행사의 법적 정당성을 인정하는 것으로 1922년 Ohio주(州) 유클리드시에 의해 채택된 죠닝법을 지지하는 연방 최고재판소의 판결에 의해 확립되었다.

여기서는 이러한 죠닝제도가 일반화되기 이전의 토지이용규제를 위한 법적 대응방법을 간단히 살펴보고 죠닝제도와 관련된 중요한 몇 가지 판례를 중심으로 그 내용과 의미를 살펴보기로 한다.

(1) 죠닝 이전의 토지 이용 규제

근대적 토지이용규제가 출발하기 이전에도 토지이용에 관한 규제가 전혀 존재하지 않았던 것은 아니다. 그 이전에도 다음과 같은 몇 가지 토지이용을 규제하는 제도적 장치가 있었다. 하지만 이러한 제도는 토지이용규제수법으로서 죠닝제도와는 질적으로 구분

되는데 이러한 제도들은 죠닝제도가 성립하는데 중요한 역할을 했다. 왜냐하면 이러한 제도의 존재가 죠닝제도가 재판소에서 그 법적 타당성을 확립하는데 있어 하나의 지침이 되었기 때문이다. 즉재판관이나 법률가들은 죠닝제도를 오랜 제도의 연장선상에서 이해하고 있었던 것이다.

■ 뉴이센스(nuisance)

뉴이센스는 '공적 뉴이센스'와 '사적 뉴이센스'로 나누어진다. 공적 뉴이센스는 공공의 건강, 안전, 도덕, 편익 등의 시점에서 해로운 행위에 의해 일반시민이 받는 것과는 다른 특별한 손해를 받은 경우에 성립하는 불법행위이다. 이에 반해 사적 뉴이센스는 사유재산인 토지의 사용 및 향유에 대한 침해에 대해 인정되는 불법행위이다. 양쪽 모두 규제수법으로는 '손해배상', '정지명령', '자력삭제' 등이 경우에 따라 단독 혹은 복수로 인정된다.

■ 개인간 합의에 의한 토지이용제한

불법행위법인 뉴이센스에 대해 개인이 스스로의 의지에 따라 토지에 관한 재산권의 권리내용을 변경하고 자유롭게 토지이용관계를 설정하는 사법(私法)상의 제도이다. 구체적으로는 다음과 같은 것이 있다.

① 지역권(easement, 地役權)

지역권이란 어떤 토지의 수용자가 그 토지소유지의 기본적인 재산권과 모순지지 않는 특정의 목적을 위해 이용하는 권리이다. 지역권에는 유수권, 통행권, 채광권 등 그 목적에 따라 다양하며 이러한 지역권에 관한 권리의무 관계는 원칙적으로 토지와 함께 이전되게 된다.

② 제한적 약정(restrictive covenants)

제한적 약정이란 토지이용 및 그 토지에 건설되는 건축물의 종류, 성격, 위치에 대해 규제, 제한하는 개인간의 합의를 말

한다. 이는 일정한 요건을 갖추면 그 권리의무 관계는 토지
와 더불어 이전된다.

■ 경찰력(police power)

종합적인 토지이용제도가 등장하기 이전에도 경찰력에 의해 도시
건축물이나 토지이용이 제한되었다. 물론 이러한 제한은 직접적이
며 각각의 목적과 연계해 개별적 제한의 성격이 강했으며 도시계획
을 배경으로 한 죠닝제도와 같은 종합적, 체계적인 것은 아니었다.

한편 당시 토지이용규제수법의 유형을 살펴보면 '건축기준조례
(building code)', '주택기준조례(housing code)', '용도배제', '토지
이용규제'의 4가지 유형으로 분류할 수 있다. 건축기준조례는 방재
및 안전성(특히, 구조상의)을 주목적으로 한 법이다. 주택기준조례
는 주로 공중의 위생 확보 시점에서 주거로서의 최소기준을 정한
것이었다. 건축기준조례, 주택기준조례와 같은 유형의 조례는 미
국 전역에 폭넓게 존재하고 있었다. 이들은 주도 건축물에 관한 제
한을 주요내용으로 하고 있으며 공공의 안전 및 건강과 직접적으
로 연계된 경찰력의 행사이다. 한편 용도배제 유형이란 어떤 종류
의 토지이용을 주택지역 혹은 상업지역에서 배제시키는 법이다.
또 토지이용규제는 공공의 안전, 건강, 도덕과의 관계가 그다지 강
하지 않은 오히려 이후의 죠닝제도의 가교적 성격을 띤 토지이용
형태에 관한 법이라 할 수 있다.[2]

이처럼 죠닝제도 이전 토지이용컨트롤의 내용은 이후의 종합적
인 죠닝제도가 지역제에 근거해 토지이용의 용도에서 형태까지 체
계적, 종합적인 컨트롤인데 비하면 단발적, 개별적 제한의 집합에
불과한 한계성을 가지고 있었다. 하지만 죠닝제도의 법적 타당성
을 형성해 가는 중간단계에 법적 기초를 제공했다는 것에 그 의의
가 있다고 할 수 있다.

2) 예를 들면, 워싱턴 D.C.에 있어서의 고도제한(1889), 보스턴시 높이 제한(1904, 연방최고재판소에 의해 합헌성이 인정됨)이나 각지에서 보여지는 건축선 규제 등이 이에 해당한다.

⑵ 죠닝제도와 관련한 주요 판례

■ 유클리드 판결

(Village of Euclid vs Ambler Realty Co., 272 U.S. 365, 1926)

① 유클리드 판결의 의미

유클리드 빌리지는 Ohio주 크리브랜드시에 인접한 곳이다. 1922년 11월 13일 유클리드빌리지(Village of Euclid)의 의회에서는 토지이용에 대해 상업, 공업, 아파트, 가족형 주택 등의 건축을 컨트롤하는 포괄적인 계획을 정한 법령을 제정했다. 이 법령은 시 전체를 6개의 용도지역, 3개의 고도지구, 4개의 공지지구로 나누고 그 중 용도지구는 용도(1)의 단일가족용 주택지구에서 용도(6)의 공장지대까지로 분류되어 있었다.

이 재판의 원고인 Ambler 부동산회사는 유클리드시에 약 28ha의 토지를 소유하고 있었다. Ambler 사는 만약 자신의 토지가 공장용도로 이용될 경우 그 지가는 주택용보다 4배에 달하게 되는데, 재산권에 불이익을 끼치는 이러한 규제조례는 부당하다고 주장, 제소하기에 이르렀다. 이 제소에 대해 지방재판소는 그 법령이 위법이라고 판단했지만 연방 최고재판소에 의해 번복되었다. 토지이용구분 규제 조항(죠닝)은 시의 토지소유자에게 많은 손해를 가져오게 했지만, 시는 독립된 지자체로서 공공의 복리증진 입장에서 토지이용을 규제하는 것은 어쩔 수 없는 것이라는 것이다. 이는 토지이용규제에 경찰력의 개념을 확대해석하고 죠닝조항의 합헌성을 인정한 중요한 판결이었다. 이후 이 판결은 미국 죠닝제도 발전의 기초를 확립한 판결로 자리매김하게 되었다.

② 유클리드 죠닝의 내용 및 특징

유클리드 판결 이후, 미국 전역에서 본격적으로 전개된 소위 '유클리드 죠닝'은 1920년대 미국 도시상황의 반영이었으며 고전적이고 전통적인 죠닝수법으로 자리잡게 되는데 그 특징을 정리하면 다음과 같다.

- 사전확정주의
  개발 및 토지이용은 사전에 예견할 수 있다는 전제로 용도를 사전에 확정적으로 계획하는 것이다.

- 중첩주의
  상위용도(주거 등)를 하위용도(공장 등)에서 지키면 된다는 것을 전제로 중첩적으로 지역제를 적용하는 것이다.

- 개발억제주의
  과도한 민간개발을 방지하기 위해 개발촉진보다는 억제에 역점을 둔다.

- 시방규제주의
  주거 / 상업 / 공업이라는 용도나 전면정원 규모 등의 형태를 시방(Specification)적으로 규제형식을 정하고 있다.

- 부지주의
  토지이용의 규제단위를 개별부지에 근거해 그 규제를 중첩해 감으로써 양호한 시가지를 형성하려고 하고 있다.

- 용도순화주의
  주택지에 있어서는 공장, 아파트 등을 가능한 한 배제시켜 용도의 순화를 목표로 하고 있다.

- 지역주의
  죠닝의 목적을 지역의 자치단체 및 주민의 이익추구에 두고 있다.

이러한 특징을 가진 죠닝조례가 미국 전역에 걸쳐 급속하게 보급된 것은 1920년대 당시 소음과 불결한 주택, 공장의 혼재, 과밀 주거 아파트(tenement), 고층빌딩의 출현 등에 의한 어두운 가로 공간 등의 도시문제를 해결하기 위해 용도혼재와 과밀화를 방지하고 양호한 주택지를 보전하기 위한 건물의 형태규제에 의해 일조, 통풍, 공지의 확보가 긴급한 도시적 과제였다는 것을 반영한 것이다.

■ **Berman vs. Parker 판례(Berman vs. Parker, 348 U.S. 26, 1954)**

유클리드 죠닝의 합헌화 이후 미국에 있어 죠닝조례가 활발하게 보급되어 가고 있었지만, 1950년대 당시 전반적으로 미국의 재판소는 미관규제를 경찰력의 정당한 행사로 인정하는 예가 그렇게 많지 않았다. 그러나 시대의 흐름과 더불어 미관규제의 부차적인 이유로 인정하는 판례가 증가하게 되었다.

이들 가운데 특히 중요한 것은 1954년 연방 최고재판소의 판결인 'Berman v. Parker 판례'이다. 이 판결에서는 종래 경찰력의 정당한 행사의 조건이었던 안전, 건강, 도덕, 일반적 복지의 향상 가운데, 일반적 복지의 범위를 넓게 해석해 미관개념을 포함시킨 것이다.

이 재판은 Washington D.C.에서의 슬럼재개발을 포함한 프로젝트에 관한 것으로 그 판결문에서 '일반적 복지의 개념은 광범위하고 포괄적인 것이다. 그것이 가지는 가치는 물질적(physical)인 동시에 정신적(spritual)인 것이며 금전적(monetary)이며 동시에 미관적(aesthetic)것이다. 커뮤니티가 건강한(healthy) 동시에 아름답고(beautiful), 청결(clean)하며 공간적인 여유(spacious)가 있고 세심하게 보호되는(carefully patrolled) 동시에 조화로운(wellbalanced) 사회가 되는지를 결정하는 것은 입법부의 권한이다.(중략) 주나 각 도시가 도시의 특징과 바람직한 미관적 특징을 보전함으로써 생활의 질을 풍요롭게 하기 위해 토지이용을 규제하는 것은 있을 수 있는 일이다'라고 서술하고 있다.

이로써 복지향상에 '미관'이 첨가되고 처음으로 미관이 그것만으로도 규제의 목적이 될 수 있다는 것을 인정하게 되었다.

이 판례는 미국에서 미관규제시책이 정당한 경찰력의 행사를 인정하게 되는 획기적인 계기를 제공하게 되었고, 이후 미국 도시계획에 있어 미관규제가 차츰 그 영역을 넓혀가게 되는데 결정적인 역할을 한 사례가 되었다.

■ Penn Station 판결(Penn Central Transportation Co., vs. New York City, 438 U.S. 104, 129, 1978)

이 판례는 뉴욕시의 Penn Station 보존문제에 관한 것으로 Penn Station 철도회사는 역사(驛舍)에 고층건물을 건설할 계획을 신청했지만 시가 허가를 거부했다.[3] 이에 대해 그 근거가 된 '뉴욕시 역사적 건축물보전조례(New York City Landmarks Preservation Law)'가 프로세스 및 평등보호에 반하는 것으로 제소되었다. 이에 대해 재판소는 1) 철도회사가 다른 장소에 개발할 수 있는 부동산을 가지고 있다는 점 2) 역사는 현재의 상태로 이익을 올리고 있다는 점 3) 개발권의 이양(TDR) 등 다른 선택안이 있다는 점 등의 이유로 이 조례를 지지했다.

또한 이 판결문에서는 '이 법정은 많은 주나 시에서 도시의 미적인 특징을 보전함으로써 생활의 질을 향상시키기 위해 토지이용의 규제를 행하는 것을 인정하고 있다.' 라고 서술하고 있다.[4]

이 판결은 1980년대에 역사적 건축물 보존을 목적으로 하는 새로운 토지이용규제의 붐을 불러일으키게 되었다. 즉 이 판례가 있기 이전에 많은 주나 지자체는 장래의 재산권의 보상을 두려워 해 중요한 역사적 가치를 가지고 있는 상업적 시설에 대해서는 랜드마크의 지정을 미루고 있었다. 그러나 이 연방 최고재판소의 판결로 랜드마크의 지정을 안심하고 행하는 것을 가능케 했다.

특히 이 판결의 의의로는 유클리드 판결 이후, 50년만에 연방재판소가 직접 죠닝제도와 관련해 토지이용규제의 문제를 다루었다는 것이다. 그 목적은 직접적으로는 역사적 보전을 목적으로 한 규제의 합헌성을 인정한 것이었지만 동시에 50년간 주 재판소가 쌓아 온 토지이용규제에 관한 판단을 연방 최고재판소로서 인정한 것이다.

이처럼 유클리드 판결에서부터 반세기는 죠닝제도와 연관된 토지이용규제가 차츰 그 범위와 심도를 넓혀가던 시기이며 그것이 법적으로도 승인을 받아가던 시기였다.

3) 이에 관한 자세한 내용은 Jonathan Barnett : "An Introduction to Urban Design", p42~44참조.

4) ...We emphasize what is not in dispute.... This court has recognizes, in a number of settings, that states and cities may enact land-use regulations or controls the quality of life by perseving the character and the desirable aesthetic features of a city....

(3) 죠닝제도의 법적 타당성 근거

전술한 바와 같이 유클리드 판결에 있어서 연방 최고재판소가 죠닝제도의 정당화를 인정한 것은 주로 뉴이센스 법리 및 공중의 건강, 안전, 도덕, 복리 향상에 도움이 되기 때문으로 해석된다. 여기서는 죠닝제도가 이러한 법리 이외에 어떠한 법적 논리로 그 정당화를 설명할 수 있을지 그 법적 근거논리를 정리해 본다.

우선 첫째로 죠닝제도가 손해배상 없이 사유재산을 제한하고 침해한다고 하는 반론에 대해 '죠닝제도에 의해 토지이용을 제약받은 자는 손해를 보기는 하지만, 그 외 사회의 구성원도 동일한 제약을 받고 있고 또한 제약에 의해 이익도 받고 있다' 라는 것이다. 이는 예를 들면 주거지구로 지정된 토지소유자는 자신의 토지에 공장을 건설할 수 없는 대신 인접대지에도 같은 제약을 받음으로써 결국 양호한 주거환경의 지속적인 유지가 가능해 토지계획의 수립으로 효율적인 토지이용을 실현함으로써 사회전체가 이익을 받게 된다는 정당화의 논리이다.

둘째로 죠닝제도는 상호간에 저촉되는 토지이용을 개개의 공간에 배치함으로써 마찰을 줄이고 효율적인 토지이용을 실현해 지역사회 전체의 토지재산적 가치를 증가시킨다는 정당화의 논리이다.

하지만 이상의 논리는 컨트롤을 받는 토지소유자가 이익을 받는 일없이 막대한 손실을 받을 경우에는 도움이 되지 못한다. 여기에 등장하는 것이 역시 '뉴이센스 논리'이다. 이 뉴이센스의 법리로서는 '이권침해가 없는 침해'의 이론을 채용하게 된다. 즉 공중의 건강, 안전, 도덕, 복리를 침해하는 행위를 제한한다고 해도 그것에 의해 생기는 피해는 법률상의 손실 혹은 권리의 침해로 인정할 수 없다는 설명이다.

(4) 죠닝제도와 컨트롤방식

■ 컨트롤 대상

죠닝제도는 도시계획적 관점에서 토지, 건축물 등의 위치, 규모, 형태, 용도 등을 컨트롤하게 되는데 그 규제대상의 특징은 다음과 같다.

① '토지, 건축물 등'에는 그것들의 부속물도 포함된다

② '배치'에 대해서는 전정, 후정(back-yard) 등의 규제에 의해 부지와 건축물과의 위치 관계의 규제가 중심이 된다.

③ '규모'에 대해서는 부지의 최소면적을 비롯해 최소 건축물의 폭을 규제하는 경우가 있다. 또 건축물 바닥면적의 상한, 하한을 정하는 경우도 있다.

④ '형태'에 대해서는 건축물의 높이제한, 사선제한이 일반적이다.

⑤ '용도'에 대해서는 그 용도지역 내에 허용되는(혹은 금지되는) 용도가 정해진다. 그 외 주차장 등이 규정되는 것이 보통이다.

⑥ 이상의 규제가 기본적으로 '대지중심'으로 이루어진다.

■ 기존 부적격 건축물의 대응

죠닝조례에 의해 공장지역이 주거지역으로 변경됨으로써 이전에는 적법했던 토지, 건축물이 부적합한 것으로 되는 경우 이를 '기존 부적합(nonconformity)'이라고 한다. 기존 부적합의 토지, 건축물은 기득권의 보호, 소급적용의 보호차원에서 위법은 되지 않지만 다음과 같은 제약조건에 의해 대응한다.

① 기존 부적격 건축물 등의 증축은 인정하지 않는다.

② 기존 부적격 건축물 등이 일정규모를 초과해 파괴될 경우 원래의 기존 부적격 용도의 지속을 인정하지 않는다.

③ 그 외 부적합용도에의 변경을 인정하지 않는다.

④ 일정기간 이상 기존 부적격 용도가 중단된 경우 그 후의 용도지속은 인정하지 않는다.

⑤ 적극적으로 기존 부적격의 토지, 건축물 등을 지자체가 시정하려고 하면 그것은 보상이 필요하며 무상의 경찰력이 아닌 '강제수용권(eminent domain)'에 의해 행해지게 된다.

1.2 새로운 토지이용 컨트롤수법의 등장

1950년대 이후 미국의 도시상황 변화와 더불어 유클리드 죠닝으로

대표되는 기존의 규제수법에는 많은 한계가 나타나게 되어 다양한 개선방안이 모색되기 시작했다. 이는 소위 '비(非) 유클리드 죠닝'이라 불리는데 그 내용 및 특징을 정리하면 다음과 같다.

① 자동차의 발달에 의한 도시구조의 변화에 의해 도심부에서 연속적으로 변화하는 토지이용에 대응하기 위해 기존의 사전확정적인 계획 대신 변화에 대응하는 유연한 컨트롤 수법이 요구되고 있다.

② 뉴욕시와 같은 대도시 쇠퇴문제의 대응책으로 기존의 개발억제주의에서 계획을 유도하는 기능을 가진 유도적 죠닝수법이 필요로 하게 되었다. 예를 들면 '인센티브 죠닝'은 그 대표적인 수법이라 할 수 있다.

③ 기존의 죠닝수법은 형태규제를 중심으로 하는 시방서적인 규제주의가 주요한 규제수법의 하나가 되고 있지만 특히 공해규제, 일영(日影)규제, 천공율(天空率)규제와 같은 '성능규제'가 필요하게 되었다.

④ 부지단위의 규제수법에서 탈피하여 전체단지를 규제단위로 해 그 범위 내에서 배치 등의 자유도를 높이는 '개발단위계획(PUD)'과 같은 수법이 나타나게 되었다.

이와 같은 배경에서 나타난 새로운 죠닝수법의 내용을 정리하면 다음과 같다.

• 인센티브 죠닝 : 개발억제주의에 대한 대응책으로서 인센티브 죠닝은 구체적인 정책목표를 위해 개발을 적극적으로 유도하는 죠닝수법이다. 이 경우 특정의 개발억제 또는 촉진을 강요하는 것이 아니라, 기존의 규제조건을 완화하거나 보너스를 부여함으로써 특정개발로 유도하는 것이다. 대표적인 사례로 1982년 개정된 뉴욕시 맨하탄 중심지구'미드타운 죠닝'을 들 수 있다.

• 개발단위계획(PUD) : 1960년대 이후 교외부에 있어 대규모 단지를 계획적 단계적으로 개발해 가는 유력한 수법으로 개발단위계획(PUD, Planned Unit Development)이 도입되었다.

PUD는 지구레벨에서의 규제수법이라는 점에서 미국도시 계획의 전통적인 계획체계인 '종합계획(general plan)', '죠닝제도', '택지분할규제(subdivision control)' 등을 폭넓게 포함하면서 종합적으로 운용될 수 있는 수법이다.

• 개발권 이양제(TDR) : 토지를 개발해 특정의 용도에 제공하는 '권리(개발권)'의 개념을 도입해 이를 매매 가능한 것으로 양도할 수 있도록 하는 토지이용규제수법이다. TDR은 시장주의형 도시개발에 유연하게 대응하는 방식으로 1970년대에 제안된 것이지만, 그 배경에는 오픈스페이스나 자연생태지, 역사적 건축물 보존 등 도시환경에 공헌한 토지소유자에게 어떻게 보상할 것인가라는 시대적 문제의식에서 출발하고 있다. 따라서 TDR은 실제로 개발을 촉진하기보다는 자연보호, 역사적 건축물 보전 등의 개발을 억제하기 위한 규제수법으로 활용되는 경우가 많다. 어쨌든 공공의 토지이용컨트롤의 범위 내에서도 TDR과 같은 시장기능을 도입하는 것은 상당히 미국적이라 할 수 있다.

• 규정 죠닝(Inclusionary zoning) : 개발자가 규정 호수(unites) 이상을 개발하려고 할 때 일정비율의 저・중소득자용 혹은 규정 이외의 주호를 개발에 포함하도록 규정한 것이다. 이는 규정 이상의 주호에 대해 개발 내용이 규정되어있다는 점에서 인센티브 죠닝과는 다른 수법이다.

• 클러스트 죠닝(Cluster zoning) : 주로 주택지개발에 사용되는 죠닝수법으로 개발의 전체효과를 높이기 위해 기존의 최소택지규모의 규정보다 작은 택지를 허용하는 대신 나머지 택지를 공공공간 등 커뮤니티의 이용 목적으로 사용하는 것이다. 이 죠닝수법은 특히 계획자에게 인기가 있는데 오픈스페이스를 유지하면서 경비를 절약할 수 있기 때문이다. 즉, 소규모택지에 주호간 밀도를 증가시킴으로써 도로면적, 택지조성비 등을 줄일 수 있다.

• 퍼포먼스 죠닝(Performance zoning) : 퍼포먼스 죠닝수법이란 아직 일반적인 수법은 아니지만 퍼포먼스 죠닝코드에서는

개발의 정확한 형태를 상세하게 컨트롤 하는 대신 무엇을 어떻게 하면 좋은가를 규정하게 된다. 이는 기존의 일률적인 죠닝수법과 비슷하지만 보다 유연성 있는 규정내용의 설정을 가능케하는 수법이라 할 수 있다.

2. 죠닝의 실제 : 보스턴시 죠닝조례(Zoning Code)

본 절에서는 실제로 미국의 지방자치단체(local government)에서 죠닝제도가 어떻게 운용되고 있는가를 '보스턴시'를 대상으로 살펴보기로 한다. 미국은 죠닝제도를 지자체 경관시책의 근간으로 하면서 각 지자체의 실정에 따라 죠닝제도의 구성과 운용실태를 달리하고 있다. 여기서는 미국에서도 경관시책의 선진 지자체로 알려져 있는 '보스턴시'를 대상으로 보다 자세한 죠닝조례의 운용수법을 살펴보기로 한다. 보스턴시의 경우 미국의 다른 지자체와 동일하게 죠닝제도를 도시계획시스템의 기본으로 하면서 보스턴 재개발국(Boston Redevelopment Authority, 이하 'BRA'라 함)의 주도 하에 죠닝제도의 책정 및 운용이 전개되고 있다.[5]

2.1 보스턴시 죠닝조례 이념

■ 보스턴시 개요

보스턴시는 미국 동부 대서양에 면해 위치해 있는 메사츄세츠 (massachusetts)주(州) 주청사의 소재지이다. 인구 약 60만명(미국에서 20번째)으로 뉴 잉글랜드 지방 최대의 도시이며 정치, 경제, 문화의 중심지이다. 일찍이 영국 청교도가 자리잡으며 19세기에는 미국의 중심지였으나 최근에는 사학의 명문인 Harvard 대학, MIT와 더불어 각종 첨단연구기관이 자리잡고 있다. 특히 보스턴은 역사유산을 많이 보유하고 있어 관광산업이 발달하고 시가지 경관 또한 미국의 다른 도시와는 달리 좁고 굽은 석재포장길, 붉은 벽돌집, 유서 깊은 교회 등 유럽풍의 도시경관이 현대적인 고층건물과 어우러져 있는 고풍스러우면서도 현대적인 도시경관을 자아내고 있다.(그림 2.1)

5) 실제로 죠닝제도는 제5장에서 다루어지는 디자인리뷰(Design Review)제도와 일체화되어 시가지경관 컨트롤의 중요한 수법이 되고 있다.

그림 2.1 보스턴시 전경

■ 죠닝조례 약사(略史)

보스턴시 죠닝조례는 1924년 최초로 책정되었으며 1965년 대폭 수정되었다. 또 1984년부터는 커뮤니티에 근거한 계획프로세스(planning process)에 중점을 둔 죠닝조례의 재검토(Zoning Amendment)작업에 착수하여 오늘날까지 계속되고 있다.

1924년 최초로 책정된 보스턴시 죠닝조례는 당시 자동차의 급증과 고층건축물의 등장 등 새로운 도시문제에의 대응에서 출발하였다. 즉 신규의 오피스나 아파트단지개발로부터 기존지구의 커뮤니티를 지키기 위한 '방어적인 조치'로서 시작된 것이었다. 최초로 죠닝조례가 적용된 것은 보스턴 최초의 역사지구인 'Beacon Hill 지구'이다.(그림 2.2)

또 1965년 죠닝조례의 개정은 경제촉진정책의 일환으로 행해져 1924년에 책정된 높이제한을 철폐했는데 이는 의식적인 전략이었다. 죠닝개정의 목표는 도심부의 고층타워와 넓은 공원, 교외부에 후정(backyard)을 가진 단독주택지가 늘어선 전형적인 근대도시계획의 이미지였다.

행정적인 대응으로는 1960년 도시계획위원회의 해체와 더불어 도시계획위원회의 기능이 BRA로 이관되고 BRA는 도시계획위원회로부터 계승된 도심재개발 업무에 전념하게 되었다.

그림 2.2 Beacon Hill 지구 전경

한편 1980년대 중반 새로운 죠닝조례의 수정작업이 검토되기 시작했다. 도시디자인의 전략으로서 1) 균형된 성장 2) 서민주택의 건설 3) 다운타운의 경제성장 이익의 주변주택지구에의 분배 등이 제안되었다. 이처럼 1984년부터 BRA는 커뮤니티에 근거한 계획프로세스에 중점을 둔 죠닝조례를 재검토하기 시작한 것이다.

여기서 중요한 점은 BRA가 도시의 전역에 걸쳐 다양한 항목(사회, 윤리, 건축, 자연, 밀도 등)에 걸쳐 1965년 근대도시계획의 이미지를 목표로 한 죠닝개념을 부정하고, 그 대신 지구별 목표, 토지이용 등에 의한 지구의 특성에 근거한 시가지경관 컨트롤 시스템의 구축을 시도한 것이다. 오늘날 많은 지구에서 새로운 유형의 죠닝이 재검토 되어가고 있으며 1999년 현재 전 지구의 거의 80%에 달하는 지구에서 죠닝조례 재검토 작업이 완료된 상태이다.

■ 죠닝 재검토 4가지 방침[6]

① 커뮤니티 참가

도시계획의 결정에는 다양한 요소(역사, 사회, 경제, 재산권 등)의 균형이 요구된다. 또 도시계획의 결정에는 기술적인 문제뿐만 아니라 정신적인 가치관 등도 중요한 판단요인이 된다. 더구나 일반시민의 커뮤니티에 관한 정보는 계획결정의 중요한 요소이다.

6) 이에 관한 상세한 내용은 Linda Mongelli Haar, Hommer Russell : "The Power of Zoning", Urban Land 1993년 10월호, p46~52 참조.

보스턴시에서도 죠닝조례의 수정작업에 있어 지역주민, 경제인, 지권자 등으로 구성된 시민이사회(citizen's advisory committee)가 설치되었다. 또한 오픈스페이스의 보호, 역사보존, 환경보호 등 도시전반의 문제에 관련되는 보호단체(Advocacy organization)의 대표도 포함되었다. BRA는 이러한 시민단체와 밀접하게 협력하면서 죠닝수정안(Zoning Amendments)의 작성을 진행하고 있다.

② 공공영역(Public Realm) 확대

공원, 대가로(boulevards), 가로 등의 공공영역은]일반시민이 일상적으로 접하는 부분으로 가로경관, 역사적 컨텍스트(context) 등에 많은 영향을 미치는 중요한 공간이다. 보스턴에서는 '보행자의 체험(pedestrain experience)'을 중요시하고 이를 보호하기 위한 세심한 배려를 행하고 있다. 따라서 죠닝 수정안의 작성에 있어서도 이러한 공공영역의 유지, 관리에 특별한 배려를 기울이고 있는 것이다.

③ 서민을 위한 주거계획

보스턴에는 다양한 근린주거와 주택유형이 존재한다. 기존주택의 유지와 더불어 서민주택(affordable housing)의 적절한 공급은 주거의 질 향상에 큰 도움이 된다. 죠닝규제는 이러한 문제들과 깊은 관련이 있다. 죠닝조례에서는 주택유형의 다양성을 인식하고 새로운 개발에는 근린주거의 특성을 충분히 반영하도록 하고 있다. 특히 보스턴시의 경우 다운타운의 주택건설 촉진 정책을 추진하고 있다. 주택건설촉진지구(Housing Priority Area)가 미드타운(midtown) 지구 내에 지정되어 높이 155ft(약 47m)이상의 건축물에 있어서 155ft 이상의 모든 연면적은 주거용으로 사용되도록 하고 있다. 나아가 경우에 따라 다운타운지구에 있어 75% 이상의 연면적이 주거용일 경우 높이와 용적율(FAR)의 보너스를 주기도 한다.

한편 미국에서 최초로 도입된 '보스턴 주택 연계프로그램 (Boston's housing linkage program)'은 도시의 중심부와 주변부의 근린지구가 경제적인 이익을 공유하기 위한 사회적 계약의 일종이다.

이 프로그램은 100,000ft²(약 9,300m²) 이상의 대규모 오피스나 상업시설을 건설하는 개발자는 서민주택을 근린지구에 별도로 건설하든지 혹은 주택건설을 위한 자금을 내도록 되어있는데 그 액수는 100,000ft² 이상의 연면적 당 5달러로 되어 있다.

④ 경제성장계획

경제성장은 죠닝수정 작업에 있어 중요한 논의의 대상이 된다. 경제계획의 목표는 경제성장에 따른 다운타운과 근린지구에 있어서의 교통영향의 최소화이다. 죠닝수법으로는 경제성장의 상황이 바로 경제개발지구(Economic Development Areas, EDAs)에서 체크될 수 있도록 되어 있어 높이, FAR, 용도 등의 허가가 행해지도록 되어 있다. 또한 경우에 따라 경제개발지구는 취업기회의 증진을 위해 설치되는 경우도 많다. 죠닝에 근거한 경제계획에서는 다양한 경제활동이 취업기회를 높이게 된다는 것이 기본적인 생각이다.

2.2 죠닝조례의 구성과 내용

■ 지구구분에 의한 죠닝수정안

전술한 바와 같이 보스턴시에서는 1984년부터 지구별로 죠닝수정계획안이 책정되고 있고 수정계획안이 법적인 근거를 가지는 '지구별계획(districts plan)'의 가이드라인으로 책정되어 모든 개발행위는 이 가이드라인에 의해 컨트롤되고 있다. 또한 죠닝수정안이 책정되어 있지 않은 지구에 대해서는 수정안이 책정될 때까지 '중간단계의 잠정계획(Interrim Planning Overlay District, IPOD)'이 적용된다.

그림 2.3은 보스턴시 다운타운지구와 근린지구의 현황을 나타내고 있다.

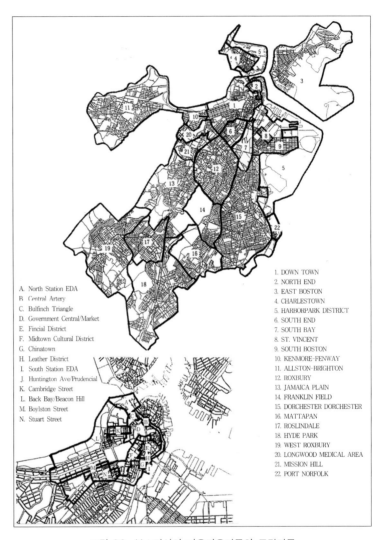

A. North Station EDA
B. Central Artery
C. Bulfinch Triangle
D. Government Central/Market
E. Fincial District
F. Midtown Cultural District
G. Chinatown
H. Leather District
I. South Station EDA
J. Huntington Ave/Prudencial
K. Cambridge Street
L. Back Bay/Beacon Hill
M. Boylston Street
N. Stuart Street

1. DOWN TOWN
2. NORTH END
3. EAST BOSTON
4. CHARLESTOWN
5. HARBORPARK DISTRICT
6. SOUTH END
7. SOUTH BAY
8. ST. VINCENT
9. SOUTH BOSTON
10. KENMORE-FENWAY
11. ALLSTON-BRIGHTON
12. ROXBURY
13. JAMAICA PLAIN
14. FRANKLIN FIELD
15. DORCHESTER DORCHESTER
16. MATTAPAN
17. ROSLINDALE
18. HYDE PARK
19. WEST ROXBURY
20. LONGWOOD MEDICAL AREA
21. MISSION HILL
22. PORT NORFOLK

그림 2.3 보스턴시의 다운타운지구와 근린지구

7) 보스턴시 역사지구는 Back Bay, Beacon Hill, South End, Bay Village, St. Botolph, Bay State Road, Mission Hill, New State 등 8개의 지구가 지정되어 있다.

지구별계획(죠닝수정 계획안)은 보스턴시 전역을 21개의 근린지구(neighborhood)로 나누고, 근린지구의 하나인 다운타운지구를 14로 다시 분류해 각 지구별 가이드라인을 작성하고 있다. 근린지구 가운데는 다운타운지구 이외에 6개의 항구지구(Harbor Park district), 8개의 역사지구[7]도 포함되어 있다.

■ 죠닝수정 내용

① 다운타운 죠닝(Downtown Zoning)

다운타운 죠닝은 14개로 분류된 다운타운지구에 있어 포괄적인 가이드라인의 역할을 하고 있고 새로운 도시정책이나 도시디자인의 개념이 이미 여기에 포함되어 있다. 즉 고용이나 소수민족(minority)의 문제 등 사회적 요소를 적극적으로 정책화해 도입하고 있고, 한편으로는 물리적인 공간형태의 규제에 있어서도 도로폭원이나 사선제한 등과는 별도로 지역의 허용절대높이를 정해 도시의 물리적인 형상 그 자체를 컨트롤하려고 하고 있다.

다운타운의 14지구 각각의 가이드라인 가운데는 시가지 경관 디자인 컨트롤의 구체적인 기준이 정해져 있다. 예를 들면 '미드타운 문화지구(Midtown Cultural District)'의 경관 디자인의 특별규정(Specific Design Requirements)에는 다음과 같은 내용이 포함되어 있다. 가로벽의 연속성 / 가로벽의 높이 / 쇼윈도의 면적규제 / 쇼윈도의 투명도 / 쇼윈도의 용도 / 세트 백(set back)규정 / 최대바닥면적 규정 / 모서리에 위치한 건축물의 디자인방법 등을 포함한다.[8]

② 근린지구 죠닝(Neighborhood Zoning)

근린지구는 지구의 특성에 따라 좀더 세분화한 가구(subdistrict)로 구성되며 각 가구별로 정비방침 및 기준이 정해져 있다. 예를 들면 'Roxbury 근린지구'의 경우 경관컨트롤과 관련한 가이드라인의 항목으로 다음과 같은 요소를 열거하고 있다. 사이트 플랜(배치계획) / 자동차 동선 / 주차장의 위치 / 옥외광고물 계획 / 상업건물 / 가로경관 / 점포전면의 건축적 특성 / 건물 지붕 디자인 / 조경계획 / 신축 혹은 개축되는 주거건물의 디자인 등을 포함한다.[9]

8) 이에 관한 구체적인 기준 등은 참고문헌 7. 참조.

9) 이에 관한 구체적인 사항은 참고문헌 8. 참조.

③ **죠닝조례의 운용**

보스턴시의 모든 개발행위는 죠닝조례에 근거한 각 지구별 계획(죠닝수정안)에 의해 컨트롤된다. 100,000ft²(약 9,300m²) 이상의 대규모 건축물은 별도의 디자인 심사를 거치지만,[10] 그 이외의 개발행위의 경우 우선 건물의 소유자는 건물의 신축허가, 용도변경을 건축국(Building Department)의 검사부(Inspectional Services Department, ISD)에 신청해야 한다. 건축국은 건축확인신청이 접수되면 지구별계획에 근거해 심사, 허가의 가부를 검토하고 계획조사부(Plan Examination Unit)에 의해 최종승인이 결정된다.

만약 제안된 개발행위가 가이드라인의 기준을 위반해 허가가 거부될 경우 검사부 내의 '제소위원회(Board of Appeal)'에 이의(異議)를 신청할 수 있다. 이때 제소위원회는 BRA에 자문을 구하게 되는데 BRA는 1) 죠닝 신청서의 평가 2) 제안된 개발안 심사 3) 개발자와의 협의 4) 대상지(Project Site) 시찰 5) 근린주민회의 소집 등 개발행위의 심사를 통해 죠닝에 관한 의견, 권고를 행하게 된다. 또한 신청자는 건축국에 신청서를 제출하기 이전에 BRA 담당자와 사전협의를 진행할 수도 있다.

그림 2.4는 죠닝조례의 운용에 있어 각 주체의 관계를 나타내고 있는데 BRA는 개발자, 일반시민, 제소위원회를 서로 연계하는 중요한 역할을 담당하고 있다.

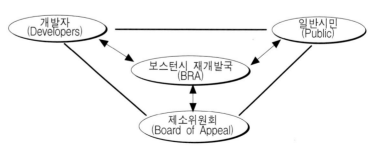

그림 2.4 죠닝조례의 운용과 각주체의 관계

2.3 제소위원회(Board of Appeal)의 구성과 운용

■ 제소위원회 구성

① 제소위원회란?

전술한 바와 같이 죠닝조례의 운용에 있어 개발신청자는 신
청한 개발행위(신, 개축 / 용도변경 등)가 죠닝조례를 위반해
시의 건축조사부에 의해 허가가 거부된 경우 신청자가 개인
의 자격으로 죠닝조례의 특별허가를 요구하는 위원회이다.
즉 이 위원회는 보스턴시 죠닝조례 및 메사츄세츠주 건축
조례(building code)의 유연성 없는 적용에 대해 개인의 요
구에 따라 조례적용의 예외를 인정할 것인지를 공개심사
(public hearing, 공청회)를 통해 심의하는 위원회이다. 제
소위원회는 시장이 임명하는 5명의 위원으로 구성되며 위
원의 재직기간은 5년이다.

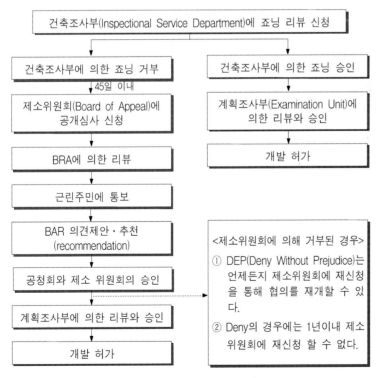

그림 2.5 제소위원회 심사프로세스

그림 2.5는 제소자의 신청에 의해 제소위원회의 심사프로세스를 정리한 것이다. 특히 시간규정에 따르면 건축조사부에서 조례위반에 의한 불허가의 통지를 받고 나서 45일 이내에 제소위원회에 공개심사를 신청해야만 한다.

② 공개심사(public hearing)의 통지

제소의 신청이 제소위원회에 있을 경우 제소위원회 사무국은 관련 커뮤니티 단체, 행정담당관, 인접주민들에게 공개심사 일정, 내용 등을 알리게 된다. 이들 관계자들은 공개심사에 참가해 개발행위에 대한 의견을 발표할 수 있다.

③ 신청서 심사

제소위원회의 공개심사 이전에 BRA는 신청서의 심사 후 의견서를 제소위원회에 송부하게 된다. 또 BRA와 시장실의 근린서비스부(Mayor's Office of Neighborhood Services)는 필요에 따라 근린주민, 커뮤니티 단체 등과 회의를 개최해 의견을 교환할 수 있도록 되어 있다.

■ 제소위원회의 운용

현재 보스턴시의 경우 제소위원회에 제출된 신청건수는 연간 약 600건에 이르고 있다. 제소위원회의 판정은 공개심사에서 5인의 위원의 다수결로 결정된다. 판결결과는 1) 승인(Approval) 2) 조건부승인(Approval with provision) 3) 재신청 가능한 거부(Deny without Prejudice) 4) 거부(Deny) 등으로 나누어진다. 재 신청 가능한 거부의 경우 신청자가 계획안의 재정리 후 언제든지 제소위원회에 재심사를 신청할 수 있지만 거부의 경우에는 1년 이내 재신청이 불가능하다.

표 2.1은 1993년 신청된 592건에 대해 제소위원회에 의한 판정결과 상황을 정리한 것인데, 조건부승인을 포함한 승인된 건수가 전체의 약 75%를 차지하고 있다. 특히 조건부 승인이 전체의 약 반(51%)을 차지하고 있어 제소위원회가 일정한 심의 및 구제기능을 하고 있다는 것을 알 수 있다.

표 2.1 제소위원회에 의한 판정결과 상황(1993년)

판정결과	승인	조건부승인	재신청가 능한승인	거부	취소	불명	합계
건수(건)	136	303	71	55	15	12	592
비율	23%	51%	12%	9%	3%	2%	100%

(출전 : BRA 내부자료)

한편, 신청자가 제소위원회에 제소를 신청하고 필요한 경우 BRA에 심사를 거쳐 공개심사를 통해 최종판단이 내려지기까지의 협의기간을 1993년 신청건수(592건)를 대상으로 정리한 것이 표 2.2이다. 표 2.2에서 보듯이 전체의 약 60%가 2개월에서 4개월의 기간을 소요하고 있는데 이는 민감한 개발행위에 대해서는 제소위원회를 통해 충분한 시간을 가지면서 논의가 진행되고 있음을 보여주는 것이다.

표 2.2 제소에 소요되는 협의기간(1993년)

소요 기간	1개월 미만	1-2개월 미만	2-3개월 미만	3-4개월 미만	4개월 이상	취소	불명	합계
건수(건)	8	69	173	191	109	15	27	592
비율	1%	12%	29%	32%	18%	3%	5%	100%

(출전 : BRA 내부자료)

3. 소결

미국에 있어 도시계획수법으로서 '죠닝제도'는 1910년대부터 미국전역에 급속하게 전파되기 시작했는데, 그 초기에는 특히 주택지에 있어 미관유지가 중요한 목적의 하나로 인식되었다. 죠닝규제는 크게 건축물의 이용규제 / 형태규제 / 외관규제의 3가지로 나누어지는데, 외관규제의 근거로서는 지구의 역사성 혹은 미관의 보전, 주거지역, 상업지역 등 지구의 특질 보전을 들 수 있다.

또한 이 제도도 개인의 '재산권 보장'과 행정의 '공공 복리 증진'의 입장에서 어디까지 경찰력의 행사를 허용할 것인가 라는 법적 논의가 쟁점이 된다. 이러한 관점에서 1926년 유클리드 마을의 판례는 토지이용규제(죠닝규제) 법령의 합헌성을 인정한 획기적인 판례라 할 수 있다. 결국 유클리드판례에 의해 합헌화된 죠닝제도는 1940년대까지 부지단위의 컨트롤에서 이후 새로운 수법(인센티브 죠닝, 개발단위계획(PUD), 개발권이양(TDR) 등)의 등장과 더불어 건축물 및 미관문제를 다루는 미관죠닝으로 발전해갔다. 또 이러한 법적논의는 전통적으로 경찰력의 목적과 관련된 '공공의 복리' 개념의 확대해석이 가능한가 라는 문제로 귀결되어진다. 한편 보스턴시 죠닝조례는 1924년 처음으로 책정되어 1965년 개정을 거쳐 1984년 보스턴재개발국(BRA)을 중심으로 지구별죠닝수정안이 작성되고 있다. 지구별죠닝수정안은 21개의 근린지구와 14개의 다운타운지구로 구성되고, 그 가운데는 6개의 항만지구와 8개의 역사지구가 포함되어 있다. 이러한 각 지구의 특성에 근거한 '지구별계획'은 법적 근거를 가지는 지구 가이드라인을 제안해 모든 개발행위는 지구별계획에 의해 컨트롤되도록 하고 있다.

죠닝조례의 운용에는 건축국에 의한 건축행정과 BRA에 의한 도시계획행정이 연계하면서 이루어진다. 우선, 개발을 행하는 개발자는 건축국에 허가신청을 제출하면 건축국은 지구별계획의 가이드라인에 근거해 허가의 가부를 결정한다. 건축국의 판정에 불복하는 경우에는 개발자가 개인의 자격으로 제소위원회에 이의를 신청할 수 있다. 이때 BRA는 건축국, 개발자, 제소위원회에 대해 중간적인 입장에서 도시계획의 전문적인 의견을 제안하게 된다. 특히 죠닝제도의 운용은 다양한 디자인심사제도와 일체화되어 운용되고 있는데, 대규모건축물, 소규모건축물, 역사지구에서의 건축물 컨트롤 등 대상으로 하는 건축행위의 유형과 위치에 따라 죠닝제도 운용수법을 달리하고 있다.

참 고 문 헌

1. Jean A. Riesman(1990) : "Rules of the game: Rezoning Boston, 1984-1989", Mater thesis, Dept. of Urban Planning, Masschusetts Institute of Technology(MIT)
2. Vineet K. Gupta(1988) : "The use of zoning machanisms for growth management: Downtown Boston in the 80's", Mater thesis, Dept. of Urban Planning, Masschusetts Institute of Technology(MIT)
3. Clark Douglas Broida(1987) : "Update the outdated Boston zoning code", Mater thesis, Dept. of Urban Planning, Masschusetts Institute of Technology(MIT)
4. Boston Redevelopment Authority : "Citizen's Guide to Zoning for Boston"
5. Linda Mongelli Harr, Hommer Russell(1993) : "The Power of Zoning", Urban land, Octorber 1993.
6. Robert Campbell(1992) : "Cityscape of Boston", Houghton Mifflin Company
7. Boston Redevelopment Authority : "Zoning Amendment, article. 38 Midtown Cultural Districts"
8. Boston Redevelopment Authority : "Zoning Amendment, article. 50 Roxbury Neighborhood Districts"
9. Boston Redevelopment Authority(1993) : "Boston Civic Design Commission, Annual Report"
10. Boston Redevelopment Authority(1991) : "Governement Center/Market District Plan"
11. Christopher J. Duerksen(1986) : "Aesthetics and land-Use Controls", American planning Association.
12. Richard C. Smardon, James P. Karp(1993) : "The Legal landscape", Van Nostrand Reinhold
13. Christopher J. Duerksen, R. matthew Goebel(1999) : "Aesthetics, Community Character, and the Law", American planning Association.
14. Allan B. Jacobs(1980) : "Making City Planning Work", American planning Association.

15. John M. Levy(1988) : "Contempoary Urban Planning", Prentice-Hall Publishing

16. 渡辺俊一(1989) : "比較都市計劃序説", 三省堂

17. (財)日本建築センタ-(1989) : "海外における住宅に係わる都市計劃・建築規制に關する調査"

18. (財)東京大學出版會(1991) : "東京大學公開講座-都市-"

19. 西村幸夫(1994) : "アメリカの歴史的環境保全", 實敎出版

20. 寺尾美子(1983) : "アメリカ土地利用計劃法の發展と財産の補償(1-4)", 日本法學協會 第100卷 2号

21. 鳴海邦碩(1988) : "景觀からのまちづくり", 學藝出版社

제3장 미국 옥외광고물 규제시책

  도시의 옥외광고물은 사회, 경제활동에 있어 필요한 정보를 제공하는 중요한 역할을 하고 있으며 그 성격상 도시 가로경관 형성의 중요한 요소로 인식된다. 따라서 옥외광고물시책은 가로경관을 구성하는 모든 요소들과 조화를 이루면서 지역의 특색을 살려 일반시민의 적극적인 활동과 행정측과의 연계를 통해 시가지 경관시책의 일환으로 전개되어져야 한다. 특히 최근 들어 다양한 업소의 증가는 광고물의 양적 팽창과 더불어 신소재의 개발과 디자인에 중점을 둔 개성 있는 상업광고물의 등장으로 질적 향상을 거듭하고 있다.

  하지만 현재 우리 나라의 경우 개개 광고물의 발전에 비해 수많은 광고물의 집합체로 형성되는 시가지의 가로경관(광고경관)은 옥외광고물을 컨트롤 하는 옥외광고물법의 미비와 관리행정체제의 부실로 인해 효율적인 광고경관의 창출을 이루어 내지 못하고 있는 실정이다.

  옥외광고물을 둘러싼 구체적인 문제점으로는 첫째 상업광고물을 포함한 공공광고물의 무질서와 관리부재에서 파생되는 도시환경적 문제, 둘째 지역특성의 고려 없이 획일적, 일률적으로 적용되는 기준과 비현실적인 광고물법의 문제, 셋째 관리 행정담당자의 비 전문성, 행정부서의 비 조직성, 이로 인한 관리행정의 문제, 넷째 비전문적이고 영세하며 광고물법을 준수하지 않고 과당 경쟁하는 광고물 제작업체의 문제, 마지막으로 도시 경관의 인식부족으로 경쟁적이고 무질서한 광고물을 설치하는 광고주의 문제 등으로 요약될 수 있다.

한편 이러한 문제점을 지닌 옥외광고물 경관규제시책에 대해 지금까지 본격적인 논의가 부족했던 것이 사실이다. 그 이유로는 우선 다양한 옥외광고물의 종류와 규모에 따른 전체상의 파악이 용이하지 않으며 표현의 자유와 연계되어 광고물 규제를 기피해 왔다는 점, 또한 미관풍치를 위해하는 옥외광고물을 판단할 객관적인 기준의 설정이 용이하지 않다는 점 등을 들 수 있다.

최근 각 지자체에서도 이러한 광고경관시책의 중요성을 인식하고 관련법규(조례 등)를 제정하고 전담부서를 설치해 적극적인 광고경관시책을 전개하고 있다.[1] 하지만 이러한 시책들은 월드컵대회, 한국방문의 해 등 국제행사를 앞둔 일시적 전시 행정성 대응의 성격이 강하며, 보다 체계적인 제도와 행정운용시스템 정비, 기존의 도시 및 건축행정시책과의 연계 등을 고려한 광고경관시책으로서의 한계를 가지고 있다.

이러한 상황 속에서 본 장에서는 도시미관시책의 일환으로 전개되고 있는 미국 지자체의 광고경관시책에 관해 고찰해 보고자 한다. 우선 옥외광고물에 관한 행정적 규제시책의 사회적 합의형성 과정을 간략하게 살펴보고 지자체의 규제시책을 지원하는 연방정부의 지원책과 더불어 구체적인 지자체의 사례로 '보스턴(Boston)시'와 '샌프란시스코(San Francisco)시'를 대상으로 규제시책의 구성과 그 운용실태를 고찰한다.

1. 미국 옥외광고물 규제시책 개요

1.1 옥외광고물규제 약사(略史)

미국에서 옥외광고물규제에 대한 논의는 오랜 역사적 배경을 가지고 있다. 일찍이 1800년대 후반 Maine주(州)에서는 통행인의 눈에 거슬리는 거대한 바위에 새긴 광고문구가 출현하고 1900년대 초에는 옥외광고물에 대한 반감이 사회적 문제가 되었다. 구체적으로 1903년 New Jersey주(州)에서 광고물의 높이를 8ft(약 2.4m)이하,

---

1) 예를 들면 서울시의 경우 광고물 행정관리는 건축지도과의 광고물관리팀과 광고물 특별대책반으로 나누어 이루어지고 있다. 광고물관리계는 계장급 1명과 행정6급 1명, 전기7급 1명이 상주하고 있고 1999년에 ASEM 대회와 2002년 월드컵을 앞두고 주택국 건축지도과에 광고물특별대책반을 신설하고 있다. 건축지도과 내의 관리팀은 제도와 법규에 관련한 사항을 주로 다루고 제작업자 교육, 행정자치부에 법령개선 및 건의, 서울시 전체의 광고물 정책을 입안하고 개발하는 업무를 맡고 있다.

도로경계선에서 10ft(약 3m) 후퇴규정이 주법(州法)으로 공표 되었
지만 1905년 토지소유자의 합헌적인 영업권을 침해한다는 이유로
위헌결정이 내려졌다.[2]

1913년 Hawaii에서는 'Daimond Head'[3]에 Bull Durham 담배광
고가 경관을 해친다는 이유로 Hawaii 시민들이 보기 흉한 옥외광
고물에 대한 반대운동을 전개하였고 1927년에는 옥외광고물법이
주법으로 제정되었다.

이후 미국 전역에 걸쳐 많은 지자체에서 옥외광고물의 규모와
위치 등에 대한 규제가 시작되었다. 그러나 당시 미국에서 옥외광
고물을 둘러싼 초기의 분위기는 옥외광고물을 도시미관의 관점에
서 경찰력(police power)으로 규제하는 데에는 무리가 있고, 개인
의 감각적인 내용을 다루는 것은 행정적 범위를 벗어난 것으로 규
제를 기피하는 경향이 있었다. 오히려 광고물의 위험성, 광고물 뒷
편에서의 범죄위험, 부도덕한 행위가 이루어지는 장소에 대한 규
제의 필요성 등이 옥외광고물규제의 논거가 되고 있었다.

하지만 1950년대에 들어서면서 미국 전역에 걸쳐 주간(州間)고
속도로가 정비되기 시작하면서 고속도로 주변부의 광고물규제가
사회적 문제로 대두되었다.

1963년 Johnson대통령의 취임과 더불어 도시미화프로그램(Ur-
ban Beautification Program, 1965)에 의한 '연방고속도로 미화법
안'을 통해 보다 적극적인 규제시책이 전개되었다.

최근 들어 옥외광고물 제작기술의 발전과 더불어 단순한 옥외광
고물규제의 차원을 넘어, 각 지자체를 중심으로 도시미관에 대한
시각적 공해요소로서의 옥외광고물에 대해 다양하고 적극적인 시
책이 본격적으로 전개되고 있다. 예를 들면 Phoenix시의 경우 모
든 옥외광고물(billboards)을 금지하고 있고 특히 토지이용규제의
무 규제주의를 표방하고 있는 Huston 시에서도 '특별풍경지구
(special scenic districts)'의 지정을 통해 적극적인 옥외광고물의
규제가 행해지고 있다.

2) 이 판결문에서는 "미관
에 대한 배려는 사치(l-
uxury)이며 도락(indu-
lgence)의 문제이며 필
요성의 문제가 아니다.
필요성(necessity)만이
손실보상 없이 사유재
산을 경찰력(police po-
wer) 행사로 규제하는
것이 정당화된다."라고
규정하고 있다. 72 NJL
at 287, 62 A at268.

3) Hawaii주에서는 죠닝
조례 가운데 'Daimond
Head'라 불리는 유명
한 조망을 확보하기 위
해 '역사-문화-풍경'의
특별지구가 설정되어
있다.

1.2 옥외광고물을 둘러싼 법적 논의

옥외광고물에 대한 법적 규제내용이 색채, 디자인 등 다소 주관적인 취향에 근거할 수 있다는 점에서 법적 규제의 성격은 일반적인 미관규제(aesthetic regulation)의 타당성에 관한 문제로 귀착된다. 특히 규제가 주(州)정부로부터 지자체에 그 권한이 양도되어 있는 상황에서 언론의 자율을 보장하는 미국헌법과도 관련되는 문제이다. 따라서 옥왹광고물에 대한 법적 타당성은 옥외광고물규제를 둘러싼 이러한 법적 논쟁을 통해 오늘날 각종 규제가 법적 근거를 가지며 자리잡게 된 것이다.

여기서는 이러한 법적 논쟁의 중요한 몇 가지 판례를 정리해 봄으로써 그 규제개념의 정립과정을 살펴보고자 한다.

우선 1905년 이미 광고물규제에 관한 소송[4]이 있었다. 이 재판에서 New Jersey 주(州)재판소는 '미관에의 배려는 필요성보다는 사치이다. 보상 없이 사유재산을 규제하는 경찰력(police power)의 행사를 정당화하는 것은 필요성에 근거해야 한다.'라고 하며 광고물의 세트백(setback)과 높이에 관한 시의 규제는 무효라고 판결했다.

1911년 역시 광고물규제를 무효로 하는 판결이 내려졌다. Missouri주 St. Louis시의 Gunning광고회사는 시를 상대로 한 재판에서 '개인의 취향이 근린주민의 취향에 부합하지 않는다는 이유로 규제를 가할 수 없다.'라는 재판소의 판결이 내려졌다.[5]

이 당시만 해도 광고물규제에 대한 재판소의 의견은 호의적이지 못했는데 그 이유로는 전통적인 법 개념(common law)에서 미관보호는 뉴이센스(nuisance)와는 관계가 없는 것으로 여겨졌기 때문이기도 했다.

하지만 재판소의 광고물규제에 관한 태도를 달리한 것이 1913년 연방최고재판소에 의한 St. Louise Gunning Adv. Co. v. City of St. Louise 판결이다.[6] 이 판결에서는 옥외광고물규제에 대한 경찰력 행사의 가능성에 대해 서술하고 있다. 경찰력이 미관유지를 목적으로는 사용할 수 없지만 공공의 건강, 안전 및 윤리와 관련된 목적으로는 사용될 수 있으며 옥외광고물규제는 공공의 건강 등과

4) City of Passaic v. Paterson Bill Posting, Adv.& Sign Painting Co., 62 A. 267 N.J. (1905)

5) St. Louise Gunning Advertising Co. v. City of St. Louise, 235 Mo. 99, 145, 135, S.W. 929, 949 (1911) 이에 관한 상세한 내용은, Costonis, John J.(1989) 저 'Icons and Aliens : Law, Aesthetic, and Environmental Change. Urbana and Chicago', University of Illinois. p21 참조

6) St. Louise Gunning Adv. Co. v. City of St. Louise, 231 U.S. 761, (1913), 주5)의 상소판결이다.

깊은 관련이 있는 것으로 규정하고 있다. 즉 광고판이 쓰레기 투기장이 되거나 매춘부의 은신처가 되고 낙하사고의 위험성 등을 안고 있으며 따라서 광고물의 크기, 높이, 위치를 규제하는 시의 조례는 타당하다고 지지했다. 1936년 Massachusetts주 최고재판소의 판례[7]에서는 도시미관적인 관점만으로도 옥외광고물을 규제할 수 있다는 중요한 결정을 내렸다.

한편 1960년대에 접어들어서는 자동차의 급속한 보급과 더불어 교외의 고속도로와 주요간선도로 주변에 설치된 옥외광고물이 중요한 규제대상으로 등장하게 되었다.

1972년 People v. Goodman 판결[8]에서도 상업간판에 대한 New York주의 조례를 지지했다. '도시미관 규제가 커뮤니티 혹은 지구의 경제적 문화적 사회적 패턴과 실질적으로 관계되어져야 한다.' 라고 기술하고 있다.

또 1981년 San Diego시에서는 도시부내에 전면적인 옥외광고물 금지(대지 내 상업간판, 정치적 캠페인 등의 일부 예외규정은 있었지만)에 대해 Metromedia 광고회사가 시를 상대로 한 재판의 판례[9]에서 옥외광고물규제에 대해 비교적 명확한 결정을 내리고 있다. 즉 미관(옥외광고물의 색채 등)을 목적으로 경찰력을 행사할 수는 없지만, 역사지구 등 설치장소에 대한 세심한 주의와 상업용 광고물규제의 타당성을 인정하고 무엇보다도 종합적 도시미관시책으로서 옥외광고물규제의 법적 타당성을 인정하고 있었다. 이 판례의 주요내용을 정리하면 다음과 같다.

■ 판례 : Metromedia, Inc vs City of San Diego, 453 U.S. 490(1981)

San Diego 시는 도시부 옥외광고물에 대해 거의 전면금지를 조례화했다. 다른 많은 지자체의 싸인과 같이 대지 내(on-premises) 상업간판이나 정치적인 캠페인 싸인, 역사적 종교적 알림판, 시간, 기온, 뉴스 등의 예외를 인정하는 정도였다. California주 재판소는 이 조례를 인정했지만, 연방최고재판소는 헌법의 '언론의 자유'를 이유로 이를 각하했다.

7) General Outdoor Advertising Co. vs Dept. of Public Works 289 Mass. 149(1936)

8) People v. Goodman, 280 N.E. 2d 139 N.Y. (1972)

9) Metromedia, Inc. vs City of San Diego, 453 U.S. 490(1981)

하지만 여기서 주목해야 할 점은 비록 싸인규제의 조례가 몇 가지 문제점이 있어 기각되기는 했지만 다수의 재판관은 다음의 중요한 사항에 동의하고 있었다는 사실이다.

- 미관을 목적으로 한 싸인의 규제에 경찰력을 사용할 수 있다는 점.
- 상업용, 비상업용을 불문하고 모든 광고물의 금지가 역사지구와 같은 특별한 지구에 있어서는 받아들여질 수 있다는 점.
- 대지 외(off-premises) 상업간판의 금지는 법적 규제가 가능하다는 점.
- 만약 광고회사가 경영상 많은 지장이 있어도 싸인규제 조례는 유효하다는 점.
- 종합적인 도시미관시책의 일환으로 싸인규제는 법적 논의보다 우선할 수 있다는 점 등.

이러한 판결은 싸인 규제에 대해 비교적 명확한 시사점을 제시하고 있다. 우선 싸인의 크기나 색깔 등은 종래의 규제를 받아들이고 있다는 점, 둘째 싸인의 설치장소에 대해서는 세심한 주의가 필요하지만 대지 외 상업용 간판에 대해서는 엄격하게 규제할 수 있다는 점, 셋째 대지 내(on-premises)에 대해서 지자체는 그 내용을 규제할 수 없다는 점 등이다.

한편 1984년 공유지(public property)에 있어서 싸인설치를 금지하는 Los Angeles 조례에 대한 판례는 지자체의 싸인규제에 매우 긍정적인 면을 시사하고 있다. 재판관은 지자체의 싸인규제 노력에 강한 지지를 보내고 있다.

특히 전통적으로 보수성향이 강한 Arkansas주(州)에서도 Fay-etteville시에 있어 옥외광고물의 최대규모, 높이규제, 세트백 거리, 4년 후의 무 보상철거 등 엄격한 규제시책에 대해 시의 관광자원으로서의 도시미관보호를 인정하는 판결을 내리고 있다.[10]

이와 같이 미국에서의 옥외광고물 규제시책에 관한 몇 가지 판례에서 알 수 있듯이 옥외광고물 규제에 대한 경찰력의 행사에 대해서는 전체적으로 호의적이기는 하지만 도시미관문제에 경찰력의

10) Donrey Communi-cations Co., Inc vs City of Fayetteville, Arkansas, 660 S.W. 929(Ark1984)

행사가 총체적으로 사회적 동의(합의)를 받았다고는 보기 힘들다.

오히려 금지할 옥외광고물 유형의 설정, 기존 옥외광고물의 취급, 옥외광고물의 크기 및 설치장소 등에 대해 각 지자체의 세심한 규제기준의 설정과 운용수법에 주의를 환기시키고 있다고 할 수 있다.

1.3 연방정부의 시도(연방고속도로 미화법안 : The Federal Highway Beautification Act(23 U.S.C. 131)

1920년대부터 논의된 싸인규제는 1950년대 및 1960년대 자동차의 보급과 더불어 교외의 고속도로나 주요간선도로변에 옥외광고물이 새로운 사회문제로 등장했다.

옥외광고물규제에 대한 최초의 연방정부의 시도는 1958년 연방고속도로보조법안(Federal Aid Highway Act)에 근거한 보조프로그램이다. 이 프로그램은 연방정부의 옥외광고물 규제기준에 따르는 주정부에 대해 연방고속도로 예산의 0.5%의 보조를 해주는 것이었다. 하지만 이 프로그램은 단순한 보조 프로그램의 성격으로 규제적 성격이 미약하여 그다지 성공적이지 못했다.

하지만 1963년 존슨(Johnson)대통령의 취임과 더불어 도시미화프로그램(City Beautification Program, 1965년)[11]에 의한 '연방고속도로 미화법안(Federal Highway Beautification Act)'을 제정하면서 연방정부가 기준설정에 미달한 주(州)에 대해 연방고속도로보조금(Federal highway fund)의 10%를 삭감하는 등 적극적인 규제정책이 전개되었다.

이 시책을 관할하는 FHWA(The Federal Highway Administration)는 각 주가 부적당한(nonconforming) 혹은 불법(illegal) 싸인을 철거해 새로운 싸인을 건설하는 등 고속도로 주변 광고물을 규제하는 프로그램을 장려했다. 다만 철거에 있어 합법적인 싸인은 보상받도록 했다.

■ 연방보조의 고속도로 건설기준

연방고속도로 미화법안은 각 주에 있어 연방보조에 의해 건설되는

11) 도시미화프로그램은 1965년 3월 존슨 대통령에 의해 주택과 도시문제에 관한 회의의 연설문 가운데 제안된 것으로 주택도시개발법안(Housing and Urban Development Act)이 1965년 책정되었다. 이 법안의 목적은 미국의 커뮤니티에 있어 도시환경의 질적 개선과 도시미 향상에 있었다. 연방정부의 보조금은 커뮤니티 당 100만 달러를 넘지 않는 범위 내에서, 미화정책을 위해 여분으로 지출한 금액의 50%를 보조하도록 되어 있다.

고속도로 주변의 싸인규제에 대한 효율적인 컨트롤을 위해 고속도로에서 보이는 옥외광고물에 대해 상업용 광고물(세일, 임대 등의 표시간판), 대지 내 업무용 광고간판, 역사문화재의 랜드마크간판 등의 광고물을 금지하였다.

그러나 연방고속도로 미화법안은 광고물의 크기나 설치에 관해 특별한 제한을 두지 않고 있었다. 오히려 연방정부와 주 정부간에 관계자의 관례(customary use)에 의해 결정하도록 하고 있었다. 이에 따라 대규모광고물이 출현, 자연의 스카이라인이나 수평선을 파괴하는 경우가 많이 생겨났다. 또한 설치간격의 경우 FHWA의 추천조항으로서 고속도로에서 보이는 신규 상업광고물 등에 대해 주간(州間)고속도로에서 500ft(약 150m), 주요간선도로에서 100ft(약 30m)의 거리를 띄게 하고, 1마일(약 1.6km)당 21개까지 광고물설치를 가능케 하는 내용이었다. 연방고속도로변의 광고물 규제에 있어서 가장 유효한 수단은 FHWA의 기준보다는 신규광고물의 크기, 높이 등을 규제할 수 있는 지자체의 조례에 의한 경우가 대부분이었다.

■ 광고물 소유자의 금전적 보상

연방고속도로 미화법안의 가장 비효율적인 부분은 광고물의 철거에 있어 광고물 소유자에의 금전적인 보상이 필요하다는 것이었다. 더구나 광고물의 철거가 바로 광고물의 수를 줄이게 되는 것도 아니었다. 철거한 광고물을 새로운 장소에 옮겨놓는 것으로 경우에 따라서는 옮겨놓은 광고물을 철거하는데 또다시 보조를 행하는 2중 보조의 폐단이 발생하기도 했다. 간판업자는 철거보조금을 새로운 광고물의 신설에 사용하기도 했다.

실제 미국 통계국(U.S. General Accounting Office)의 1985년 통계에 의하면 연방고속도로 미화법안에 근거해 13,875건이 철거되고 새롭게 13,533건의 광고물이 상업 및 공업지구에 신설되었다. 또한 원래 보조의 대상은 연방고속도로 미화법안에 근거해 철거된 싸인에 한정돼 있었지만 1987년의 조례개정에 의해 주법이나 지방의 죠닝법에 의해 철거된 싸인도 보조의 대상이 됨으로써 지자체는 연방고속도로변의 싸인철거에 대해 합법적인 경찰력에 의한 권리를 상실하게 되었다. 즉 모든 싸인의 철거는 보상을 전제로 행해지게 되는 결과를 초래하게 된 것이다. 이로써 이러한 합법적인 싸인의 철거에 연방정부의 부담이 75%까지 달하게 되어 이것이 이 법안의 실시, 시행 운영상의 문제로 작용해 1978년까지는 그다지 많은 실적을 가지지 못하게 되었다.

■ 주(州) 정부에 의한 대응

연방고속도로 미화법안에 근거해 주 정부에서도 옥외광고물의 효율적인 규제가 제도화되게 되었다. 즉 연방정부의 보조금 10% 삭감을 피하기 위한 목적으로 주 정부에서도 옥외광고물규제가 제도화하기 시작한 것이다. 따라서 주 정부의 규제기준 및 대상은 연방정부의 규제기준과 같은 수준의 내용이었는데, 특히 대부분의 내용은 연방고속도로미화법안에 근거해 철거되는 광고물에 대한 보상에 관한 것이 대부분이었다.

예를 들면 Georgia주에서는 모든 법적 수단(조례 등)에 의해 철거되는 싸인에 대한 보상을 행하게 되었다. 옥외광고물의 규제가 주 정부보다도 시나 커뮤니티에서 많은 문제가 있음에도 불구하고 많은 주 정부에서는 주 정부에 의한 대응책을 마련하고 있었다. Vermont주, Maine주, Alaska주 등이 시책을 마련하고 있었고 Hawaii주에서는 주 전역에 걸쳐 옥외광고물의 규제, 철거를 행하고 있었다.

특히 대표적 사례로 Washington주 법(Highway Advertising Control Act, 1961)에서는 고속도로와 주요간선도로 주변에 '보호지구(protected area)'와 '경관지구(scenic areas)'를 구분 설정하고 이 지구에서는 법이 허가하지 않은 어떠한 건축물 및 옥외광고물도 허가하지 않고 있었다. 여기서 보호지구란 주간고속도로 경계에서 660ft(약 220m)이내이며, 경관지구는 고속도로경계에서 660ft 범위내에서 공원, 공공녹지지구, 국가기념지구 등이 포함된다.

이상과 같이, 미국에서의 옥외광고물규제는 경찰력에 의한 규제 기준의 설정에 대해서는 세심한 주의를 강조하면서도 연방정부의 적극적인 정책의지와 주 정부의 노력으로 본격적인 시책의 전개가 행해지게 되었다. 또한 이러한 적극적인 시책은 이후 선진 지자체에 있어 조례의 책정 등 새로운 시책의 전개로 이어지게 되었다.

2. 옥외광고물 시책의 실제

2.1 보스턴시 옥외광고물 시책

보스턴시 도시미관 관련시책은 죠닝제도를 기본으로 하면서 보스턴 재개발국(Boston Redevelopment Authority, BRA)의 주도하에 디자인심사제도 등 다양한 미관(경관)시책이 전개되고 있다 (제2장 및 5장 참조). 도시미관시책의 일환으로 전개되는 옥외광고물규제의 경우 '싸인조례(Sign Code)'의 책정을 통해 옥외광고물을 각 지구(주거지구 / 상업지구 / 역사지구 등)의 상황에 따라 규제의 방법 및 내용을 달리하고 있다. 여기서는 이러한 싸인조례의 내용과 운용실태를 중심으로 살펴보기로 한다.

■ **싸인조례의 구성**

보스턴시의 싸인조례는 다음의 내용으로 구성된다.
① 싸인의 정의와 분류(definitions)(그림3.1)
② 주택지구에서의 싸인규제(signs in residential districts)
③ 비(非)주거지에서의 싸인규제(signs in a nonresidential districts) 및 최대허용면적 산출방식(how to determine maximum area for sign in a nonresidential districts)
④ 주차장 싸인규제(parking signs) / 죠닝규제(other zoning regulations)
⑤ 죠닝규제 이외의 싸인규제(sign control regulations other than zoning regulations)
⑥ 싸인 디자인에 관한 사항(notes on sign design)

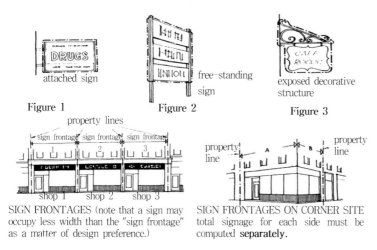

SIGN FRONTAGES (note that a sign may occupy less width than the "sign frontage" as a matter of design preference.)

SIGN FRONTAGES ON CORNER SITE total signage for each side must be computed **separately**.

그림 3.1 싸인조례에 있어 싸인의 분류와 용어의 정의

■ **싸인조례 주요내용**

싸인조례의 대상이 되는 것은 신설 옥외광고물, 기존광고물의 확장, 개조 등으로 수리비가 신규의 35%를 넘는 것으로 되어 있다. 각 지구별 옥외광고물의 규제내용을 정리하면 다음과 같다.

① **주거지구에서의 싸인규제**

주택지에서는 주소지번, 이름 등의 표시 이외의 옥외광고물은 원칙적으로 인정하지 않는다. 옥외광고물의 크기는 대지의 폭에 따라 정해져 필요최소한으로 하고 있다. 또 야광(夜光) 옥외광고물도 인정하지 않는다.

② **비 주거지에서의 옥외광고물규제**

주로 상업지구에서의 옥외광고물이 대상인데 주택지에 비해 약간 자유도가 높다. 옥외광고물의 위치는 벽면선과 2층 창문의 위치와의 관계에 의해 정해지는데 옥외광고물의 종류별로 구조나 설치장소가 상세하게 규정되어 있다.(그림 3.2) 비 주거지에 있어서 옥외광고물의 면적이나 그 속의 문자가 차지하는 면적은 원칙적으로 점포의 폭과 도로 폭의 관계에 따라 정해진다.(그림 3.2-1)

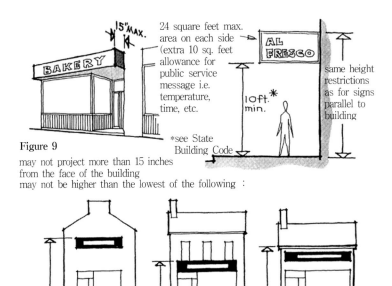

Figure 9

24 square feet max. area on each side (extra 10 sq. feet allowance for public service message i.e. temperature, time, etc.

15" MAX.

BAKERY

AL FRESCO

same height restrictions as for signs parallel to building

10 ft. min. *

*see State Building Code

may not project more than 15 inches from the face of the building

may not be higher than the lowest of the following :

25 feet above sidewalk

sills of windows on second story

lowest point of roof

그림 3.2 비주거지구 싸인규제

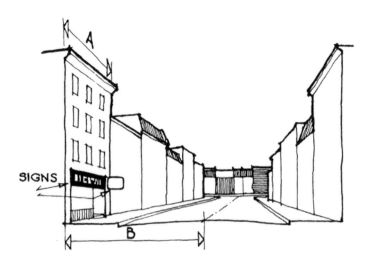

SIGNS

A

B

(점포의 폭(A)과 도로폭(B)에 따라 옥외광고물의 면적이 정해진다.)

그림 3.2-1 비 주거지 싸인 면적규제

③ **주차장에서의 싸인규제**

주차장 출입구에 표시하는 옥외광고물은 각 출입구에 1개씩의 설치를 원칙으로 하고 예외적으로 출입구에 2ft(약 0.6m)를 넘지 않는 것을 허용하고 있다. 그 외 옥외광고물 문자의 크기, 색채, 설치장소에 관한 세부기준이 마련되어 있다.(그림 3.3)

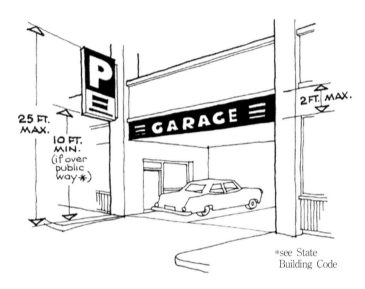

그림 3.3 주차장 싸인규제

④ **죠닝규제(other zoning regulations)**

종합광고물디자인(Comprehensive Sign Design, CSD)에 관한 사항이 대규모 도시개발 프로젝트를 대상으로 별도의 지침을 설정하고 있다. 즉 대규모 프로젝트의 싸인계획을 종합적으로 행하는데 있어 BRA 담당자가 리뷰에 참여하고 허가를 행하도록 하고 있다. 리뷰에 있어서는 싸인의 디자인이나 위치가 건축물과의 조화는 물론, 상업지구 전체의 싸인계획에 조화를 이룰 수 있도록 다양한 관점에서 검토가 이루어진다. 종합광고물디자인(CSD)의 신청자는 필요한 서류[12]를 구비하여 BRA에 제출해야 한다. 예를 들면 그

12) 이때 필요한 서류로는 전체 싸인 배치도 1부, 건물의 전면 입면도 2부, 입면에 디자인된 싸인도면, 상세도면, 문자색채 및 스타일, 신청용지 및 사진 등을 포함하고 있다.

림 3.4는 'Brighman and Wiman's Hospital' 프로젝트의 종
합광고물 마스터플랜사례인데 싸인의 위치, 종류, 형상 등
에 대해 상세한 계획내용이 기술되어 있다.

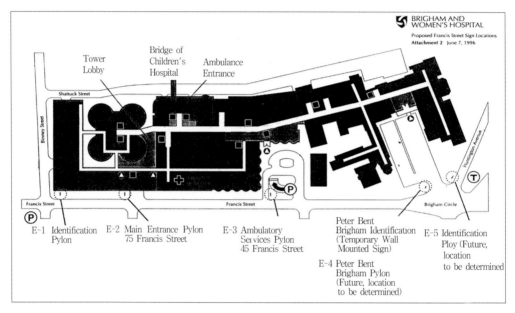

그림 3.4 종합 싸인 마스터플랜 사례

■ 싸인조례의 운용

싸인조례의 운용에는 보스턴시와 보스턴재개발국(BRA)이 주체
가 되어 건축행정과 도시계획행정이 연계하여 이루어지고 있다.
우선 건축허가수속 시, 건축국이 싸인조례의 체크를 통해 허가의
가부를 결정하는데 조례의 내용만으로 판단하기 힘든 사항의 경우
BRA로 송부해 검토하게 된다.

각 지구별 특성에 따른 구체적인 규제수법은 다음과 같다.

① 상업지구는 자주규제수법(Self-Managing System)에 근거
한다. 예를 들면 'Boston Mainstreet Program'이라는 역사
적 건조물의 수복과 병행한 상업지구활성화를 목적으로 한
시의 보조프로그램이 있어 지구별로 디자인컨트롤이 행해
진다. 이 프로그램은 시의 공공시설국(Public Facilities De-

partment, PFD)이 프로그램의 조정을 행한다.[13]

② 역사지구의 경우 주 정부로부터 보스턴 랜드마크위원회(B-oston Landmark Commission, BLC)에 심사권한을 위임해 역사지구에 있어서의 옥외광고물 및 가이드라인에 근거해 공..심사가 행해진다.(자세한 내용은 제5장 참조)

그림 3.5 사인조례에 의해 컨트롤된 광고물(상업지 및 역사지구)

■ 보스턴재개발국(BRA)의 역할

옥외광고물규제와 관련해 BRA의 역할을 정리하면 다음과 같다.

① 새로운 싸인조례에의 대응 : 기존의 조례기준은 어디까지나 협의를 진행하기 위한 기준으로 지구의 특성에 따라 새로운 기준과 가이드라인의 책정이 필요한데 BRA의 담당자가 이

13) 예를 들면 보조금의 조정, 디자인컨설턴트의 파견, 보스턴 재개발국과의 연계 등의 업무를 담당하게 된다.

를 담당하게 된다. 특히 상업지역에 있어서 자주협의에 대응하는 옥외광고물 가이드라인의 작성과 조례화의 과정에 BRA 담당자가 자문을 하게된다.

② 기존의 옥외광고물조례 기준에 위반해 건축국으로부터 허가가 거부될 가능성이 있는 안건에 대해 신청자의 요망이 있으면 건축허가신청 이전에 계획자(신청자)와 BRA 담당자가 사전협의를 행한다. BRA 담당자의 승인이 있으면 건축국에서는 그 의견을 존중해 예외조건으로 허가하게 된다.

③ 대규모개발에 있어 디자인심사를 행할 때 BRA는 옥외광고물 디자인 마스터플랜의 제출을 요구해 담당자가 심사를 행하게 된다.

이와 같이 보스턴시에서의 옥외광고물규제는 싸인조례를 기본으로 건축국과 도시계획국, BRA가 긴밀히 연계하며 시책이 전개되어지고 있다.

2.2 샌프란시스코시 옥외광고물 시책

샌프란시스코시에 있어서 옥외광고물규제 시책은 시의 죠닝제도와 관련한 법령집 (Planning Code) 제6장 '싸인(sign)'에 근거한다.[14] 여기에는 싸인의 종류, 설치지역, 지구, 공공시설(facilities), 특별싸인지구(Special Sign District) 등 각 지구의 특성에 맞는 옥외광고물정비 가이드라인이 정해져있다.[15] 특히 10곳의 특별싸인지구(그림 3.6)는 지구별로 보다 상세한 내용이 정리되어 있고, 다운타운에 지정되어 있는 6곳의 보존지구(Conservation Districts)[16]에는 별도의 허가규제기준이 마련되어 있다.

14) 샌프란시스코시 도시계획체계에 관한 사항은 제5장 참조.

15) 예를 들면 Planning Code 제6장 '싸인(Sign)'에는 시 전역에 걸쳐 공공용도지구, 주거지구, 근린상업지구, 상업/공업지구 등 지구의 용도별 특성에 맞는 옥외광고물규제의 지침이 정리되어 있다.

16) 시가 지정한 다운타운 6곳의 보존지구는 Kearny-Market-Mason-Sutter 지구, Front-California 지구, New Montgomery-Second Street 지구, Keaney-Belden 지구, Commerial-Leidesdorff 지구, Pine-Sansome 지구이다.

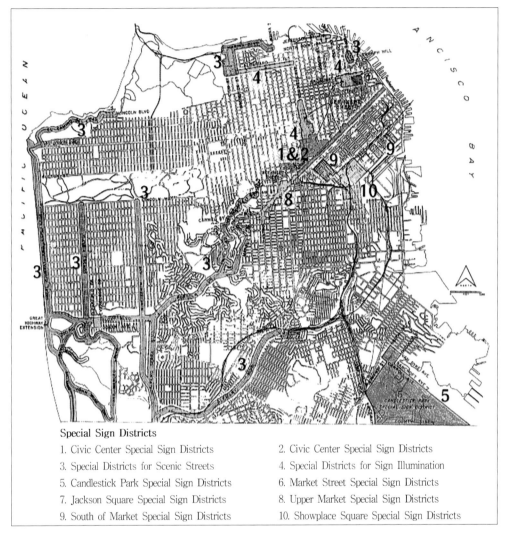

Special Sign Districts

1. Civic Center Special Sign Districts
2. Civic Center Special Sign Districts
3. Special Districts for Scenic Streets
4. Special Districts for Sign Illumination
5. Candlestick Park Special Sign Districts
6. Market Street Special Sign Districts
7. Jackson Square Special Sign Districts
8. Upper Market Special Sign Districts
9. South of Market Special Sign Districts
10. Showplace Square Special Sign Districts

그림 3.6 샌프란시스코에 있어서 '특별사인지구' 현황

■ '특별싸인지구' 옥외광고물규제

시의 주요 간선도로변이나 공원, 고속도로변, 시빅센터(Civic center)지구, 근린상업시설 등 10곳에 '특별싸인지구'가 설정되어 있는데, 예를 들면 그림 3.6에서와 같이 '풍경도로(Scenic Street)'로 규정된 주요간선도로변을 따라 시 전역에 걸쳐 싸인규제가 지정되어 있다.

특별싸인지구 설정의 목적은 Planning Code 제6장 '싸인(Sign)'에 관한 일반규정보다 구체적으로 각 지구에 맞는 싸인규제를 규정하기

위해서이다. 특별싸인지구에 있어서 싸인규제의 주요내용은 금지
싸인의 종류, 면적, 위치, 규제 예외싸인 등에 대해 규정하고있으
며, 특히 역사지구(Jackon Square)나 상업지구(Market Street) 등
에는 보다 상세한 규제내용이 싸인 가이드라인으로 기술되어 있는
것이 특징이다. 표 3.1은 '특별싸인지구'에 있어서 싸인규제 내용을
요약 정리한 것이다.

표 3.1 '특별싸인지구' 싸인규제 내용

지구명	조항	규제내용
①② Civic Center 특별싸인지구	Sec.608.3	· 광고싸인 및 200ft²를 초과하는 일반 싸인금지. 공공용지에 면한 가로 등에서의 싸인금지
③ Scenic Street 특별싸인지구	Sec.608.6	· 그림 3.6의 풍경로 주변 200ft 이내 광고싸인 및 200ft² 초과하는 일반싸인 금지
④ Sign Illumination 특별싸인지구	Sec.608.11	· 주로 근린상업시설에 대한 싸인규제
⑤ Candlestick Park 특별싸인지구	Sec.608.4	· 상업용싸인 및 지구내 200ft² 이내의 일반싸인금지
⑥ Market Street 특별싸인지구	Sec.608.9	· 일반광고, 옥상싸인, 돌출싸인등에 대한 상세한 규제
⑦ Jackson Square 특별싸인지구	Sec.608.9	· 일반광고싸인 금지. 건물가로폭 1ft당 2ft², 합계100ft²를 넘지 못함. 옥상싸인 금지 등
⑧ Upper Market 특별싸인지구	Sec.608.9	· (상세한 내용은 다음항의 사례참조)
⑨ South of Market 특별싸인지구	Sec.608.1	· 주거지구 100ft 이내의 지구에 100ft² 이상의 광고싸인 금지
⑩ Showplace Square 특별싸인지구	Sec.608.12	· 일반광고싸인 금지

■ '특별싸인지구' 사례 : **Upper Market** 지구

여기서는 'Planning Code' 근거해 작성된 가이드라인이 실제로
어떠한 싸인규제의 내용(기준)을 다루고 있는지 특별싸인지구의
하나인 'Upper Market 지구'를 대상으로 정리해 본다.

① 지구현황 및 가이드라인 개요

'Upper Market 지구'는 샌프란시스코 도심 주요도로의 하나
인 Market Street 가로의 일부(Ferry Building에서 Central

Freeway 고가도로까지)에 지정된 지구로, 약 350개의 가로
상가가 밀집된 '커뮤니티 상업지구(C-2지구)'이다.(그림 3.7)
'Upper Market 지구'에 있어서 싸인규제에 관한 커뮤니티의
특별한 관심은 이 지구에 지하철(Muni Metro Subway)이
건설되어 공공공간의 정비 및 민간건축물의 정비가 시작되
면서부터이다. 이 지구는 상업지구의 보행자공간으로서 그
중요성이 주목되어 지구전체의 디자인 질(質)에 관한 최소
한의 기준이 필요하다는 인식과 더불어 싸인도 상업지구에
있어서 외관적, 경제적 특성을 결정짓는 중요한 요소라는
점에서 싸인규제에 관한 새로운 규제기준이 마련된 것이다.

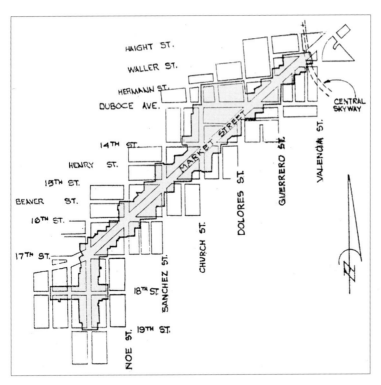

그림 3.7 'Upper Market 지구' 위치도

② **싸인규제 기준**

1) 가로에의 돌출(Projection over Sidewalks) : 일반적으로 가로에의 싸인 돌출제한은 12ft(혹은 가로폭의 3/4ft) 이하이지만 이 지구의 경우 일률적으로 6ft로 정하고 있다.(그림 3.8)

2) 싸인의 높이(Height above the street)

   • 수직 돌출싸인은 지붕선높이 이내이며 가로에서 최대 50ft(약 15m) 이내로 높이가 제한된다.(그림 3.9)

   • 벽면싸인은 2층부의 바닥레벨에 설치하고 2층부에 창문이 없을 경우 가로에서 최대 50ft(약 15m)까지 설치 가능하다. 또한 출입구의 위치나 형상에 따라 싸인의 설치위치와 형상은 유연하게 변경될 수 있는데 행정담낭자가 이를 심사하게 된다.(그림 3.10)

   • 하나의 건물에 복수의 점포가 있는 경우 일련의 싸인이 형상이나 크기에 있어 조화를 이루도록 한다.(그림 3.10)

   • 독립싸인(free standing sign)의 높이제한은 24ft(약 7m)이다.(그림 3.11)

3) 금지싸인의 유형(Types of not Allowed)

   • 일반적 광고(General Advertising) : 가로변에 상품의 선전을 위한 일반적인 광고싸인은 금지한다.

   • 점광싸인(Flashing signs) : 예외 없이 모든 점광싸인은 금지한다.

   • 이동싸인(Signs with moving parts) : 1965년이후 전 시역에 걸쳐 이동싸인이 금지되어 있다. 따라서 이 지구에서도 이동싸인을 전면 금지한다.

   • 바람싸인(Wind signs) : 깃발(flag, banner)과 같이 소위 바람이용싸인도 1965년 이후 전 시역에 걸쳐 금지하고 있다.

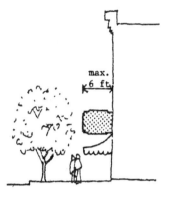

그림 3.8 돌출싸인 규정

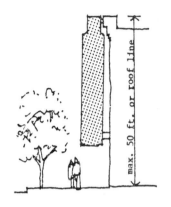

그림 3.9 수직돌출싸인 규정

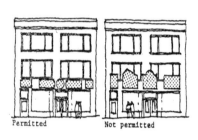

그림 3.10 벽면싸인의 조화

그림 3.11 독립싸인 규정

4) 가솔린 스테이션 싸인규제 : 모든 상업지역에 있어 자동차 서비스 스테이션에 대한 특별한 규제가 행해지고 있다. 가솔린 스테이션 싸인의 크기는 80ft^2(약 8m^2), 싸인 총면적은 180 ft^2(약 17m^2)이내, 가로에서의 돌출길이는 5ft 이내로 한다. 특히 특별싸인지구에 있어서는 독립싸인(free standing signs)의 높이한계를 36ft에서 24ft로 하고 있다.

5) 기존싸인의 철거유예기간(Amortization of Existing Sign) : 규제기준의 보다 실효성 있는 집행을 위해서는 기존싸인을 어떻게 새로운 기준에 적용시켜 나갈 것인가가 문제인데, 이를 위해 기존싸인에 대한 명확한 변경유예기간을 설정해 두고 있다.(표 3.2)

표 3.2 기존싸인의 변경유예기간

	옥상싸인	24ft 이상 독립싸인	일반광고 싸인	점광싸인	이동싸인
유예기간	5년	5년	5년	3년	3년

■ 옥외광고물규제 시책의 운용

전술한 바와 같이 싸인규제시책은 'Planning Code' 제6장 싸인 조례에 근거해 운용된다. 우선 싸인을 설치하려면 건축허가신청과 동일하게 건축조사부에 신청서(Bldg. Form4/7)를 제출하여 건축 행위와 같은 허가프로세스를 거치게 된다. 신청서에는 단순한 싸인에 관한 내용뿐만 아니라 건축물에 관한 내용 예를 들면 구조의 유형, 층수, 현재의 용도, 건물높이, 건물위치(주소) 등과 더불어 싸인의 종류, 폭, 높이, 두께, 면적, 조명의 종류, 설치종류(신규 / 변경 / 재설치 등) 등을 기술하게 된다.

① 싸인 허가심사 프로세스

싸인의 허가방법 및 과정은 설치하는 싸인이 '설치간판(Erect Sign)'인가 '비 구조물(Painted or Non-Structural Sign)'인가에 따라 심사프로세스가 달라진다. 설치간판인 경우에는 건축국 건축심사부에 의해 싸인규모, 높이, 위치, 구조 및 설비적 안정성 등을 검토한 후 도시계획국에 'Planning Code' 심사를 의뢰하게 된다. 한편 비 구조물인 경우 도시계획국에 의한 허가만 필요하다. 도시계획국의 판정에 불복할 때에는 건축심사프로세스와 동일하게 제소위원회에 제소할 수 있다.[17] 그림 3.12는 일련의 허가심사프로세스를 정리한 표이다.

17) 샌프란시스코시에서는 건축행위를 포함한 개발행위에 대해 도시계획국의 재량에 따른 디자인심사제도가 운용되고 있다. 이러한 제도는 행정측의 일방적인 계획결정이 되지 않도록 도시계획국의 결정에 불복 할 때 일반시민이 이의를 제소할 수 있는 '제소위원회(Board of Permit Appeal)' 등이 설치되어 있다. 이에 관한 구체적인 내용은 제5장 참조.

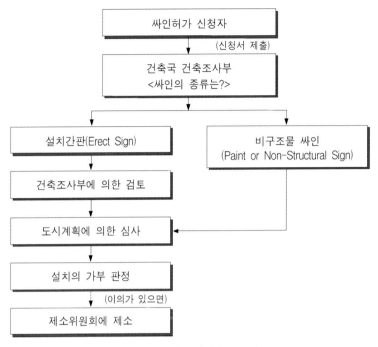

그림 3.12 싸인 허가심사 프로세스

② 싸인 심사건수

표 3.3은 1990년대 들어 4년의 기간동안 연간 허가건수를 정리한 표인데 해마다 허가건수의 차이를 보이고 있으나 연간 약 400건 가량의 싸인 허가심사가 이루어지고 있다. 또한 이는 허가된 건수를 나타내며 표 3.4에서도 알 수 있듯이 1996년의 경우 실제적으로 심사가 이루어진 건수는 허가건수의 약 2배에 달한다.

표 3.3 옥외광고물 연간 허가건수(1992~1996)

년	1992~93년	1993~94년	1994~95년	1995~96년	평균
건수(건)	525	537	301	267	407

(출전 : 도시계획국 내부자료)

한편 1996년 1년간 싸인허가를 위해 신청된 신청건수(신청일을 기준으로)는 483건으로 싸인의 종류를 분류해 보면 입간판이 전체의 40% 가량 차지하며 점광간판이 약 26%를 차지하고 있다.(표 3.4)

표 3.4 허가신청싸인의 유형(1996년)

싸인유형	입간판	점광간판	벽면싸인 등(*)	기타(**)	합계
건수(건)	179	125	168	11	483
비율(%)	37	26	35	2	100

(*) 벽면간판이외 돌출간판, 독립간판 등이 포함됨.
(**) 기타에는 싸인의 보수, 인테리어싸인 등이 포함됨.

(출전 : 도시계획국 내부자료)

3. 소결

이상, 미국에서 미관규제시책의 일환으로 전개되고 있는 옥외광고물 규제수법에 대해 살펴보았는데 그 특징을 정리하면 다음과 같다.

도시미관규제의 중요한 요소로서 옥외광고물규제는 1900년대 초 조금씩 그 논의가 시작되어 1950년대 미 전역에 걸쳐 주간(州間)고속도로가 건설되면서 주요간선도로 주변의 옥외광고물 규제시책이 본격적으로 전개되었다. 옥외광고물규제에 대한 경찰력 행사를 둘러싼 많은 법적 논쟁을 통해 옥외광고물규제가 사회적 규범으로 자리 잡게 되었는데 초기에는 옥외광고물 그 자체의 내용보다는 금지할 옥외광고물의 유형, 설치장소, 구조적 안전 등을 대상으로 규제가 이루어졌다. 특히 1960년대 연방정부에 의한 연방고속도로 미화법안의 제정으로 연방(聯邦) 및 주(州)정부차원에서 옥외광고물규제가 전개되었으며 이후 각 지자체에서의 조례 등을 통한 옥외광고물시책이 본격적으로 행해지게 되었다.

보스턴시의 경우 '싸인조례(Sign Code)'에 의한 시책의 전개를 기본으로 하면서 건축국과 도시계획국의 연계를 통한 조례의 운용이 이루어지고 있으며 특히 보스턴재개발국(BRA)은 새로운 싸인조례에의 대응, 사전협의에의 적극적인 참여, 대규모개발에서의 싸인 마스터플랜심사 등 적극적인 활동을 통해 시(市) 광고경관시책 운용의 중심적 역할을 담당하고 있다.

샌프란시스코시에서는 시 전역에 걸쳐 옥외광고물규제 기준을

'법령집(Planning Code)'에 정해놓고 있으며 또한 시의 주요지구에 대해 특별싸인지구를 설정하여 일반규제보다 훨씬 상세한 규제내용이 싸인 가이드라인에 설정되어 있다. 특히 싸인의 허가프로세스에 있어서는 연간 약 400건의 옥외광고물에 대해 옥외광고물의 유형에 따라 건축국 및 도시계획국이 심사에 참여하며 규제, 유도하고 있다.

이러한 미국에서의 옥외광고물시책 운용실태를 통한 우리 나라 광고경관시책에의 시사점을 정리해보면 다음과 같다.

첫째 미국에서의 옥외광고물규제를 둘러싼 오랜 법적 논의 과정에도 알 수 있듯이, 옥외광고물규제에 대해 도시 미관적 시점에서의 중요성에 대한 인식과 사회적 규범형성이 무엇보다도 중요하다. 이는 행정측이 일방적으로 광고경관시책을 주도하기보다는 시민들의 적극적인 이해와 결정과정에의 참여 등을 통한 시책의 사회적 합의형성이 무엇보다도 중요하다는 것을 의미한다.

둘째 현재 우리 나라의 도시상황을 고려해 볼 때 시 전역에 걸친 옥외광고물 규제(예를 들면, 서울시의 경우 옥외광고물조례가 존재하지만)에 의한 시책보다는 특별지구 및 대규모개발에 대한 시범적인 사업을 통해 일정한 성과를 바탕으로 점진적으로 시 전역으로 확대해 가는 전략적 대응이 바람직하리라 생각된다. 구체적으로는 보스턴시에서 실시되고 있는 대규모개발에서의 싸인 마스터플랜 심사, 샌프란시스코시에서의 특별싸인지구 지정 등이 좋은 예가 될 것이다. 또한 중점지역에서의 일정한 성과는 시민들에게 시책의 필요성을 가시적으로 보여주게 되어 전술한 사회적 합의형성에도 도움이 될 것이다. 최근 서울시의 경우 각 지자체별로 시범가로를 정해 광고물정비를 집중적으로 정비하는 사업을 실시하고 있는데 보다 적극적인 지역확대가 기대되고 있다.

셋째 보다 실효성 있는 옥외광고물의 시책을 전개할 때, 기존의 보기 흉한 옥외광고물의 처리가 문제가 된다. 특히 기성시가지의 미관정비에 있어서는 가장 중요한 문제가 되는데 이의 적극적인 대응을 위해서는 일정기간 기존 옥외광고물의 존치를 인정하는 존치 유예기간의 설정과 그에 대한 보상제도의 설정이 필요하겠다. 샌프란시스코시 특별싸인지구에서의 3~5년에 걸친 기존 싸인의 변경유예기간 설정이 참고가 될 것이다.

넷째 미국의 지자체에서는 싸인의 신설, 변경, 재설치 등이 건축행위와 같은 프로세스로 진행되고 있음을 알 수 있다. 또한 규제의 내용, 기준 등이 단순한 옥외광고물의 내용뿐만 아니라 건축물, 전면도로와의 관계에 따라 규제의 내용이 정해지며 또 건축물의 유형, 층수에 따라서도 옥외광고물의 허용범위를 설정하고 있다. 현재 많은 건축인허가 과정에 있어 옥외광고물에 대한 허가가 별도로 다루어지고 있는 우리의 현실을 감안할 때, 기존의 건축인허가에 옥외광고물의 내용(설치장소, 크기, 구조적 안정성 등)을 첨가함으로써 실효성 있는 시책을 전개할 수 있는 방법이라 할 수 있다.

다섯째 미국 옥외광고물의 시책의 운영상의 특징으로는 건축행정과 도시계획행정의 연계를 들 수 있다. 즉 우선 옥외광고물의 허가신청이 제출되면 건축국에서 일반적인 내용을 검토한 후(싸인의 유형 등에 따라 다르지만) 도시미관상의 검토는 도시계획국에서 이루어진다. 또 미리 예외적인 사항 등에 대해서는 사전협의를 거치게 되어 있어 보다 유연한 시책의 전개가 가능하도록 되어 있다.

우리 나라의 경우 한 부서(서울시의 경우 건축국에 광고물담당이 별도로 설치)에서 전담하게 됨으로써 종합적인 도시미관적 고려에 어려움이 있다. 이의 개선을 위해서는 현재의 1개 부서중심인 수직분할행정 시스템에서 부서간 수평적인 연계가 가능한 부서간 연계 및 심사프로세스를 포함하는 행정시스템 정비가 필요하다 하겠다.

참 고 문 헌

1. Carolyn Browne(1980) : The Mechanics of Sign Control, American Planning Association

2. Boston Redevelopment Authority(1980) : "The Boston Sign Code"

3. Planning Dapartment, City and County of San Franscio : "San Franscio Planning Code", Article 6 : Signs

4 .Planning Dapartment, City and County of San Franscio : "Annual Report 1995~96"

5. 有岡 孝(1991) : "アメリカのアーバンデザイン : ボストン", 雜誌 at

6. 神田 俊(1990) : "デザインされた都市ボストン", 雜誌 PROCESS(83)

7. 都市景觀硏究會(1987), "都市の景觀を考える", 大成出版社

8. 이정형(1999) : "미국 보스턴시에 있어서의 경관디자인 심사제도의 운용실태에 관한 연구", 대한건축학회논문집 계획계 15권 8호

제4장 조망경관 보호시책

　　최근 우리 나라에서도 도시경관 정비에 관한 높은 관심과 함께 '조망경관(眺望景觀)'에 대해서도 새로운 시점에서 많은 제안이 시도되고 있다.[1] 이는 지금까지 도시의 양적인 팽창에 대응하기 위한 획일적 기능일변도의 평면적 도시계획에서 '3차원' 도시공간의 질적 향상을 추구하는 것으로　그 의의가 있다. 즉 개개 건축물의 형태규제를 목적으로 한 '건축법' 및 용도지역지구제로 대표되는 '도시계획법' 등 시가지 경관정비를 둘러싼 기존의 제도적 장치가 개개의 대지 위에서 완결되는 2차원적인 도시계획수법에 근거하고 있는 것에 반해 조망경관의 컨트롤은 도시를 입체적(3차원적) 시점에서 도시의 스카이라인, 가로경관 등 총체적인 하나의 도시상(都市像)과 개개 건축물과의 3차원적인 관계를 규제대상으로 하고 있다는 점에서 그 특징이 있다고 할 수 있다.

　　본 장에서는 도시공간의 질적 향상을 도모하기 위한 경관시책의 하나로 디자인 심사제도, 옥외광고물규제 등과 더불어 조망경관 컨트롤 수법이 활발히 전개되고 있는 미국의 조망경관시책에 주목해 그 시책의 유형과 구체적인 운용수법에 관해 고찰해 보고자 한다. 구체적으로는 미국에 있어 경관시책의 하나로 조망경관 컨트롤 수법이 어떤 법적 매카니즘 속에서 실제로 어떻게 실행, 운용되고 있는가를 조사, 분석해 봄으로써 궁극적으로는 앞으로 우리 나라에서 전개될 조망경관시책의 바람직한 방향을 제안해 보고자 하는 것이다.

　　따라서 본 장에서는 1) 우선 미국에서의 조망경관 컨트롤 수법이 어떻게 전개되어져 왔는가 그 역사적 흐름을 간단히 살펴보고,

[1] 예를 들면 한강연접지구의 경관관리 방안에 관한 연구(서울시정개발연구원, 1994)를 시작으로 공동주택에 있어 조망경관을 확보하기 위한 공동주택의 입면 차폐도 규정, 시각회랑설정 등에 관한 규제기준이 도입되고 있다. 또한 서울시 조망경관 관리방안 연구(서울시, 2000)에서는 기성시가지 주요 가로에 있어서의 조망경관의 실태와 관리방안에 대한 다양한 사례를 보여주고 있다.

2) 미국 조망경관시책의 유형과 그 전개수법을 정리한 후 3) 각 유형별 조망경관 수법에 대한 개요, 규제방법, 운용방법 등을 사례연구를 통해 검토해 본다.

1. 미국 조망보호시책 개관

1.1 미국 조망경관시책 약사(略史)

미국의 많은 지자체에 있어서 도시경관 컨트롤의 종합적인 시책으로 시각적 특성을 가진 특별한 장소 예를 들면 특별한 조망(special vista), 풍경도로(scenic roads), 도시의 진입부(urban entryways) 등을 대상으로 조망경관시책이 전개되고 있다.

미국에서 조망경관 규제를 둘러싼 선례는 1800년대 후반에까지 거슬러 올라간다. 조망경관 규제를 둘러싼 최초의 법적 재판의 사례로 1896년 보스톤(Boston)시 주의사당(州議事堂)의 조망보호를 둘러싼 판례,[2] 1907년 보스톤시(市) 중심부 Coply Square 주변건물의 높이 제한을 인정한 판례[3] 등이 있다.

그러나 본격적으로 조망규제에 관한 시책이 논의되기 시작한 것은 1930년대 미국 각지에서 'Scenic Roadway 운동'[4]이 일어나 뉴욕주(州)의 윈첸스터 카운티(Winchester County) 파크웨이의 건설을 시작으로 주요간선도로(driveway) 주변의 조망보호시책이 전개되면서부터 라고 할 수 있다. 또한 1960년대 후반부터 도시 주변부의 산과 하천의 경관, 주의사당 등 특정 건조물에의 조망보호와 규제를 위한 시책이 미국 각지에서 전개되었다. 특히 Denver시 'Mountain View 조례'(1968)는 그 선구적인 사례가 되었다. 하와이주(州)에서는 죠닝 가운데 'Hawaii Diamond Head'라고 불리는 유명한 조망을 보호하기 위해 '역사-문화-풍경의 특별지구'가 설정되어 있다. 'View Corn 규제' 라고도 불리는 조망규제는 원추형의 건축규제망을 설정하고 상징적 경관의 실루엣이 항상 조망될 수 있도록 상대적으로 건축물의 높이를 제한하고 있다.[5] 이러한 시도 중에서도 특히 보호시책법안의 책정을 둘러싼 격렬한 논쟁이

2) Paker v. Commonwealth 59 N.E. 635 (Mass. 1896)

3) 이에 관련한 판례로는 Welch v. Swasey 193 Mass. 364, 79 N.E. 745 (1907)가 있는데, 그 내용은 보스톤시 중심부에 위치한 Coply Square에 면한 건축물에 대해 90ft(일부 100ft)의 높이 제한을 가하는 것이었다.

4) '파크웨이(Parkway) 운동'이라고도 불리는 이 운동은 도시 내 주요간선도로 가운데 풍경도로(scenic roadway)를 지정, 풍경도로 주변의 경관보전을 위해 공원화 혹은 민유지의 경관보전을 위해 조망지역권(scenic easement)을 설정해 도로주변의 아름다운 풍경을 창출해 내려는 운동이다.

위싱톤 D.C. 교외부에 있어 고층건축물의 규제 및 국회의사당 주변의 산(山)으로의 조망규제를 둘러싸고 일어났다. 결국 이 법안의 통과는 거대한 개발, 건축물로부터 국회의사당의 스카이라인을 보호하는 것뿐만 아니라 위싱톤 D.C. 교외부에 거대한 환상구조물 컨트롤망(網)을 구축하는 선례를 만들게 되었다.

한편 1963년 뉴욕(N.Y)주에서는 공원과 Parkway로부터 100ft(약 30m)이내의 건축물 높이를 70ft로 규제할 수 있도록 인정한 판례,[6] 1969년 Lower Manhattan 계획책정시의 시각적 회랑(View Corridor)을 통한 시각적 연속성을 강조한 계획 등도 조망경관 규제수법의 일례로 들 수 있다.[7] 특히 1977년 Scenic View를 인정한 Washington주(州)의 판례[8]는 도시경관의 시점만으로도 건축물의 높이규제를 인정한 판례로서 유명하며 이후 많은 조망보호와 규제시책에 큰 영향을 미쳤다고 할 수 있다.

1980년대에 들어와서는 규모가 작은 2차선도로에서의 풍경보존을 위한 시책으로 '좁은 길(小路)풍경(Scenic Byway) 프로그램'을 도입하는 주(州)가 늘어났다. 'Blue Highway'라 불리는 좁은 길(小路)에서의 조망경관 보호를 위한 주민운동이 활발하게 전개되고 있는데 1988년 시점에 미국전역에 23개의 주(州)에서 이와 관련된 조망경관 보존프로그램을 채택하고 있으며 3개의 주(州)에서 책정을 검토 중이다.[9]

이처럼 미국에서의 조망경관 컨트롤과 보호는 19C후반 역사적 건축물에의 조망보호로부터 시작되어 자동차시대의 도래가 시작된 1930년대에 'Scenic Roadway운동'을 계기로 고속도로 주변의 조망경관 규제가 본격적으로 전개되었으며 1960년대 도시 주변부에의 자연경관에의 조망보호가 중점적으로 시행되어지게 되었다. 특히 1980년대 이후 최근까지 많은 지자체에서 좁은가로(Scenic Byway)변을 따라 전개되는 가로경관의 규제와 보호 프로그램의 도입이 미국 전역에 급속히 증가하고 있다.

---

5) 하와이 주의 'View Com 규제'는 다음과 같은 3종류의 규제가 조합되어져 있다. 첫째 개발지구의 경계에 접하는 지형 가운데 상대적으로 높은 곳과 낮은 곳을 설정, 그 곳에서 45ft까지의 수평선을 건축한계면으로 한다. 둘째 규제지구에 있어 경계면에서 30도 구배로 건축규제 한계면을 설정한다. 셋째 건축물의 절대 높이규제를 75ft/6층으로 설정한다. 이러한 규제는 자연경관으로 둘러싸인 지구에 있어 절대적 건축물의 높이제한 보다 조망확보 혹은 건물의 실루엣을 강조하기 위해 보다 높은 표고의 대지에 건물을 경쟁적으로 입지시키는 등 보다 적극적인 조망규제 수법으로 평가된다.

6) Levanthal v. Buehler, 191 N.E.2d 128(N.Y. 1963).

7) 이에 관련된 내용으로는 참고문헌3 참조.

8) State dept. of Ecology v. Pacesetter construction Co., 511p. 2d 196(Wash.1977). 이 판례에서는 호수의 조망을 보호하기 위해 주변건축물에 대해 35ft(약 11m)의 높이제한을 인정하고 있다.

9) 참고문헌 1에 의함.

1.2 미국 조망경관시책 유형

미국에서의 조망경관시책은 시각적 특성을 가진 특별한 장소, 예를 들면 특별한 조망(special view), 풍경도로(scenic road), 도시진입부(entryway)등을 대상으로 죠닝제도, 디자인리뷰 제도 등과 중첩(overlay)되어 운용되고 있다.

이러한 조망경관시책의 유형을 살펴보면 컨트롤하고자 하는 목적이나 대상에 따라 다양하다. 구체적으로는 1) 주의사당이나 주요 건축물 등 도시 모뉴멘트의 조망보호를 위한 '모뉴멘트 조망확보형' 2) 도시 주변부의 산, 하천 등 자연풍경의 조망을 보호하기 위한 '자연조망 확보형' 3) 도시 진입부(urban entry)의 상업간판규제, 도시 교외부의 고속도로나 주요간선도로로부터의 풍경 등의 보호／규제를 목적으로 한 '어반 콜리도(Urban corridor)형' 등으로 분류할 수 있다. 한편, 4) 전 시역(市域)에 걸친 미크로한 조망경관과는 달리 지구레벨의 미크로한 조망계획에 의한 '가로조망확보형' 도 이에 포함된다.

표 4.1은 미국에서의 조망규제 수법을 분류, 유형화한 것이다.

표 4.1 조망보호／컨트롤 수법의 유형

유 형	내 용	사례도시
모뉴멘트 조망 확보형	도시에서 중요한 건축물·모뉴멘트로의 조망 보호규제 수법	Austin, Denver, Sacramento, Washington D.C 등
자연조망확보형	도시 주변의 산과 하천 등 자연풍경으로의 조망을 확보하기 위한 규제수법	Denver, Pittsburgh, Seattle 등
어반콜리도형	도시의 교외부·진입부 등에서 고속도로, 주요간선도로변으로부터의 조망·풍경 등을 보호하기 위한 규제수법	Austin, New Orlends, Huston 등
지구단위 가로조망확보형	가로의 시각적 연속성, 가로벽에 의한 시각라인의 창출 등 미크로한 레벨의 가로조망을 보호하기 위한 규제수법	Boston 등

1.3 조망확보를 위한 규제수법

조망확보를 위한 규제수법은 그 성격상 죠닝, 토지이용규제, 건축물의 높이 및 연면적 등의 규제, 싸인규제 등과 연관되는 부분도 있지만 예를 들면 높이제한, 특별지구(special districts)와 중복죠닝(overlay zones)에 있어서 세트백 혹은 조망보호 콜리드(회랑) 설정, 사이트 플랜 리뷰, 건물의 규모(massing, bulk) 규정 등이 관련되는 수법이라 할 수 있다. 이러한 규제는 대개의 경우 죠닝제도와 연계하면서 운용되어지는데 구체적인 조망보호 및 규제수법의 내용을 정리하면 다음과 같다.

① 특별지구(special districts)와 죠닝

가장 단순한 수법으로 특별지구의 설정과 그 지구에 있어서 건축물의 높이를 제한하는 것이다. Washington D.C.에서는 1910년 국회의사당에의 조망을 보호하기 위해 Pennsylvania Avenue를 따라 약간의 예외를 제외하고는 전 시역에 걸쳐 건축물의 높이를 110ft(약 33m)로 제한하는 '건축고도제한법안(Building Height Limitation Act)'을 제정했다.

② 건축물 리뷰

개발되는 건축물, 사이트플랜 등의 리뷰에 의한 규제이다. New York주 로체스터(Rochester) 다운타운 죠닝조례에서는 모든 개발에 있어서 Eastman극장의 조망을 보호할 수 있도록 사이트플랜 리뷰가 이루어지도록 되어있다. 또한 Vermont주 Burlington의 경우 높이 35ft(약 11m)이상의 건축물은 모두 디자인 및 사이트플랜 리뷰의 대상이 되어 Champlain호수로의 조망보호가 중요한 평가항목이 되고 있다.

③ 환경프로젝트 심사(Environmental Project Review)

주(州)나 지자체에 있어서 환경규제를 통한 조망보호 규제를 행하는 수법이다. 예를 들면 Washington주의 해안선관리법(1971년)에 의한 워터프론터 개발에 있어 엄격한 높이제한, 일정규모 이상의 개발에 대한 미관심사규정을 정한 Vermont주 법안(Act 250) 등이 있다.

④ 조망지역권(Scenic Easements)의 설정

조망지역권 설정의 목적은 지역권 내에 중요한 경관을 보호하기 위해 공지로 남겨 지역권 지구외의 조망경관을 보존하기 위해 조망지역권 지구 외의 바람직하지 않은 경관을 차단해 수경(修景)하기 위해 사용되어진다. 한편 조망지역권 설정의 내용은 건축물의 증개축제한 / 용도의 제한 / 필요한 공공도로 등의 지정 / 수목채벌 금지 / 유지관리의무 / 옥외광고물 금지 등이 포함된다.

2. 유형별 조망경관 시책

2.1 모뉴멘트 조망확보형 : Texas州 Austin市 'Capitol View Corridor'조례

■ 조례의 개요

Austin시 'Capitol View Corridor'조례에 의하면 Austin시에는 주의사당(州議事堂)의 조망확보를 위해 '주의사당 조망콜리드 지구(Capitol View Combining District)' 및 '다운타운 조망규제지구(Downtown Overlay Combining District)'를 설정하고 있다.

① 주의사당 조망콜리드 지구(Capitol View Combining District)

시 전역에 걸쳐 28개의 조망콜리도(View Corridor)가 설정되어 있다.[10] 이들 조망 콜리도는 공원, 도시 진입부, 주요 간선도로, 강, 공항, 주요공공건축물 등 시(市)의 중요한 지점에서 주의사당으로의 조망을 확보함으로써 시민뿐만 아니라 방문객과 관광객들에게 시 전체의 방향감을 주는 것을 목적으로 하고 있다.(그림 4.1)

조망 콜리도내에 있어서 높이의 결정은 그림 4.2의 높이산정 공식에 의해 주의사당 돔 베이스(dome-base)에 조망기점(viewpoint)을 설정하고 각 적용지점에서의 최고높이를 구하게 된다.[11]

10) 28개의 조망콜리도 가운데 시(市)에 의해 설정된 곳은 26개, 주(州)에 의한 곳이 4개이며 2곳은 시, 주 모두에 의해 설정된 곳이다.

11) Austin시 토지개발조례(Land Development Code) Sec.13-2-716에 자세한 내용이 정리되어 있다.

그림 4.0 Austin시 주의사당

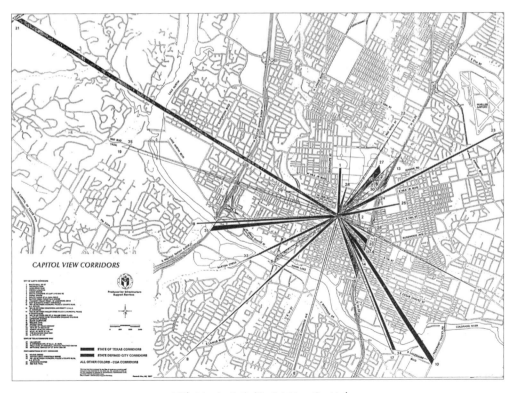

그림 4.1 Austin市 'Capitol View Corridor'

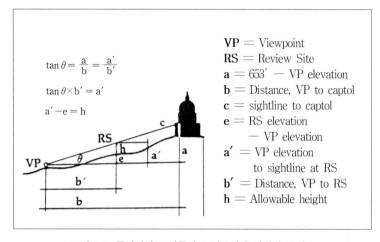

그림 4.2 주의사당 조망콜리도 지구의 높이계산 공식도

② **다운타운 조망규제지구(Downtown Overlay Combining District)**

한편 전술한 조망콜리드와는 별도로 '다운타운 조망지구'
에는 주의사당의 시각적 모뉴멘트성, 상징성을 보호함과
더불어 다운타운의 특성을 보호, 향상시키기 위해 주의사
당의 돔을 중심으로 반경 1,320ft(약 400m) 이내의 지구에
높이규제가 설정되어 있다.

이 지구에 있어서 부지개발에 대한 높이규제의 내용은
Austin시 '토지개발조례(Land Development Code)'의 Sec.
13-2-716에 정리되어 있는데, 그 규제내용은 주의사당 돔
의 베이스에 가상면(imaginary plane, 해발 653ft)을 설정
하고 tan 2.5도의 각도에 의한 높이에 653ft를 더한 수치를
건축물의 높이 제한치로 하도록 되어 있다. 그림 4.3은 이
지구의 범위를 나타내고 있다.

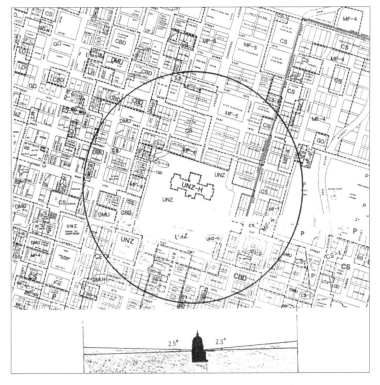

그림 4.3 다운타운 조망지구 범위 및 조망경관

■ 조례의 운용

Austin시 'Capitol View Corridor' 조례의 운용은 시 개발리뷰 시스템의 일환으로 행해진다. 즉 주의사당으로의 조망경관 규제내용 (높이제한 등)이 기존의 조닝제도와 중첩되어(overlay) 있는 것이 많기 때문이다.

Austin시 도시계획국에서의 개발리뷰는 죠닝, 대지분할규제(sub-division), 사이트플랜, 교통, 환경조사 등으로 나뉘어 각 담당분야의 담당자 6~7명이 하나의 팀이 되어 주1회 정기적인 미팅을 통해 리뷰가 진행되고 있다. 개발 프로젝트가 접수되면 이러한 정기적인 미팅을 통해 조망경관에 관련된 내용도 체크되게 된다. 현재 Austin시 도시계획국에는 14개의 개발조사팀이 있으며 조망보호 시책과 연관하여 리뷰되는 개발 프로젝트는 연평균 5~6개의 프로젝트가 적용되고 있다.[12]

2.2 자연조망형 : 덴버(Denver)시 'Mountain View 조례'

■ 조례의 내용

Denver시에서는 기존 죠닝지구에 있어서 건축물의 높이나 크기 (bulk) 규제 이외에 조망경관 보호와 관련된 시책으로, 시 조례에 근거해 9개소의 도시 내 주요공원에서 서쪽 록키산맥으로의 조망 규제와 도시 외곽부에 위치한 Sloan Lake공원에서 다운타운 스카이라인의 조망을 보호하기 위한 규제가 설정되어 있다. 또한 유니온 역사(Union Terminal)에서 South Platte 하천으로의 조망보호를 위한 규제가 설정되어 있다. 그림 4.4는 Denver시에 있어서 조망규제 범위를 나타내고 있다.

12) Austin시 조망경관 담당자인 Antonio氏와의 인터뷰에 의함.

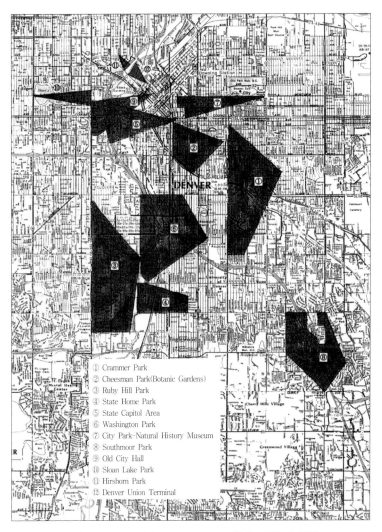

① Crammer Park
② Cheesman Park(Botanic Gardens)
③ Ruby Hill Park
④ State Home Park
⑤ State Capitol Area
⑥ Washington Park
⑦ City Park-Natural History Museum
⑧ Southmoor Park
⑨ Old City Hall
⑩ Sloan Lake Park
⑪ Hirshorn Park
⑫ Denver Union Terminal

그림 4.4 Denver시 'Mountain View 조례'의 조망규제 범위

　조망조례의 내용은 우선 조망 기점(起點, reference point) 및 조망규제 범위를 설정하고 그 범위 내에서 해저 레벨의 조망기점으로부터 수평거리(60ft~100ft)당 일정한 높이(0.5ft~2.0ft)를 더한 수치(높이)를 넘지 않도록 하고 있다. 또한 지구에 따라서는 일정한 허용높이(allowable height)와 기존 구조물(건축물)의 개축 등에 있어 기존의 높이를 유지할 수 있도록 예외조건(exception)을 인정하는 경우도 있다. 구체적인 조망규제의 내용을 지구별로 정리한 것이 표 4.2이다.

표 4.2 'Mountain View Ordinance'의 규제내용

조망보전지구	조망기점 (reference point)	규제내용(limitations on construction)
① Crammer Park	해발 5,434ft	• 조망 콜리드 범위내의 모든 구조물은 해발 5,434ft를 조망기점으로 수평거리 100ft당 1.0ft 높이를 더한 높이를 초과할 수 없다.
② Cheesman Park (Botanic Gardens) (그림 4.5참조)	해발 5,383ft	• 조망 콜리드 범위내의 모든 구조물은 해발 5,383ft를 조망기점으로 수평거리 100ft당 1.0ft 높이를 더한 높이를 초과할 수 없다.
③ Ruby Hill Park	해발 5,354ft	• 조망 콜리드 범위내의 모든 구조물은 해발 5,354ft를 조망기점으로 수평거리 100ft당 1.7ft 높이를 더한 높이를 초과할 수 없다.
④ State Home Park	해발 5,324.8ft	• 조망 콜리드 범위내의 모든 구조물은 해발 5,324ft를 조망기점으로 수평거리 100ft당 1.7ft 높이를 더한 높이를 초과할 수 없다.
⑤ State Capitol Area (그림 4.6 참조)	해발 5,286ft	• 조망 콜리드 범위내의 모든 구조물은 해발 5,286ft를 조망기점으로 수평거리 100ft당 1.7ft 높이를 더한 높이를 초과할 수 없다.
⑥ Washington Park	해발 5,323.9ft	• 조망 콜리드 범위내의 모든 구조물은 해발 5,323ft를 조망기점으로 수평거리 100ft당 1.0ft 높이를 더한 높이를 초과할 수 없다.
⑦ City Park - Natural History Museum (그림 4.7 참조)	해발 5,303.9ft	• 조망 콜리드 범위내의 모든 구조물은 해발 5,303.9ft를 조망기점으로 수평거리 100ft당 1.0ft높이를 더한 높이를 초과할 수 없다.
⑧ Southmoor Park	해발 5,548ft	• 조망 콜리드 범위내의 모든 구조물은 해발 5,548ft를 조망기점으로 수평거리 100ft당 2.0ft 높이를 더한 높이를 초과할 수 없다.(예외) • 이지구내의 업무지구에 있어서는 지형(natural grade)에 따라 높이 42ft까지 건축할 수 있다. • 이 지구에 있어 이 규정에 적합하지 않은 기존건축물은 개축, 신축시 기존의 높이를 유지할 수 있다.
⑨ Old City Hall	해발 5,215ft	• 조망 콜리드 범위내의 모든 구조물은 해발 5,215ft를 조망기점으로 수평거리 60ft당 1.0ft 높이를 더한 높이를 초과할 수 없다.
⑩ Sloan Lake Park (그림 4.8 참조)	해발 5,315ft	• 조망 콜리드 범위내의 모든 구조물은 해발 5,315ft를 조망기점으로 수평거리 100ft당 0.5ft 높이를 더한 높이를 초과할 수 없다. (예외) 신축의 경우 35ft 이내의 지구에서도 35ft까지 건축 가능하다. 또한 기존 구조물은 기존의 높이를 유지할 수 있다.
⑪ Hirshorn Park	해발 5,260ft	• 조망 콜리드 범위내의 모든 구조물은 해발 5,260ft를 조망기점으로 수평거리 100ft당 1.9ft 높이를 더한 높이를 초과할 수 없다. (예외) 기존의 구조물은 기존의 높이를 유지할 수 있다.
⑫ Denver Union Terminal	-	• 어떠한 구조물도 높이 35ft(약 11m)를 초과할 수 없다. (예외) 기존의 구조물은 기존의 높이를 유지할 수 있다.

그림 4.5 Cheesman Park에서 록키산맥으로의 조망

그림 4.6 State Capitol에서 록키산맥으로의 조망

그림 4.7 City Park-Natural History Museum에서
록키산맥으로의 조망

그림 4.8 Sloan Lake Park에서 다운타운으로의 조망

■ **조망조례(*View Ordinance*)의 운용**

덴버시 조망조례는 시 건축조례(Buildings and Building Regu-
lations)의 일부(제10장, Article V)로서 건축조사부(Building Ins-
pection Division)가 운용을 담당하고 있다. 리뷰 프로세스는 일반
건축·개축에 있어서는 개발자가 건축허가 신청 후 조망조례에 따
른 높이 제한을 고려하여 신청서를 작성 제출하며 건축조사부의
담당자가 체크를 하도록 되어 있다. 한편 대규모개발의 경우 건축
조사부에 의해 '사이트 플랜리뷰(Site Plan Review)' [13]가 의무 지
워져 있어 건축규제에 기초한 건축물의 높이 제한이 체크되도록
되어있다.

13) Denver시 도시계획국
이 작성한 사이트플
랜리뷰를 위한 가이드
라인 'PUD/PBG, Site
Plan-Rules & Regula-
tions'에 상세한 내용
이 기술되어 있다.

2.3 어반 콜리도(Urban Corridor) 형 : Austin市 '경사지 풍경도로 조례(Hill Country Roadway Ordinance)'

어반 콜리도형 조망규제는 도시 교외 진입부의 많은 상업간판, 대규모 주차장 등을 대상으로 하는 'Commercial Corridor 규제'와 교외부 고속도로 주변에 'Scenic Corridor 규제' 등 2종류가 있다. 여기서는 어반콜리드형 조망규제수법에 대해 그 배경, 내용을 간단히 살펴본 뒤 구체적인 사례로 Austin시 '경사지 풍경 도로조례(Hill Country Roadway Ordinance)'에 관해 조례개요 및 운용실태를 살펴보기로 한다.

■ **어반 콜리드 규제 개요**

① **어반 콜리드 규제 배경**

미국에서 도로주변(roadside)의 미관이나 조망에 관한 관심은 프레드릭 로 옴스테드(F.L.Olmstead)에 의한 '파크웨이(Parkway)' 건설에서 시작된다. 도로 중앙분리대의 녹지, 차도와 보도의 분리, 도로를 따라 설치된 공원, 오픈스페이스, 벤치 등 파크웨이의 디자인에 많은 연구가 행해졌다. 그러나 이러한 시도들은 미국에서의 본격적인 자동차사회가 도래되기 이전의 일이다. 본격적인 자동차사회의 도래와 더불어 도로의 건설은 교통계획가나 교통기술자가 전담하게 되었으며 근대에 들어 도로디자인이나 건설은 전형적인 공학적 측면(보다 넓고 직선으로), 교통용량 등이 주요 관심사가 되었다.

한편 이러한 상황에 대항하는 형태로 1960년대 들어 계획가, 디자인 실무자, 생태학자들 사이에 '도로 콜리드(Roadway corridors)'에 관한 연구가 활발하게 진행되었다. Christopher Tunner와 Boris Pushkarev의 저서 'Man－Made America'(1963)에서는 도로계획에 있어 보다 광범위한 계획 및 디자인개념의 도입을 주장하고 있다.

또한 고속도로계획에 있어 미관적인 측면에서의 명확한 방향을 제시한 것은 존슨(Johnson)대통령의 부인 Lard Bird Johnson의 주도에 의한 '국가미화운동(National Beautification Campaign)'의 전개이다. 이 운동을 통해 디자인지침을 제시한 연방고속도로건설(Federal Highway Administration) 가이드라인도 많은 영향을 미쳤다. 특히 각 지자체에서 교통도로 주변의 조망 및 풍경에 관심을 가지고 그 규제시책을 마련하게 되었다.

어반콜리드 규제의 구체적인 대상은 도시 진입부에 있어서 상업콜리드(Commercial Corridor)나 교외부 교속도로에서의 풍경콜리드(Scenic Corridor)등이다. 특히 많은 지자체에서는 이러한 수법을 환경보호와 연계하면서 시책의 도입을 행하고 있다. 예를 들면 경사지보호법안(hillside protection laws) 등은 경사지의 특별한 조망을 보호할 뿐 아니라 경사지의 침식이나 다른 재해를 지키기 위한 개발규제의 의미도 포함하고 있다.

② 상업 콜리드(Commercial Corridor) 규제

도시 교외 진입부의 상업콜리드에는 많은 상업간판, 대규모 주차장 등에 의해 조망경관이 흉한 곳이 많이 있다.[14] 이들을 규제하는 주요 요소로는 상업간판 및 주차장에 대한 차단처리(screening)나 랜드스케이프 처리(landscaping) 등이 있다.

South Carolina주 'Hilton Head Island'에서는 '콜리드 중복 죠닝지구(Corridor Overlay Zoning District)'가 책정되어 신규 혹은 개수되는 싸인을 컨트롤하고 있다. 1989년 수정된 이 조례는 싸인이 주변환경과 조화되도록(visually compatible with their surroundings and avoid garish and inappropriate materials) 보다 명확한 가이드라인을 제시하고 있다. 수정된 조례에 의해 콜리드 심사위원회(Corridor Review Committee)가 직접 싸인판넬의 디자인, 색, 재료, 형태 등을 심사하도록 하고 있다.

14) 우리 나라에서도 최근 자동차생활의 일반화로 도시교외 진입부에 있어서의 조망경관이 심각한 문제가 되고 있는데, 예를 들면 서울시 교외 외곽부 미사리 일대의 상업광고는 주변의 자연경관을 해치는 시각적 조망공해가 되고 있다.

North Carolina주 Orange County 조례의 경우 '주요 교통 콜리드 중복죠닝 지구(Major Transportation Corridor O-verlay Zoning)'를 지정하고, 이 지구 내 2곳의 주간(州間)고속도로에 있어 1250ft(약 380m)이내의 신규개발에 대한 특별한 세트백 및 싸인규제가 행해지고 있다. 또한 이 조례에서는 콜리드 내에 있어 입간판(billboards)을 금지하고 부지 내 간판(onsite signs)도 부지당 2개만을 허용하고있다. 주간 콜리드에 인접하는 싸인의 최대규모는 72ft²(약 6.5m²)를 넘지 못하도록 하고 있다.

Texas주 Garland에서는 고속도로 90호(Highway 90) 연변의 개발기준에 있어서는 기존싸인의 형상, 규모, 높이, 개수 등 전형적인 규제항목에 더해 싸인당 정보량(information items)의 규제를 행하고 있다. 특히 싸인규제에 '가로 그래픽(street graphic)' 개념을 도입하고 고속도로변에 10개 이상의 정보를 가진 상업간판을 대상으로 규제를 행하고 있다. 한편 상업콜리드의 경관형성에 있어서는 상업건물 및 주차장의 조경도 중요한 요소가 된다.

'Santa Fe'에서는 주요고속도로변에 식재완충대 조경처리에 관한 조례가 책정되어 있다. 조례의 규정에서는 간선도로변에 10ft(약 3m)이상의 폭을 가진 식목대를 설치하고 완충대의 피녹지율이 약 50%가 되도록 규정이 설정되어 있다. 경우에 따라서는 10ft폭의 식목대 대신 3ft(약 1m)높이의 연속식목대가 설치되도록 하고 있다. 또한 시의 특별 콜리드지구인 '콜리드 보호지구(Corridor Protection District)' 내에 위치하는 프로젝트에 대해서는 도로를 따라 자연완충식목대 설치와 더불어 이 완충식목대 내에 25ft(약 7.5m)이상의 어떠한 구조물, 담장, 벽, 주차장 등의 설치도 금지된다. 만약 구조물에 의한 완충녹지대가 파괴될 우려가 있을 때에는 추가 식목이 30ft²(약 2.7m²)당 2개의 수목을 심도록 규제기준이 정해져 있다.

North Carolina주 Cay에서는 '완충지구 중복죠닝(Buffer D-

istrict Overlay Zoning) 조례'가 규정되어 고속도로 진입부
를 따라 30~100ft(약 9~30m)폭의 식재완충대의 보전을
규정하고 있다. 또한 이 지구 내에서 부지폭 100ft(약 30m)
당, 10개의 고목(canopy tree), 15개의 중목(understory tr-
ee), 60개의 저목(shrubs), 30개의 상록침엽수(evergreen
conifers)등을 심도록 하고 있다. 이처럼 수목은 도로 콜리
드의 성격을 특징짓는 중요한 요소이며 그 규모, 색 등에 의
해 콜리드의 시각적인 경험을 구성하는 다양한 요소를 통
일시킬 수 있다.

③ 풍경 콜리드(Scenic Corridor) 규제

1965년 존슨 대통령의 '자연미에의 제언(Message on
Natural Beauty)'에서 출발한 풍경 콜리드 운동은 같은 해
'고속도로미화법안(Highway Beautification Act)'이 제정되
어 본격적인 시책이 전개되었다. 1960년대 초반 주(州)고속
도로변의 조망고속도로 보호프로그램이 캘리포니아주에서
시작되어 Vermont, Tennessee, Connecticut, Oregon 등에
서 유사한 프로그램과 싸인규제, 보전지역권(conservation
easement) 등의 제정을 통해 고속도로 및 주요간선도로변
의 풍경을 보호하는 시책이 전개되었다. 또한 이와 더불어
민간의 토지 트러스트 활동과 1969년 제도화된 국가환경정
책법(National Environment Policy Act, NEPA) 등이 중요
한 계기가 되었다. 나아가 1987년 레이건 대통령의 자문기
관인 '미국교외위원회(Commission on Americans Outdo-
ors)'에서 도로풍경의 전국적인 네트워크화가 제안되어
1989년 '풍경도로법(Scenic Byway Study Act)'이 의회에
제출되었다.
한편 풍경 콜리드의 구성요소로는 연못, 하천, 산림 등을 포
함해 사막이나 산의 조망, 수려한 도시풍경, 역사적 문화적
자원 등 다양하지만 이러한 풍경콜리드를 규제하는데 있어
서는 시각적 풍경의 미학적인 질을 객관적으로 평가하는 것

이 어려운 작업이다. 연방고속도로관리국(Federal High-way Adminstration), 토지관리국(Bureau of Land Manage-ment), 토질보전국(Soil Conservation Services)에서는 이를 평가하는데 있어 예술적 구성요소(형상, 색, 재료 등) 및 미관요소(통일감, 조화성 등)에 큰 비중을 두고 있다. 그 외 지역커뮤니티의 가치나 커뮤니티의 의견 등도 중요한 평가요소가 된다.

Nevada주 Washoe County 지역교통위원회(Regional Transportation Commission)의 경우 FHWA의 시각적 질의 평가방법을 도입하고 있다. 예를 들면 조망콜리드의 선정 조건 및 항목으로 생동감(vividness), 보존상태(intactness), 통일감(unity), 커뮤니티 의견(community importance) 등을 들어 각 항목별로 1에서 5까지의 포인트에 의해 평가하고 16포인트 이상을 선정대상으로 하고 있다.

■ Austin시 '경사지 풍경도로 조례(Hill Country Roadway Ordinance)'

① 조례의 개요

1980년 Austin시에서는 주요도로변의 경관과 풍경을 보호하기 위해 개발 프로젝트를 컨트롤하는 선구적인 조례가 제도화되었다. 초기단계의 풍경 콜리드 보호프로그램에서는 주요교통망의 주변토지를 죠닝컨트롤 하기 위해 '간선도로지역(principal roadway area)'과 '주요풍경지역(sce- nic arterial)'으로 구분하고 도로경계선에서 200ft(약 60m)이내에 위치하고 있는 토지의 사이트플랜, 디자인, 진입구, 싸인 등을 컨트롤하는 특별죠닝규제가 행해졌다. 또 시 서쪽 5곳의 구릉(hills)에 특별죠닝도 책정되었다.

그러나 1985년 이 조례는 '경사지 풍경 도로조례(Hill Country Roadway Ordinance)'로 일원화되어 시 교외부 5곳의 주요도로변을 대상으로 도로 경계선으로부터 1,000ft(약 300m) 이내의 모든 개발 프로젝트가 조망경관 심사의 대상

이 되게 되었다(그림 4.9 및 그림 4.10). 현재 이 조례는 커
뮤니티 토지개발조례(land Development Code)의 일부로
(Section 13-2-780에서 13-2-785까지) 시 주변부 자연의 아
름다움을 유지하기 위한 중요한 조례가 되었다.
구체적으로 풍경콜리드 대상지구 개발 사이트플랜에는 다
음과 같은 내용이 포함되어 있다.

- 개발부지내의 있어 모든 수목의 상세한 조사
- 개발에 있어 쓰레기소각기, 발전기, 설비기기, 냉난방
  설비 등의 위치, 주차장의 위치, 또 이러한 시설 및 설
  비를 공공의 시선에서 차단하는 방법에 관한 제안 등
- 개발구조물 높이가 조례의 특별높이 제한기준에 적합
  한지를 알 수 있는 단면도의 작성
- 공공의 도로나 레크리에이션 시설에서 기존 혹은 잠
  재적인 풍경조망(scenic vista)의 위치와 범위

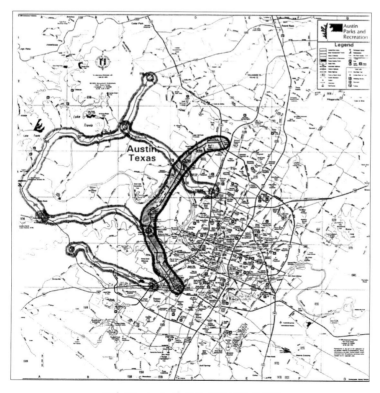

그림 4.9 Austin시 주요 풍경도로 위치도

그림 4.10 Austin시 풍경도로(Route360) 주변경관

② 규제 내용

조례는 적용지구 내에서 주된 규제 항목으로 밀도규제, 비
주거용 건축물의 최대 용적률, 높이제한, 건물의 재료, 옥외
광고물 규제, 보너스 규정 등을 포함하고 있다.

표 4.3 및 표 4.4는 적용 지구 내에서의 비 주거용 건축물에
대한 최대 용적률 및 옥외광고물에 대한 규제내용의 일례
를 보여주고 있는데 모든 비 주거용 건물은 지형의 경사상
황에 따라 최대 용적제한, 벽간판의 최대면적 등에 관한 규
정이 마련되어 있다.

이처럼 주요간선도로변의 개발에 있어서는 각 규제항목별
로 상세한 규제기준이 설정되어 있는데, 특히 보너스 규정
에서는 12개의 특별항목(performance incentive criteria) 가
운데 6개 항목 이상이 적용될 경우 용적률의 보너스를 주도
록 되어있다. 특별항목에는 풍경조망의 자발적 보전, 자동
차 진입구 제한, 소규모부지의 합병 등이 포함되어 있다.[15]

15) 자세한 내용은 Land
Development Code,
Section 13-2-783 참
조.

표 4.3 비 주거용 건축물 최대 용적률

토지경사	저밀도	중밀도	고밀도
0~15%	.20	.25	.30
15~25%	.08	.10	.12
25~35%	.04	.05	.06

표 4.4 풍경도로변 옥외광고물 규제내용[16]

싸인 종류	규제내용
입간판 (freestanding)	·대지 당 1개, 건물 폭 높이1ft당 0.4ft²에서 최대면적은 64ft²(약19m²)으로 한다. 최대높이는 12ft(약 3.3m)이다.
벽간판 (wall sign)	·벽면 싸인의 최대면적은 건물높이 15ft(4.5m)까지 벽면 면적의 10% 이내로 한다.
상업용 깃발 (commercial flag)	금 지
옥상간판(roofsign)	금 지

③ **적용상황**

여기서는 조례가 실시된 1980년 이후의 적용상황을 국도 360호(Capital of Texas Highway)를 대상으로 조사했다. 1980년부터 1997년 4월말 현재까지 적용된 프로젝트는 110 건인데 그 내용은 다음과 같다.[17]

표 4.5는 110건의 적용 프로젝트의 유형을 용도별로 분류한 것인데 전체의 약 45%가 사무실 건축물이다. 그 다음으로 주택개발이 약 20%를 차지하고 있다.

표 4.5 적용프로젝트의 용도 (단위: 건)

용도	주택	주택+오피스	주택+점포	주택오피스+점포	오피스	오피스+점포	점포	불명	합계
건	22	6	1	2	49	18	7	5	110

적용된 프로젝트 중에서 많은 비율을 차지하고 있는 오피스 및 주택개발 규모를 보면, 오피스의 총 바닥면적은 15,000m²

16) 상세한 내용은 Austin시 도시계획국 토지개발조례(Land Development Code, Section 13-2-867 참조.

17) Austin시 도시계획국 내부자료에 근거함

부터 60,000㎡ 규모의 개발이 많은 비율을 차지하고 있다
(표 4.6).

표 4.6 오피스개발의 총 바닥면적 (단위 : 천 ㎡)

총바닥 면 적	3미만	3~15	15~30	30~60	60~150	150 이상	합계
건수	2	14	13	12	6	2	49

한편 적용된 22건의 주택개발의 경우 대지면적이 20,000~
80,000㎡의 프로젝트가 약 반을 차지하고 있고 개발호수는
100호 이하가 약 5할을 차지하며 200~300호의 대규모 주
택단지개발도 약 3할을 차지하고 있다(표 4.7 및 표 4.8).
이와 같이 도시 교외부의 주요간선도로를 따라 사무소나
주택개발과 같은 비교적 규모가 큰 개발이 주요 간선도로
로부터의 풍경조망을 보호하기 위한 풍경도로조례의 적용
을 받고 있음을 알 수 있다.

표 4.7 주택개발의 부지면적 (단위 : 천 ㎡)

부지면적	20 미만	20~80	80~200	200~400	400 이상	합계
건수	2	10	4	3	3	22

표 4.8 주택개발의 호수 (단위 : 戶)

개발호수	50 미만	50~100	100~200	200~300	300 이상	합 계
건 수	2	10	4	3	3	22

2.4 지구단위 가로조망(streetscape) 보호형: Boston시 지구별계획(District plan)에 의한 가로조망규제

보스턴시에서는 경관(도시디자인)컨트롤 시스템이 지구별계획
에 근거해 이루어지고 있기 때문에(자세한 내용은 제2장 참조) 보
스턴시 전역에 걸쳐 조망을 확보하기 위한 광범위한 조망계획은
없으나 지구별계획의 책정 시 지구의 상황을 배려한 조망계획이
미크로한 레벨에서 행해지고 있다.

■ 보스턴시 조망(*View*)의 특성 및 유형

보스턴시에 있어서 조망의 유형은 다음과 같이 분류할 수 있다.

① 랜드마크 조망(Landmark View)

주의사당 돔, 교회의 첨탑, 고층 타워 등 시각적 랜드마크는 많은 장소에서 방향감을 부여하며 중요한 조망요소가 된다 (그림 4.11, 그림 4.12). State St.75번지 건물의 재건축 시 가로진입부에서 The Custom House Tower 조망을 확보하기 위해 건물의 세트 백을 행한 것은 랜드마크 조망의 보호를 위한 전형적인 사례이다.(그림 4.13)

② 오픈스페이스와 수변에의 조망

오픈스페이스나 수변에의 조망을 위해 공공진입로(public access)를 확보하고 이러한 조망을 공유할 수 있는 건물배치나 형태 등의 배려는 개발계획에 있어 중요한 구성요소가 된다. 예를 들면 North Station에 있어 Charles River에의 조망확보(그림 4.14)나, Fort Point Channel Area에 있어 보스턴항으로의 조망확보가 행해지고 있다.

③ 특별가로풍경

가로망은 전망(Vista), 시각콜리드(View Corridor), 파로나마조망(panorama)으로 구성된다.

그림 4.11 주의사당

그림 4.12 교회첨탑

그림 4.13 The Custom House Tower

그림 4.14 Charles River의 조망확보

■ 지구별계획에 있어서의 조망계획

여기서는 '정부센터/마켓지구계획(Government Center/Markets District Plan)'의 지구별계획을 사례로 조망보호계획의 내용을 정리한다. 이 지구는 관광, 정부기관, 업무, 주거 등 다양한 기능이 복합되어 있는 지구인데 도시디자인 시책으로서 특히 Harbor Park으로의 시각적, 조망적 연계, 중요한 모뉴멘트로의 조망확보가 요구되고 있다. 그림 4.15는 이 지구의 조망계획도인데 조망계획에 관한 내용을 정리하면 다음과 같다.

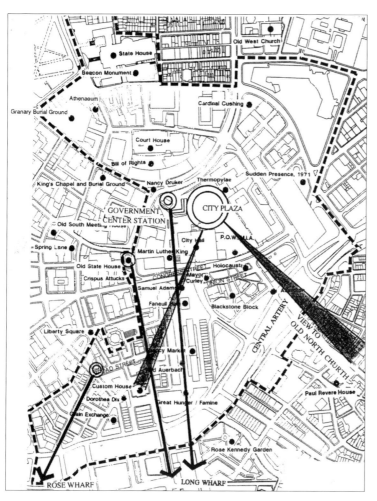

그림 4.15 정부센터/마켓지구 조망계획도

① Old North 교회로의 조망

Central Artery(중앙간선도로)에 돌출한 환기시설 디자인의 세심한 배려를 통해 City Plaza(시청광장)에서 Old North 교회의 첨탑조망을 확보한다.

② Long Wharf로의 조망확보

State St.에서 Long Wharf로의조망확보 및 Long Wharf를 도달점으로 하는 시각적 요소의 디자인을 배려한다.

③ Custom House Tower의 조망확보

City Plaza에서 Custom House Tower로의 조망을 확보한다. 또한 타워의 실루엣을 손상시키지 않기 위해 배후에 건축물의 건설을 금지한다.(그림 4.13)

④ State St.가로변

Old State House(구 주의사당)의 조망확보(그림 4.16)

⑤ Broad St.

Rose Wharf의 페리 파빌리온에의 조망을 보호한다.

한편, 이러한 조망계획의 법적 근거로는 지구의 죠닝수정안(지구별계획)에서 기존 시가지의 스케일, 보행자환경 및 역사적 건축물의 질을 유지, 보호하기 위해 9개의 보호지역(protection areas)을 설정하고 지역별로 건축물의 높이나 용적률(FAR)에 대한 규정 기준이 설정되어 있다.[18]

18) 이에 관련한 자세한 내용은 Zoning Amendments, Article 45, Section. 45-4 참조.

그림 4.16 Old State House의 조망확보

3. 소결

본 장에서는 미국 조망경관시책의 유형과 각 유형별 운용실태를 중심으로 살펴보았다.

미국의 경우 일찍이 19C 후반부터 역사적으로 중요한 건축물에의 조망경관을 보호하기 위한 법적 논의를 통해 '조망경관'만을 위해 건축물의 높이, 규모 등의 규제(컨트롤)가 타당할 수 있다는 시민들간의 공유의식이 오랜 시간에 걸쳐 형성, 발전되어져 왔다. 이러한 시민의 공유의식을 바탕으로 시책이 제안되고 시책(제도)이 효과적으로 운용되고 있다.

미국 조망경관시책의 유형을 살펴보면 주의사당 등 도시의 중요한 모뉴멘트의 상징성, 기념성을 시각적으로 보호하기 위한 규제수법, 산, 하천 등 자연적 요소의 조망보호수법, 도시 진입부나 주요간선도로에서의 풍경조망을 보호하기 위한 수법 등 각 도시의 특성에 따라 분명한 목적을 가진 조망경관 관련 조례가 책정, 운용되어지고 있다. 또한 이러한 도시 전역에 걸친 조망규제수법과 더불어 지구레벨의 가로조망을 보호하기 위한 가로조망계획도 아울러 전개되어지고 있다.

조례의 운용에 있어서는 Denver시의 경우 조망조례가 건축법(Building Code)의 일부에 포함되어 건축조사부에 의한 건축허가 시스템의 일환으로 운용되고 있다. 이것은 조망경관의 규제기준이 비교적 명확한 수치기준에 의해 컨트롤되어질 수 있다는 점에서 완전히 건축코드화 되어 있음을 의미한다. 이에 반해 Austin시의 경우 조망규제가 기존의 죠닝제도와 중첩되어 도시계획국에 의한 프로젝트 심사 프로세스의 일환으로 검토되어지고 있다.

최근 우리 나라에서도 조망경관에 대한 관심이 높아져 규제시책의 필요성이 대두되고 있으며 2000년 6월 개정된 도시계획법에서는 도시경관의 특별한 관리가 필요한 지구를 '경관지구'로 설정할 수 있도록 하고 있다. 이에 근거해 서울시의 경우 6개의 경관지구 (자연경관지구 / 시계경관지구 / 수변경관지구 / 조망경관지구 / 역사문화경관지구 / 일반경관지구)로 유형화하고 있는데 그 가운데 조망경관지구가 포함되어 있다.

이러한 상황에서 미국에서의 조망경관시책의 경험이 그대로 오늘날의 한국적 상황에 적용될 수 있지는 않을 것이다. 하지만 미국에서의 이러한 시책전개의 선례를 통해 앞으로 우리 나라에서 전개될 조망경관시책에 있어 참고가 될 몇 가지 시사점을 정리함으로써 본 장의 결론으로 하고자 한다.

첫째 미국에서의 조망경관시책이 기존의 2차원적인 개발규제의 한계를 뛰어넘어 3차원적 개발규제의 가능성을 제시하고 있다는 점에서 그 의의가 크다고 할 수 있다. 앞으로 우리 나라에서 전개될 도시공간의 질적 향상을 전제로 한 시책의 필요성과 방향성에 많은 시사를 주고 있다고 할 수 있다.

둘째 미국에서의 조망경관시책이 각 도시의 특성에 맞추어 다양하게 전개되고 있는 것에서 알 수 있듯이 우리 나라에서도 우선 각 도시가 가지고 있는 조망경관자원(산, 강 등 자연경관, 주요건축물, 성곽 등 문화재, 도시의 스카이라인, 주요간선도로변의 풍경 등)을 발견해 내어 중점적인 조망경관요소부터 단계적으로 제도화해 가는 전략적 대응이 요구된다. 구체적으로 서울시의 경우 서울주변의 주요 산(북한산, 아차산, 관악산 등)의 조망경관을 중점적으로 관리하기 위한 시책을 준비하고 있는데 향후 실효성 있는 시책전개가 기대된다.

셋째 규제의 기준설정에 있어서도 단순히 건축물의 높이와 규모뿐만 아니라 지형과의 관계, 건축물의 재료, 옥외광고물 등 조망경관의 질적 향상을 위한 다양한 요소를 대상으로 한 기준설정이 필요하다. 예를 들면 Austin시 풍경도로조례는 좋은 참고사례가 될 것이다.

넷째 시책의 운용에 있어서도 행정의 대응능력을 충분히 감안하여 Denver시에서처럼 규제내용을 건축코드화 하여 건축인허가 시스템으로 대응할 것인지, Austin시와 같이 개발심사 프로세스의 일환으로 대응해 갈 것인지가 정해져야 한다. 또한 경우에 따라서는

행정의 유연한 대응을 위해 Austin시 풍경도로조례에서와 같이 보
너스 규정을 통한 유도시책도 마련되어져야 할 것이다.

　다섯째 지역의 조망경관자원은 지역공유의 자산이며 지역의 고
유성을 호소할 수 있는 중요한 수단임을 인식하고 자연환경의 보
전 등 일련의 조망경관자원의 보호시책이 건축, 도시계획시책의
일부로서 자리잡아 나갈 수 있는 조망경관을 둘러싼 일정한 공유
의식이 무엇보다 절실하다고 할 수 있다. 이를 위해서는 각 지자체
의 조망경관시책의 작성 단계에서부터 다양한 시민참여 프로그램
이 요구된다고 할 수 있다. 이는 또한 시책의 실효성 있는 운용을
위해서도 필요할 것이다.

참 고 문 헌

1. Christopher J. Duerksen(1986) : "Aesthetics and Land-Use Controls", American Planning Association

2. Kirk R. Bishop(1989) : "Designing Urban Corridors", American Planning Association

3. Johnathan Barnett(1972) : "An Introduction to Urban Design", N.Y. Haper&Row

4. James P. Karp(1993) : "The Legal Landscape", Van Nostrand Reinhold

5. Christopher Tunnard & BorisnPushkarev(1981) : "Man-Made America", Harmony Books

6. Robert Campbell(1992) : "Cityscape of Boston", Houghton Mifflin

7. 서울시정개발연구원(1993) : "서울시 도시경관관리방안연구(I) (II)"

8. 서울시정개발연구원(1995) : "한강연접지역 경관관리 방안"

9. 이정형(1998) : "미국에서의 조망경관시책의 유형과 운용수법에 관한 연구", 대한건축학회논문집 계획계 14권 8호(통권118호)

제5장 디자인심사(Design Review)제도

우리 나라는 그 동안 경제발전 위주의 도시개발에 근거해 도시를 개발·관리하는 정책이 경제적, 물리적 욕구를 충족시키는 데는 일정한 성과를 거둘 수 있었지만, 도시환경의 쾌적함(amenity)이나 문화적 풍요로움을 전제로 도시를 개발·관리하는 도시계획의 질적 측면에서는 많은 문제점이 제기되고 있다. 이러한 문제점을 극복하기 위해 최근 우리 나라에서도 대규모 건축물 및 주거단지 등을 대상으로 건축관련 심의제도를 비롯하여[1] 상세계획제도, 도시설계제도 또한 이 두 제도를 통합한 '지구단위계획' 등 시가지 경관디자인의 질적 향상을 위한 다양한 법적, 제도적 장치가 도입되어 체계적인 규제·유도가 시도되고 있다.[2] 하지만 시가지 경관향상을 위한 이러한 시도들은 제도의 미비, 운용체제의 미 정비, 운용프로세스의 불명확화 등으로 인해 실효성 있는 제도로서 정착되지 못하고 있는 실정이다.[3]

이러한 배경 속에서 본 장에서는 우리와 비슷한 도시계획 시스템인 '죠닝(Zoning)제도'에 근거하여[4] 죠닝제도의 한계를 극복하기 위해 다양한 시가지 경관디자인 심사가 행해지고 있는 미국 지자체의 경관디자인 컨트롤 수법에 관한 고찰을 행하고자 한다. 특히 미국에서도 경관 및 도시디자인(Urban Design) 행정의 선진 지자체로 알려져 있는 '보스턴(Boston)시'와 '샌프란시스코(San Francisco)시'를 구체적인 사례로 들어 기성시가지를 대상으로 도시관리수법으로서 경관디자인 심사제도의 구성과 그 운용실태 등을 중심으로 살펴보고자 한다.

우선 미국 디자인 심사제도에 관해 개괄적으로 내용을 정리한

1) 예를 들면 서울시의 경우 건축관련 심의가 건축물의 질적 향상과 도시의 미학적 효율적인 보존의 문제들과 결합하여 여러 가지 채널로 이루어지고 있다. 이에 관한 상세한 내용은 참고문헌 8. 참조.

2) 최근 도시계획법 개정으로 도시경관을 체계적으로 관리하기 위한 용도지구를 지자체가 지정할 수 있도록 하는 규정이 포함되어 법적 근거를 갖는 보다 적극적인 경관관리 수단의 필요성이 대두되고 있다.

3) 참고문헌 11. 참조

4) 도시계획의 제도적 틀은 '개발허가형', '상세계획형', '죠닝형'으로 구분되는데 한국, 미국, 일본은 죠닝형으로 분류할 수 있다. 자세한 내용은 서장 참조.

후 사례연구를 통해 경관규제와 관련된 디자인심사제도가 어떻게 구성되어 운용되고 있는가 그 운용실태를 중심으로 살펴보기로 한다. 사례에서 다루는 보스턴 및 샌프란시스코 경관시책의 개략적인 내용에 관해서는 이미 우리 나라에도 기존의 문헌을 통해 소개되어지고 있다.[5]

따라서 본 장에서는 경관시책과 관련한 디자인 심사제도의 내용 그 자체에 대한 논의보다는 실제적으로 경관 디자인 심사제도들이 어떻게 운용되어지고 있고 어떠한 관련주체들이 어떻게 참여하고 있는가 또한 그러한 시책들이 실효성을 거두고 있는가 등 경관디자인 심사제도(컨트롤 수법)의 운용실태에 초점을 맞추고자 한다.

1. 미국 디자인심사 제도 개관

1.1 디자인심사제도 도입현황

미국에서 디자인 심사제도는 역사적시가지의 보전을 목적으로 South Carolina주 Charleston시 죠닝조례에서 처음으로 도입, 실시되었다.[6] 특히 1978년 뉴욕시 보전법 제정의 계기가 된 최고재판소의 'Penn Central Transportation 판결[7] 이후 많은 지자체에서 보존조례(preservation ordinances)가 제정되면서 디자인심사제도가 본격적으로 시행되어졌다.

그러나 이러한 역사지구에 대한 개발규제보다 훨씬 엄격한 규제가 신규건축행위나 교외부 개발을 컨트롤하는 경관규제수법으로 디자인 심사제도가 채택되어지게 되었다. 개발프로젝트에 대한 디자인심사제도는 죠닝제도라는 토지이용 규제수법을 보완하는 것으로 대규모 개발 혹은 새로운 건축양식에 대한 미관, 디자인의 만족도, 공헌도를 검토 평가하기 위해 운용되고 있는 것이다.

이러한 디자인 심사제도는 1940년대 중반부터 1950년대에 걸쳐 미국 전역에 보급되어갔는데 그림 5.1은 미국 지자체에 있어 디자인 심사제도의 도입상황을 보여주고 있다. 1970년대부터 디자인

5) 대표적인 문헌으로 '도시설계론', J. Barnett 저, 주종원 역(동명사)를 비롯, 참고문헌 9. 등이 있다.

6) 이에 관한 자세한 내용은 西村幸夫(1997) : '環境保全と景觀創造', 카지마출판부 p127-128 참조.

7) Penn Central Transportation Co. vs. New York City, 483 U.S. 104 (1978). 이 판례는 뉴욕시의 Penn Station 보존을 둘러싼 것으로 철도회사는 역에 고층건물 건설을 신청했지만 시가 허가를 거부했고 재판부도 시의 역사적 건축물 보존조례를 지지했다. 이 판례로 인해 1980년대 이후 역사보존을 목적으로 한 토지이용규제가 합법성을 가지는 결정적 계기가 되었다.

심사제도의 도입이 급증했고 1980년대 이후부터는 대부분의 지자
체에서 디자인심사제도가 도입, 운용되어지고 있다.

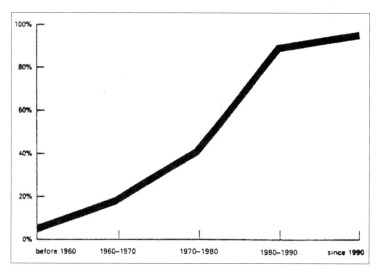

그림 5.1 미국 지자체에 있어 디자인 심사제도의 도입상황

(출전: 참고문헌 2.)

디자인심사제도의 도입배경에는 환경영향평가서를 만들어 공개
할 것을 의무화 한 1969년 국가환경정책법(NEPA)[8]으로 상징되듯이
개발행위 프로세스에 주민참여가 도입되어져야 한다는 요구 아래
디자인심사를 통해 주민이 개발프로세스에 참여하게 된 것이다.

이러한 디자인 심사제도의 급격한 도입은 계획가나 법률가에게
디자인심사제도의 운용을 둘러싸고 많은 어려운 문제를 남기게 되
었다. 즉 무엇이 '좋은 디자인(good design)'인가라는 다소 근본적
인 문제인데 이는 상당히 주관적인 문제로 개발프로젝트에 있어
경제성과 독창성의 서로 상반되는 사항을 반영해야만 하는 어려움
이 있었다.

아무튼 미국에서의 경관디자인 심사제도는 역사적 환경보전 문
제에서 기성시가지의 전략적 경관시책에 이르기까지 도시계획시
스템을 형성하는 중요한 시책이 되고 있다.

8) 1969년 제정된 국가환
경정책법(National En-
vironment Policy Act,
NEPA)은 연방정부 관
계기관에 연방성부가
관여하는 중요한 사업
중, 환경에 영향을 미
치는 사업에 대해 환경
영향평가서(Environ
mental Impact State-
ment, EIS)의 작성을
의무화하고 있다. 이
계획서에는 단순히 계
획된 개발환경에의 영
향뿐만 아니라 가능한
대체안(alternatives)의
검토도 의무 지워져 있
는 것이 특징이다. 즉 자
연환경의 보전이 결과
적으로 미적 경관(풍경)
을 만들어낸다는 개념
에 입각하여 환경평가
심사제도가 경관디자인
심사시스템의 일부로
편성되어진 것이다.

1.2 디자인심사의 법적 근거

'미관'이 그것만으로 규제의 합헌성을 확립한 1954년의 최고재판소의 판결(Bermer v. parker 판례) 이전인 1930년대에 이미 디자인심사에 관한 2개의 소송이 연방최고재판소에서 행해졌다. 1934년 'Panama Refining Co. v. Ryan 판결'과 1935년 'Schechter Poultry Corp. v. United States 판결'이 그것인데, 이들 판결을 통해 연방최고재판소가 요구한 것은 행정에 의한 규제는 행정의 일방적인 규제에 의해 소유권에 영향이 가지 않도록 행정의 재량을 충분히 합리적인 방향으로 이끌 수 있는 기준을 가져야 한다는 것이다.[9] 이러한 기준을 가지지 않으면 행정규제는 무효라고 기술하고 있다. 그러나 전술한 1954년 최고재판소의 판결을 거쳐 논점이 좀더 명확해졌다. 즉 미관목적 규제의 합헌성이 명확하기 위해 충분한 기준이 어떤 것인가에 대해 구체적인 내용을 제시하도록 하고 있다.

이후, 1963년 Reid v. Architectural Board of Review of the city of Cleveland Heights 판결[10]에서 디자인심사가 지지되었다. Cleveland Heights시 건축심의위원회는 당해 대지에 부적합한 현대적 디자인의 주택프로젝트를 허가하지 않았고, 이에 건축주가 위원회를 제소하게 되었는데 Ohio주 재판소는 환경을 보호하고 커뮤니티의 성격을 유지하며 부동산가치의 감소나 손실을 방지하려는 위원회의 목적을 언급하면서 위원회 판단을 지지하고 있다. 또한 기준은 적절한 건축적 원칙에 근거하며 위원회의 위원들도 수준 높은 전문가들로 구성되어 있다는 점도 지적하고 있다. 즉 이 지구는 고유의 성격을 가지고 있으며 그 보전에 커뮤니티가 인정하는 경제적 가치가 있다는 점, 결정을 내리는 위원회의 능력이 적절하다는 점 등이 인정된 것이다.

1964년 City of Santa Fe v. Gamble-Skogmo 판결은 역사적 지구 (Historic District)를 대상으로 한 것이었다. Santa Fe 에서는 역사지구 내에 건축물을 개축할 때 창문틀을 30ft 이내로 한정하는 시의 규정이 있었다. 하지만 개축을 계획하던 한 소유자가 시의 규제가

9) 이에 관한 자세한 내용은 참고문헌 3. p32 참조.

10) Reid v. Architectural Board of Review of the city of Cleveland Heights, 192 N.E. 74, Ohio App.(1963)

너무 엄격하며 주관적인 미관에 관한 내용이라고 무효를 주장했다. New Mexico주 재판소는 창문틀은 평지붕, 돌출보 등과 더불어 Santa Fe 스타일을 구성하는 주요한 요소이며 1600년대부터 발전시켜온 스타일이어서 시의 조례는 이를 지키고 보전해야한다고 판결했다.

이 판결에서는 건축의 디테일까지도 역사적 성격을 표현하는 역할을 담당한다는 것을 인식하게 되고 동시에 건축물 전체로서의 양식이 역사에 뿌리를 두고 있다는 사실이 법률적으로도 중요한 근거가 될 수 있다는 것을 명확히 하고 있다.

디자인심사에 대한 지지는 1970년 State ex rel. v. Berkeley 판결[11]에서도 나타났다. St. Louis의 전형적인 교외 신흥주택지인 Ladue 시는 피라미드형의 주택디자인에 대해 건축위원회에서 허가를 불허했다. 이에 건축주는 건축위원회의 설치를 정한 조례 그 자체가 명확한 기준이 없다는 이유로 위헌이라고 주장했다. 이에 대해 Missouri주 재판소는 시이 조례를 지지했는데 그 이유로는 미관의 문제뿐만 아니라 부조화스러운 개발을 배제함으로써 이 지역의 부동산가치를 지킬 수 있다는 것을 강조했다.[12] 여기서는 역사적인 컨텍스터가 없는 신규개발지에서도 미관의 향상을 목적으로 설립된 기준이 재판소에 의해 지지되었다는 점에서 그 의미가 크다고 할 수 있다.

하지만 디자인심사제도를 지지한 이러한 판결은 이 당시 오히려 일반적인 조류라고는 할 수 없었다. 1968년 Pacesetter Homes, Inc. v. Village of Olympia 판결[13]에 있어 Illinois주 재판소에서는 시 건축위원회에 과도한 재량권을 부여했다는 이유로 시의 조례를 무효화했다. 1978년 Morristown Road Associates v. Borough of Bernardsville 판결에서 New Jersey주 재판소는 '조화로운(harmonious)', '불쾌한(displeasing)', '적절한(appropriate)' 등을 사용한 용어는 사용한 기준이 충분한 가이드라인을 제시하지 못한다는 이유로 시의 조례를 무효화했다. 이 조례는 모든 개발행위를 시민대표로 구성된 위원회에서 심사하도록 의무지워져 있었다. 판결에서

11) State ex rel. Stoyanoff v. Berkeley, 485 S. W. 2d 305, Mo. 1970

12) 이러한 단독주택지에서의 엄격한 규제가 주민에게 받아들여진 것은 그러한 규제가 부동산 가치를 향상시키는 것과 직결된다는 점이다. 이 내용은 유크리드 판결에서 이어져 오던 것으로 지역주민에게 강하게 지지되어 왔다.

13) Pacesetter Homes, Inc. v. Village of Olympia, 104 Ill. App. 2d 218, 244 N. E. 2d 369, (1968)

는 '조례에 근거한 디자인심사의 기본적인 기준은 기존의 건축물 등이나 지형지세와 조화되지만 행정적 수속절차가 적절하지 못하고 사법적인 심사를 위한 이해 가능한 기준을 설정하지 못하고 있다. 그리고 디자인심사 위원회에 대해 과도한 재량권을 부여하고 주관적 판단에 근거할 수 있다.'고 지적하고 있다.

이처럼 1970년대 중반까지 디자인심사를 둘러싼 소송에서 대부분이 명확하고 합리적인 기준이 없다는 점을 이유로 디자인심사를 인정하는 근거법이 무효화되었다.

그럼에도 불구하고 1970년대 후반부터 디자인심사와 관련된 조례를 채택하는 지자체가 증가하고 있었다. 시가 조례에 의해 충분한 기준만 있으면 재판소는 시민의 총체적 뜻으로 행정의 규제행위를 지지하고 있었다. 예를 들면 Ohio주 재판소는 1984년 Village of Hudson v. Albrecht, Inc. 판결[14]에 있어서 '조례 등이 유효하기 위해서는 행정이 재량을 행사하는데 충분한 기준을 설정할 필요가 있다.'라고 하며 디자인이 죠닝조례에 의해 규정될 수 있다는 것을 언급하고 Hudson 시의 기준이 충분하다고 시의 조례를 지지했다.

1985년 Novi v. City of Pacifica 판결[15]에서는 단순한 외관을 피하기 위해 다양성이 부족하다는 판단으로 개발허가를 불허한 시의 조례를 지지했다. 1989년 New Jersey주 재판소는 커뮤니티가 디자인심사를 할 때에는 명확한 기준이 필요하다는 것을 재차 강조하면서 문제가 된 디자인심사를 지지하고 있다.[16]

이처럼, 1980년대에는 재판소에서도 인정하게 되는 디자인심사가 부쩍 늘어나게 되었으며 이후 미국 전역에 걸쳐 디자인심사제도가 급격하게 보급되게 되었다.

1.3 디자인심사의 내용

디자인심사는 대상으로 하는 기성시가지를 역사지구와 일반기성시가지로 나누어 지구의 특성에 따라 심사제도를 운용하고 있다.

14) Village of Hudson v. Albrecht, Inc.(9 Ohio St. 3d 69, 458 N.E. 2d 852(1984))

15) Novi v. City of Pacifica, 215 Cal. Rptr. 439(Cal. App. 1985)

16) Morris County Fair Housing Council v. Boonon Township, 230 N.J. Super.345, 553 A. 2d 814 (1989)

① 역사지구에서의 디자인심사제도

전술한 바와 같이 미국에서의 디자인심사는 역사적 시가지의 보존제도에서 출발했다. 역사지구의 디자인심사에 중요한 계기를 마련한 몇 가지 주요판결을 중심으로 역사지구를 대상으로 한 디자인심사제도의 발전과정을 정리하면 다음과 같다.

우선 최초의 판례로서 1916년 New York주 Niagara Falls시 특별조례에 관한 판례가 있다. 이.판례의 내용은 지구 내 공장을 건설하려는 자는 건설 예정지의 200ft(약 60m)이내의 거주자 2/3 이상의 동의가 필요하다는 것을 규정한 판례인데 그 이유로서 '아름다운 풍경과 역사지구를 보호하기 위해(to protect the scenic beauty and historic interest of the area)'라고 명기하고 있다. 1931년에는 South Carolina주 Charleston시에서 역사지구를 죠닝시스템 속에 첨가하는 미국 최초의 조례가 시행되었다. 1938년 Texas주 San Antonio에서도 동일한 조례가 시행되었다.

하지만 1960년대까지 역사지구의 디자인심사제도에 관한 조례는 미국전역에 50군데를 넘지 않았다. 이 당시만 해도 주로 관광을 목적으로 매력적인 역사지구를 가진 지자체를 중심으로 관련제도가 도입되었다. 그러나 1960년 이후 대규모 도시재개발이나 고속도로의 건설이 많은 역사적 건축물의 파괴를 가져옴으로써 많은 지자체에서 보다 강력한 보존조례를 책정하게 되었다. 이런 가운데 특히 전술한 Penn Central Transportation 판결은 많은 지자체에서 역사적 건축물의 컨트롤뿐만 아니라 역사지구에 있어서 새로운 개발을 컨트롤하기 위한 조례의 제정과 디자인심사제도를 도입하는데 결정적인 계기가 되었다.

② 일반 기성시가지에서의 디자인심사제도

역사지구 이외의 일반기성시가지를 대상으로 새롭게 건설되는 건축물의 외관 등이 주변 건축환경 등과 조화를 이루

고 있는가를 심사하는 제도가 많은 지자체에서 조례로 제
정되게 되었다. 건물의 규모(bulk), 세트백 등을 다루는 종
래의 죠닝시스템에 의한 건축규제는 새로운 프로젝트에 대
한 높이, 건축양식, 건물의 향 등 미관적 배려(aesthetic
consideration)에 대응하는 데에는 한계가 있었다.

미국 지자체에서 일반 기성시가지를 대상으로 한 디자인심
사제도가 도입된 발단은 California주 Santa Barbara나
Wisconsin주 Fox Point와 같은 교외부 커뮤니티를 중심으
로 특수한 건축양식이나 분위기를 가진 지역에서 디자인의
유지, 보존에 관한 관심에서 시작되었다.

최초의 조례는 1940년대 중반 Florida주 West Palm Beach
에서이며 다음으로 1949년 Santa Barbara에서 유사한 조례
가 제정되었다. 하지만 이러한 조례는 제정 당시 공공목적
의 증진과는 관계가 적은 것으로 인정받지 못했다. 그러나
1954년 최고재판소의 도시미관을 인정하는 판결 결과 주
(州)재판소도 결과적으로 디자인심사조례를 인정하게 되었
다.

1970년대까지 많은 지자체에서 다양한 건축양식을 다루는
조례가 제정되게 되었다. 소위 '미관조례(appearance codes)'
가 제정되어 San Francisco, Seattle, Boston 등의 다운타운
지구에서 고층건축물의 디자인심사가 많은 시민들의 관심
을 끌기도 했다.

1.4 디자인심사제도의 최근동향

디자인심사제도에 대한 시민들의 관심고조와 호의적인 법적 판
례로 많은 지자체에서 디자인심사제도가 조례화되었다. 특히 최근
의 동향으로 이전에 크게 관심을 갖지 않았던 대도시가 조례책정
에 적극적이라는 것이다. 예를 들면 San Francisco가 대표적인 대
도시로 꼽히는데, San Francisco는 한때 개발붐으로 다운타운의
환경이 크게 변하게 되었고 1960년대와 1970년대에 걸쳐 고층건물

개발에 대한 일반시민의 반대가 급속히 확산되었다. 이에 도시디
자인플랜(Urban Design Plan)을 작성해 고층건물의 높이와 규모
를 줄이게 되었지만 그다지 만족스럽지는 못한 상황이었다. 결국
1979년 San Francisco 시의회는 디자인에 관련한 일련의 조례를
책정해 제도적 장치를 통한 디자인컨트롤을 추진하게 되었다.

한편 Seattle 에서도 다운타운의 고층건축에 대한 유사한 조례를
제정했다. 일조와 채광을 확보하기 위해 건축물 높이를 제한하고
Elliot Bay의 조망을 확보하기 위해 조례를 책정하게 되었다. 또한
랜드마크를 방해하는 프로젝트에 대한 용적 보너스의 삭제규정도
책정되었다. Dallas 에서도 역사지구 주변부에 있어 신규개발에 의
한 영향에 높은 관심을 가지게 되었고 그 결과 보전지구(con-
servation area)조례를 법안화해 역사지구 이외의 지구에 있어 특별
한 디자인컨트롤에 임하고 있다.

한편 거주지역에 인접한 복합재개발계획도 디자인심사의 중요
한 테마가 되었는데 그 전형적인 사례로 Maryland 주 Bethesda의
업무중심지구(C.B.D.) 재개발에서는 재개발지구가 거주지역에 인
접해 있어 교통체증의 이유로 프로젝트의 질적 향상을 요구하게
되었다.[17]

이처럼 미국에서 역사적 시가지 보전을 주요 목적으로 출발한
디자인심사제도는 역사지구뿐만 아니라, 신규건축행위나 교외의
개발에 대한 경관컨트롤 수법으로서 많은 지자체에서 도입되고 있
다. 특히 1980년대 이후 디자인심사제도가 급격하게 보급되어 오
늘날 대부분의 지자체에서 디자인심사제도가 도입, 운용되고 있다.

일반 기성시가지를 대상으로 한 디자인심사제도는 1955년 Wis-
consin주 'Fox Point 조례'가 연방최고재판소에 의해 합헌화 된 것
을 시작으로 1970년대 이후 미국 전역에 경관조례(appearance
code)가 제정되게 되었다.

디자인심사제도를 둘러싼 법적 논의의 주요내용으로는 개발 프
로젝트에 있어 디자인의 '양립성(Compatibility)'과 '특유성(Disti-
nctiveness)'에 관한 논의로 이에 대한 지자체의 규제기준 및 그 판

17) Bethesda시에서 '미적
컨테스트(beauty con-
test)'라 불리는 프로
젝트 디자인 심사항목
에는 다음과 같은 4가
지 영역이 포함되어
있다. 중심지구에 있
어 거주용 주택의 촉
진/보행환경의 향상,
대지에 있어 공적영역
과 사적영역의 경계부
에 보행자 동선(path-
wys, sidewalks)의 설
치, 공공의 다양한 어
메니티 향상에 공헌할
수 있는 공공장소의
설치/기능적, 시각적
유효성(effectiveness)
추구, 기존 주변 프로
젝트와의 기능적 연계,
시각적 연속성 등의
관계/유지, 관리체계
정비 등.

단의 타당성에 관한 문제이다. 이러한 디자인심사제도에 관련해 어려운 문제가 있지만 지구의 특성에 근거한 적절한 디자인 가이드라인 설정, 그것을 담보하는 법적 장치 나아가 행정의 일관성 있는 대응 등은 디자인심사 시스템의 실효성 있는 운용을 위해 중요한 요소가 된다.

미국에 있어 디자인심사제도를 둘러싼 최근의 움직임으로는 개발압력이 큰 대도시가 조례제정에 보다 적극적이라는 사실이다. 이는 대규모 복합개발 등에서 디자인심사가 중요한 사항이 되었다는 것을 의미함과 동시에, 디자인심사제도가 단순한 도시공간의 표면적 요소를 대상으로 한 표면 치장적인 수법이 아니라 보행자공간의 환경향상, 도심부 주택문제 등, 도시정책 및 전략적 수법으로서 자리잡고 있음을 말하고 있다.

2. 보스턴시 디자인심사제도의 구성과 운용

여기서는 보스턴 시 디자인심사제도에 대해 '일반기성시가지'와 '역사지구'로 나누어 그 특징과 운용실태를 살펴본다. 보스턴 시에서는 일반 기성시가지를 대상으로 도시계획에 의해 다루어지는 경관컨트롤 시책은 미국의 다른 도시와 마찬가지로 죠닝조례를 경관시스템시책의 기본으로 하면서 보스톤재개발국(Boston Redevelopment Authority, BRA)의 주도 하에 개발프로젝트 규모에 따라 디자인심사제도가 전개되고 있다. 즉 죠닝제도와 더불어 디자인심사제도가 경관컨트롤시책의 중요한 축을 이루면서 개발프로젝트의 위치(다운타운·근린지구)와 규모(대규모·소규모)에 따라 심사 주체나 방법, 프로세스 등을 달리하고 있다.

또 보스턴 시는 미국에서도 역사가 깊고 전통적인 시가지를 자랑으로 여기는 도시로서 역사적 시가지 보전시책이 중요한 경관시책으로 자리잡고 있다.

2.1 대규모개발심사와 공공디자인심의회(Boston Civic Design Commission, BCDC)

■ 대규모 개발(건축물)의 정의

대규모 건축물(프로젝트)에 관한 정의는 그것이 위치하는 지구에 따라 다음과 같이 설정되어 있다.

① 다운타운지구에서는 연면적 약 15,000m² 이상 건축물의 신축, 개축 또는 연면적 약 15,000m² 이상 건축물의 용도변경 등에 해당하는 프로젝트를 말한다.

② Harbour Park 지구에서는 연면적 약 30,000m² 이상 건축물의 신축, 개축 혹은 연면적 약 15,000m² 이상 건축물의 용도변경 및 pear의 건설, 파괴, 변경, 약 300m² 이상의 해안선 건설, 파괴, 변경을 동반하는 건설행위 등에 해당하는 개발 프로젝트를 말한다.

■ 대규모 프로젝트 심사 프로세스

대규모 프로젝트의 심사는 BRA 및 보스턴 공공디자인 심의회(이하 'BCDC'라 한다)를 중심으로 이루어진다. 심사 프로세스는 사전협의 / 조사 프로세스의 착수 / 어반디자인 플랜 작성 / BCDC와 어반디자인 내용 조정 / BRA에 의한 협의내용 결정 / 초기 프로젝트 영향평가서 및 초기 결정안 작성 등의 순으로 진행된다. 그림 5.2는 대규모건축물 심사를 위한 일련의 프로세스를 정리한 것인데 각 단계별로 필요한 서류의 종류와 심사에 소요되는 기간에 대한 명확한 기준을 설정하고 있다.

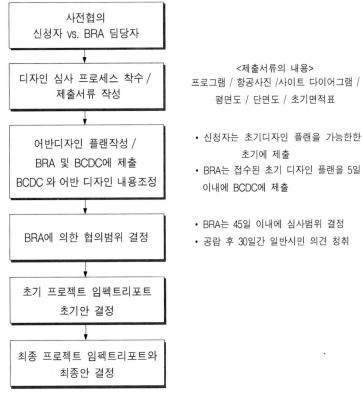

그림 5.2 대규모 개발심사 프로세스

■ BCDC의 조직 및 심의현황

1990년 BCDC는 대규모 건축물의 개발에 대한 디자인을 심의하기 위해 설립되었다.

① BCDC의 구성

BCDC는 시장이 지명한 11명으로 구성된다. 적어도 6명은 건축, 랜드스케이프 디자인 전문가여야 하며 적어도 위원 중 한 명은 역사보존 혹은 역사가로 구성되어야 한다. 여성과 소수민족(minority) 대표의 참가도 의무 지워져있다. BCDC 위원의 지명은 시장이 지역 커뮤니티, 시민조직, 전문가(집단) 등 폭넓은 영역에서 이루어진다. BCDC 위원 중 7명은 3년간 근무하고 나머지 4명중에서 2명은 2년간 마지막 2명은 1년간 재직기간을 갖게 된다.

② BCDC에 의한 심사 방법

개발자의 프로젝트 초기보고서는 개발심사 수속지침(De-velopment Review Procedure 1985년, BRA)에 의해 제출되고 '특별히 중요한 프로젝트', '공공 프로젝트'의 경우에는 시장과 BRA의 의지에 관계없이 BCDC가 초기보고서를 검토하게 된다. BCDC의 조사는 초기 디자인 단계를 전제로 한다. BRA는 사전에 BCDC에 대해 프로젝트에 대한 분석과 의견서를 제출할 수가 있다. BCDC는 디자인에 대해 동의/ 수정/ 보완 혹은 반대 의견을 시장 및 BRA에 제출한다. 이러한 제안들은 보고서가 제출된 후 60일 이내에 행해져야 한다(BRA의 동의아래 30일 이내의 연기도 가능하다). 심사방법은 참가전원의 투표에 의해 이루어지는데 BCDC의 최종 투표 이전에 공청회를 개최하도록 되어 있다. 공청회 일정은 개최 7일전까지 일간신문을 통해서 알리게 되어 있다.

③ 대규모 개발 심의 현황

1990년 BCDC가 창설된 이래 매월 1회 열리고 있다. 1996년 9월 시점까지 72회의 회의가 개최되었는데 매월 2~3건의 프로젝트가 리뷰되어 약 80건의 프로젝트가 심의되었다. 하나의 프로젝트 심의에 소요된 심의 기간은 약 60~80일이다.[18]

표 5.1은 1990년부터 1993년까지 BCDC에 의해 승인된 32건의 프로젝트를 용도별로 분류한 것인데 심의내용의 대부분이 시설 디자인에 관한 사항인 반면, 시설 마스터플랜의 재검토, BRA에 의한 지구별계획(District Plan) 등의 내용에 대해서도 심사를 행하게 된다. 특히 시설 디자인 중에서는 공공시설에 관한 심사가 많은 부분을 차지하고 있는데 이는 BCDC가 공공의 영역(Public realm)을 주된 대상으로 하고 있다는 것을 의미하고 있다.

18) BRA의 BCDC담당자와의 인터뷰조사에 근거함.

표 5.1 BCDC에 의한 심의내용

| | 시　설　물 | | | | | | | | 마스터
플 랜 | 지구별
플 랜 |
	공 공 (*)	주 택 계	병 원	오 피 스	호 텔	상 업	주 차 장	광 장		
건 수	7	1	5	3	2	1	1	2	4	6
합 계	22								4	6

* 공공 시설에는 공원·레크리에이션 시설 등이 포함되어 있다.

(인용 : BRA 내부자료)

2.2 소규모개발 심사제도

소규모 프로젝트 심사는 주로 BRA 담당자에 의해 이루어진다. 그 목적은 대규모 건축물의 심사대상이 되지 않는 프로젝트이면서 그 규모나 장소에 따라 주변에 크게 영향을 주게되는 개발에 대해 디자인심사를 행하는 것이다. 즉 프로젝트가 디자인 가이드 라인에 적합한지 또 사이트 플랜의 기준(standards)이 프로젝트의 위치(장소)와 도시전체와 조화를 이루고 있는지 등을 검토하게 된다.

■ 심사의 범위 및 프로세스

소규모 건축물에 대한 디자인 심사의 주된 내용은 건축물 등의 디자인, 사이트 플랜, 싸인(sign)플랜 등이다.[19] 소규모 건축물에 대한 심사 프로세스를 정리하면 다음과 같다.

① BRA에 신청(Application)

개발자(신청자)에 의한 신청서가 제출된 경우 BRA는 10일 이내에 서류를 검토하고 심사에 필요한 서류, 정보를 신청자에 알려 제출을 요구한다. 필요하면 보스턴시 환경국 및 근린협의회(Neighborhood Council)에도 보고한다.

② BRA에 의한 심사

사이트 플랜의 심사가 필요하지 않은 경우에는 45일 이내에 BRA에서 건축조사부에 심사결과를 보고해야 한다. 사

19) 심사의 구체적인 항목으로는 자동차 및 보행자 진입동선, 주변부의 교통영향/건축물, 구조물, 주차장 등의 위치, 규모/메인 건축물과 부속건축물과의 관계/랜드스케이프 계획/옥상층의 형상, 구조, 코니스라인(cornice lnes)/외벽의 형상, 디자인, 벽면율/싸인의 위치, 형상, 디자인 등이다.

이트 플랜의 심사가 필요한 경우 보스턴시 환경국에 보고
한다. 보스턴시 환경국은 BRA의 보고 후 45일 이내에
BRA에 결과에 대한 의견추천서(회신)를 송부해야 한다.

③ BRA의 승인

BRA는 신청된 날부터 60일 이내에 BRA의 심사 결과를
건축조사부에 보고하도록 되어 있다.

■ 소규모 건축물 심사제도 운용실태

표 5.2는 1996년 2월부터 9월까지 BRA의 담당자에 의해 심사된
144건[20]에 대해 어떠한 안건이 적용되었는지를 정리한 것이다. 전
체의 약 35%가 용도변경(Change Occupancy)에 대한 심사이며 다
음으로 증축, 부속창고의 신축, 주차장, 싸인 등 시가지의 가로경관
에 큰 영향을 미치는 개발행위에 대해 심사가 이루어지고 있다.

표 5.2 소규모 건축물 심사의 적용상황

조 사 항 목	건 수(건)	비 율
증축(Addition)	28	19%
용도변경(Change Occupancy)	49	34%
신축(Eract a Structure)	11	8%
부속창고(Ancillary Storage)	14	10%
가솔린 스탠드	7	5%
주차장(Garage / Parking)	15	11%
사인(Sign / Canopy)	8	5%
펜스(Fence)	5	3%
기타(*)	7	5%
합계	144	100%

* 그 외에는 가두매판·전시시설, deck의 설치 등이 포함되어 있다.

2.3 역사지구 심사제도

보스턴시에 있어서 디자인심사제도가 기존 도시의 컨텍스터를
보호, 유지하기 위한 시책이라는 점에서 역사지구를 대상으로 한
심사제도는 그 중심적인 시책이라 할 수 있다. 따라서 여기서는 역

20) 이 가운데 57건은 BRA
에 직접 신청된 건수,
87건은 제소위원회로
부터의 요청에 의한 심
사건수이다.

사지구에 대한 심사제도의 구성과 특징을 살펴보기로 한다.[21]

■ 보스톤시 역사지구 현황

보스턴시는 8개의 역사지구[22]가 지정되어 있다(그림 5.3). 이 가운데에서도 19세기 초반부터 고급주택지로 자리잡고 있는 Beacon Hill 지구와 Back Bay 지구는 1955년과 1966년에 역사지구로 지정되었다.[23]

역사지구에 지정되면 역사지구 내의 건물 외관변경 등 시가지 경관에 영향을 미치는 행위에 대해 이를 심사하는 역사지구심의회 (Historic District Commission)가 각 역사지구에 설치되며 디자인 가이드라인이 책정된다. 디자인 가이드라인은 지구의 특성에 따라 내용을 달리하고 있는데, 건물의 재료, 특징적 형상, 규모, 색, 질감 등 건물 외관에 관한 사항을 주요내용으로 하고 있으며 건물내부에 대해서는 일체 심사하지 않는다.[24]

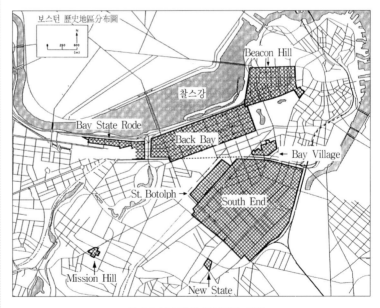

그림 5.3 보스턴시 역사지구 현황

21) 역사지구에 대한 디자인심사의 문제는 단순한 디자인적인 논의 이상으로 역사적 환경을 대상으로 한 환경보전시책에 관한 내용이 중요하며 이에 대한 체계적인 연구의 접근이 필요하나, 여기서는 디자인심사의 일환으로 전개되는 문제에 국한해 그 내용을 정리 한다.

22) 보스턴시 역사지구는 Back Bay, Beacon Hill, South End, Bay Village, St. Botolph, Bay State Road, Mission Hill, New State 등이다. BLC는 건축적 요소 심사에 국한해 심사한다.

23) 현재 보스턴랜드마크 심의회가 역사지구의 지정을 행하고 있는데, Beacon Hill 지구와 Back Bay 지구는 랜드마크 심의회가 설립되기 이전에 주정부에 의해 역사지구로 지정된 곳으로 나머지 6개의 역사지구와는 그 배경을 달리하고 있다.

24) 단, 벡베이(Back Bay) 지구만은 내장변경도 심사의 대상이 된다.

■ 보스턴 랜드마크 심의회(Boston Landmark Commission, BLC)

1975년 보스톤시의 역사적 환경을 보전하기 위해 설립된 보스턴 랜드마크 심의회(이하, BLC라 함)는 시 환경국(Environment Department)에 속해 있다. 시 랜드마크의 지정 및 심사, 역사지구의 지정 등을 행하는데 9명의 위원으로 구성된다.[25]

■ 역사지구 디자인 심사제도의 구성과 운용

① 디자인 심사제도의 구성

역사지구를 대상으로 한 디자인심사는 BRA와 BLC가 연대해 운용되고 있다. BRA는 역사지구 죠닝계획안의 작성 및 수정을 행하며 이에 관련되는 심사도 BRA가 담당한다.
건축적 요소의 심사에 있어서도 2가지 심사유형이 있는데 우선 건축물 외관 변경에 대해서는 BLC담당자가 심사한다.[26] 한편 건축물의 구조적인 변경이나 건물입면(파사드)의 중요한 요소변경의 경우 각 지구의 디자인 가이드라인과의 적합성을 심사하게 되는데 이는 각 지구에 설치된 역사지구심의회[27]가 담당하게 된다.

② 디자인 심사제도의 운용 프로세스

그림 5.4는 역사지구 디자인심사 프로세스를 나타내고 있는데 그 내용을 요약하면 다음과 같다. 1) 우선 BLC사무국에 신청서를 제출하면 2) 죠닝제도에 관한 사항의 검토가 필요한 경우 BRA가 담당한다. 3) 일상적인 변경은 BLC담당자가 심사, 허가하지만 역사지구심의회의 심사가 필요한 경우 신청서를 심의회로 송부한다. 4) 역사지구심의회는 공개심사(public hearing)를 통해 심의가 진행되며 심의결과는 허가 / 조건부허가 / 재신청 가능한 거부 / 거부로 이루어지며 거부된 안건은 2년 이내 재신청 할 수 없도록 되어 있다. 심의결과에 불복할 경우 상위재판소에 제소할 수 있다.

[25] 위원의 구성은 건축가, 역사가, 개발업자, 법률가 등으로 구성되며 임기는 3년이다.

[26] 이때 심사에 필요한 자료로는 신청서, 사진, 변경 내용 서류, 도면, 심사비용 등이다.

[27] 역사지구심의회는 주민, 건축가, 법률가, 개발업자 등으로 구성되며 심사는 공개심사(public hearing)에 의한다.

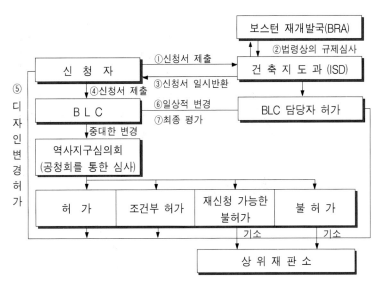

그림 5.4 역사지구 디자인 심사제도 프로세스

③ 디자인 심사제도의 적용상황

표 5.3은 1995년 7월부터 1년간 각 역사지구심의회에 의해 디자인심사가 행해진 건수를 나타내고 있는데 약 370건의 신청건수에 안건수는 약 800건이다. 또한 신청건수의 대부분은 Back Bay 및 Beacon Hill, South End 지구가 차지하고 있다.

표 5.3 디자인심사제도의 적용상황(1995.7~1996.6)

	허 가 (*)	신 청 건 수	안건수	심 사 결 과				지 속 협 의
				승 인	조건부 승인	조건부 불허가	거 부	
Back Bay	121	133	233	154	6	20	32	0
Beacon Hill	93	107	211	176	1	7	17	10
South End	104	117	331	258	1	2	20	50
Bay Village	4	11	13	11	0	0	2	0
St. Botolph	0	3	4	3	0	0	0	1
Bay State Road	0	6	9	8	0	0	1	0
합계	322	377	801	610	8	29	72	61

* BLC담당자의 심사에 의한 것.

주1) Back Bay 지구의 1996년 3월분 심사결과는 불명.

주2) New State 및 Mission Hill 지구는 이 기간 중 신청안건이 없음.

주3) 신청건수란 신청서의 수를 가리키며, 안건수란 신청서 가운데 개개 안건의 수를 말한다.

이상과 같이 보스턴 시에 있어서 경관시책의 일환으로 전개되는 디자인 심사제도는 죠닝수정안(지구별 계획)에 기초해 대규모건축물, 소규모건축물, 역사지구 등 개발행위의 특성과 위치에 따라 그 방법을 달리하며 전개되어지고 있다. BRA는 죠닝 수정안(지구별 계획)의 책정과 그것에 기초한 개발행위의 심사까지 일련의 도시계획 제도의 운용을 주도하고 있다. 건축허가 심사는 시 건축국, 대규모 건축물은 BCDC, 역사지구의 경우 BLC 등과 연대하면서 시가지경관향상을 위한 시책운용에 있어 관련부서를 수평으로 연계하는 조직으로서도 기능하고 있다. 이것은 BRA가 많은 재량권을 가지면서도 1) 커뮤니티 참가에 기초한 죠닝 수정안 책정 프로세스, 2) 공청회 등 심사 프로세스의 명확화 및 투명화, 3) 행정의 일방적인 결정에 대한 일반시민의 이의(異議)를 제도적으로 지원하는 시스템(예를 들면 제소위원회)의 활성화 등에 의해 다양한 디자인심사제도가 효과적으로 운용되고 있기에 가능하다. 대규모건축물의 디자인심사는 건축물뿐만 아니라 가로, 공공공간 등 공공 영역(public realm)을 포함하며 BRA와의 사전협의를 거쳐 초기단계의 디자인플랜을 BCDC에 제출, 공청회를 통한 심사가 이루어지도록 되어있다. 또한 BRA담당자에 의한 소규모건축물의 디자인심사는 건축물, 사이트플랜, 싸인디자인 등을 대상으로 심사가 행해진다. 역사지구 디자인심사의 경우 BRA가 죠닝수정안(지구별계획안)의 심사를 담당하는 한편, BLC가 건축물개개의 심사를 행한다. 특히 건축적 심사에 있어서도 건축외관의 변경 등 경미한 사항에 대해서는 BLC담당자가 심사하지만 건축물의 구조적인 변경은 각 역사지구심의회가 공청회를 통해 심사가 이루어지도록 되어 있다.

3. 샌프란시스코시 디자인심사제도의 구성과 운용

보스턴 시와 더불어 미국에서 도시경관시책의 선진지자체로 알려져 있는 샌프란시스코 시를 대상으로 도시디자인시책의 일환으로 전개되는 일련의 경관시책 계획체계를 정리한 후 디자인심사제도의 구성과 운용실태를 살펴보기로 한다.[28]

28) 샌프란시스코의 경우 보스턴시와는 달리 경관시책의 구체적인 계획체계에 근거해 디자인 심사가 이루어지고 있다. 즉 보스턴시에서는 지구별계획이라는 계획지침은 가지고 있으나 이 지침은 어디까지나 경관심사의 논의를 위한 지침의 성격이 강하며 오히려 보스턴 재개발국(BRA)에 많은 행정판단의 재량권을 부여해 디자인심사가 이루어지고 있다. 반면, 샌프란시스코의 경우 명확한 계획플랜에 근거해 디자인심사가 이루어지고 있다는 점에서 차별화 된다.

3.1 샌프란시스코시 도시디자인 계획체계

샌프란시스코시 도시계획 법체계는 지역의 '종합계획(General Plan)', 죠닝제도에 관련한 '법령집(Planning Code)' 및 '죠닝맵(Zoning Map)'으로 구성된다. 종합계획은 도시의 미래상(未來像)을 제시하는 것이며 법령집은 죠닝, 보존지정, 싸인규제, 개발심사, 개발권이양(TDR), 링키지(linkage)정책[29] 등에 관한 규정을 포함하고 있다. 또 죠닝 맵에는 지구의 용도, 높이 및 크기 등에 관한 규제내용이 정리되어 있다.

이러한 법체계 속에서 전개되는 도시디자인시책은 전 지역을 대상으로 한 '도시디자인 플랜(Urban Design Plan)'에 근거하고 있다. 종합계획의 일부로 1972년에 책정된 '도시디자인 플랜'은 경관컨트롤 시책의 지침으로서 1) 도시패턴 2) 보전 3) 중요신규개발 4) 근린환경의 4가지 테마로 나누어 테마별로 목적 / 기본적인 원칙 / 방침 등이 정해져 있다. 경관시책과 관련된 규제내용으로는 건축물의 규모, 형태, 스카이라인, 조망 콜리드(View Corridor)의 유지, 연속적인 가로경관 등이 포함된다(그림 5.6). 또 샌프란시스코의 특징적인 주택지구를 유지하기 위해 '주택지구가이드라인(Residential Design Guideline)'이 책정되어 있다.[30] 이상의 도시디자인 시책체계를 정리하면 그림 5.5와 같다.

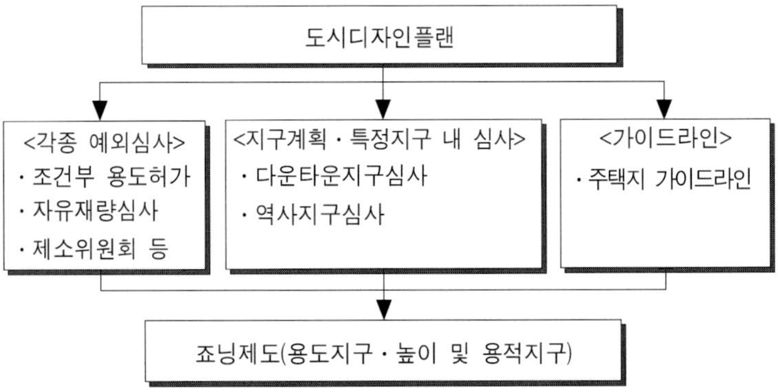

29) 일정한 기준을 초과한 개발행위를 하는 개발자에 대해 주변환경에의 마이너스적인 영향을 보완하기 위해 일정한(산정된) 물리적 경제적 부담을 강제적으로 부가하는 시책을 말한다.

30) 주택지구 가이드라인의 구체적인 내용에는 가이드라인의 법적 근거, 목적, 스케일, 재질(texture), 개구부, 조경 등에 관한 상세한 규정 내용이 기술되어 있다.

그림 5.5 샌프란시스코 도시디자인 시책체계

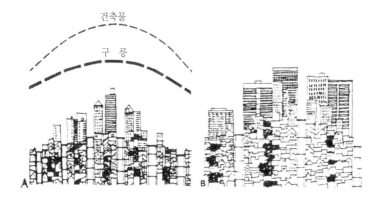

(1) 건축물의 규모와 구릉 형상과의 관계

(2) 구릉 중턱의 고층건축물에 의한 조망장애 규제

(3) 건축물 스케일에 대한 고려

그림 5.6 도시디자인 플랜에 명시된 경관규제

(출전 : Department of City Planning, City and County of San Francisco,
Master Plan, 1995)

■ 지구계획 / 특정지구 내 심사

① 지구계획

지구계획은 1997년 현재 시내 11개 지구에 책정되어 있다. 이들 모두는 마스터플랜 지구내 포함되어 도시디자인뿐만 아니라 주택, 교통, 환경보호라고 하는 보다 광범위한 사항이 계획대상이 된다. 도시경관적 측면으로 도시디자인플랜은 각 지구의 특성에 따라 상세한 규제내용을 포함하고 있다. 예를 들면 다운타운 플랜의 경우 7가지 사항(상업공간 / 주택공간 / 오픈스페이스 / 과거의 보존 / 도시형태 / 도시 내 이동 / 내진 안전성)에 관해 각각 목적(objectives)과 방침(policy)으로 구성되어 있다. 이 가운데에도 도시디자인 플랜과 많은 연관성을 가지는 내용으로는 도시형태에 있어 파사드규제(그림 5.7), 오픈스페이스와 관련한 11개 오픈스페이스의 유형화와 각각의 설계지침설정 등이다.

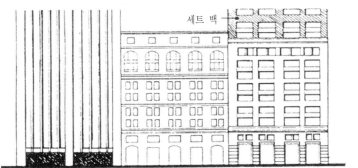

수직적인 요소로 구성된 건물은 중앙의 인접건축물과 어울리지 않는다.　　수직요소와 수평요소의 조화, 명확한 건물기단과 가로벽면은 인접건물과 조화를 이루고 있다.

그림 5.7 다운타운 플랜에 있어 파사드규제
(출전 : Deaprtment of City Planning, City and County of San Francisco, Master Plan, 1995)

② 다운타운지구 심사

다운타운지구에서는 모든 건축행위에 대해 건축허가심사에 대신해 독자적인 다운타운지구 심사가 의무화되어 있다.

이는 이 지구가 가지는 전략성, 주변환경에의 영향력을 감
안하여 재량권을 가진 유연성 있는 수단에 의해 다운타운
플랜을 실현하기 위해서이다. 따라서 신청자는 마스터플랜
에 부합하는 범위에서 법령집(planning code)의 모든 사항
에 관한 예외인정을 신청할 수 있고,[31] 그 반대로 신청허가
시 일정한 조건을 부가적으로 설정할 수도 있다.[32]

③ 역사지구 심사

역사적 건축물 보존시책에서도 디자인심사제도가 시책의
중심적 역할을 한다. 다운타운 지구 내에서는 보존과 경제
개발을 특히 관련지워 나갈 필요가 있어 일반 기성시가지
와는 별도의 심사제도가 마련되어 있다. 또 보존수법에는
랜드마크와 역사지구의 2종류가 있지만 심사프로세스는 동
일하다. 심사는 랜드마크 및 역사지구의 지정단계에 관한
것과 신규 건축물의 건설, 기존건축물의 개축 및 파괴에 관
한 것으로 구분된다. 지정단계의 심사로는 도시계획국이 랜
드마크보존 자문위원회(Landmark Preservation Advisory
Board)와 협조해 선정하게 되지만 의원이나 일반시민이 독
자적으로 선정할 수도 있다. 이때 지구특성, 보존요소 등을
명확히 해야하는데 이들 내용은 이후 심사과정에서 심사기
준이 된다.

의회에 의해 선정된 랜드마크 및 역사지구에서는 건물의
신규건축이나 개축, 기존건축의 파괴 시 일반적인 건축허가
심사와는 별도로 개별적 지구특성이나 역사적 요소의 보존
만을 목적으로 추가적인 심사가 행해진다.

■ 가이드라인

'도시디자인 플랜'을 개별지구에서 실현해 가는 수법으로 '주택지
관련 가이드라인'이 책정되어 있다. 주택지가이드라인은 크게 근린
의 성격(neighborhood character)과 디자인요소(elements of desi-
gn)로 구성된다. 전자는 명확한 근린 컨텍스트의 3단계─컨텍스터

31) 다운타운 지구에 있
어 예외신청 가능 항
목으로는 셋트 백 및
후정/지표면에서의
바람의 흐름/보도의
일조/독립한 주차스
페이스/차량용스페
이스/높이제한/용적
규제 등이 있다.

32) 다운타운지구에 있어
심사시 부가항목으로
는 건축물 부지내 배
치, 방향, 파사드 처
리, 재질 등/조망, 조망
콜리드, 천공률/가로벽
면/지표에서의 바람의
흐름/주차장/공공교
통과의 관계/에너지소
비/보행자와의 관계/
인접하는 공공공간과
의 관계/주거 환경의
질에 관한 사항, 환경
에 중요한 영향을 미
치는 사항/역사적 환
경보전 등이 있다.

가 명확한(clearly defined) 근린, 복합적 컨텍스터(complex situations)를 가진 근린, 명확한 컨텍스터를 가지지 않은(undefined)근린으로 구분해 상황에 맞는 계획지침을 예시로 보여주고 있다(그림 5.8). 후자에서는 디자인요소를 배치, 건축물 실루엣, 스케일, 재료, 디테일, 개구부, 식재의 6개로 구분하여 각각 상세한 가이드라인을 책정하고 있다.

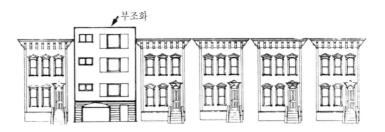

(1) 컨텍스터가 명확한(clearly defined) 근린

(2) 복잡한 컨텍스터(complex situations)를 가진 근린

(3) 명확한 컨텍스터를 가지지 않은(undefined) 근린

그림 5.8 주택지 가이드라인의 일례(근린 컨텍스트)
(출전 : Deaprtment of City Planning, City and County of San Francisco,
Residential Design Guidelines, 1989)

■ 높이 및 용적조례

높이 및 용적조례(Height and Bulk Ordinance)는 도시디자인 플
랜의 책정과 더불어 새롭게 제정되어 시 전역을 대상으로 한 규제
이다. 이는 용도지구(Use Districts) 규제와 1대1로 대응하지 않기
때문에 도시디자인적인 시야를 최우선으로 하는 높이 및 용적지구
(Height and Bulk Districts)가 용도지구와는 별도로 설정되어 있
다. 이러한 2개의 지구규제(용도지구 / 높이 및 용적지구)는 양자모
두 죠닝맵에 수록되어 있다.(그림 5.9)

용도지구 지도(Use Districts)　　　　높이 및 용적 지도(Height & Bulk Districts)

그림 5.9 2종류의 죠닝 맵
(출전 : City and County of San Municipal Code, Zoning Map)

■ 도시디자인 행정체계

샌프란시스코 시 도시계획(디자인)을 담당하는 행정체계는 시
헌장(Charter of City and County of San Francisco)에 의하면 도시
계획위원회(city planning commission)가 도시계획에 관한 최고의
사결정기관으로 되어 있다. 도시계획국(San Francisco Department

of City Planning)은 도시계획위원회를 지원하는 역할을 하며 주요
한 결정은 도시계획국에서 도시계획국장(Director of Planning)을
거쳐 도시계획위원회로 송부되어 최종결정을 내리게 된다.

　　도시계획국 내부조직은 계획부(Plans & Programs Division)와
실행부(Implementation Division)로 나누어져 있다.(그림 5.10)

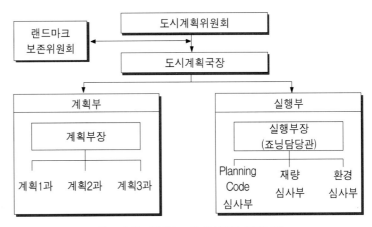

그림 5.10 샌프란시스코시 도시계획 행정조직

3.2 디자인심사 제도의 구성과 운용

　　샌프란시스코 시에 있어서 도시디자인(경관) 시책을 실제로 운
용하는 것으로는 건축허가 프로세스를 포함한 일련의 디자인심사
제도이다. 여기서는 디자인심사제도의 구성과 운영실태를 항목별
로 살펴본다.

■ 건축허가 프로세스

　　건축허가 프로세스는 크게 '근린지구'와 '다운타운지구'로 나누
어 심사가 이루어진다.

① 근린지구 디자인심사제도

　　　　근린지구 디자인심사는 도시계획국의 담당자에 의해 행해
　　　　진다. 개발자(신청자)가 건축국에 허가신청을 제출하면 건
　　　　축의 내부변경(interior alteration) 이외의 모든 신청서는 도

시계획국 담당자의 심사에 의뢰되어 신청자와 근린주민을 포함한 협의가 진행된다. 이 과정에 서로가 합의를 이루지 못하면 '도시계획위원회(City Planning Commission)'에 결정을 의뢰하게 된다. 또한 위원회의 결정에 불복할 때에는 '제소위원회(Board of Permit Appeal)'에 제소할 수 있다. 그림 5.11은 근린지구에 있어서 건축허가 프로세스를 정리한 것이다.

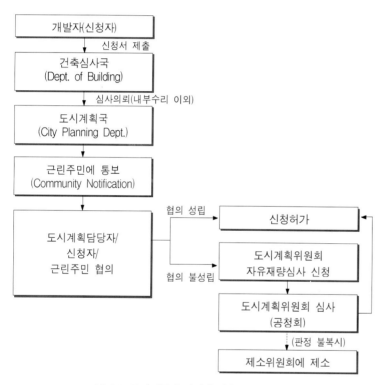

그림 5.11 근린지구에 있어서 건축심사 프로세스

② 다운타운지구에 있어서 디자인심사제도

다운타운지구에서의 개발허가는 도시계획국의 죠닝담당관(Zoning Administrator)이 운용을 담당한다. 심사프로세스는 신청서의 고시, 죠닝담당관 심사, 도시계획위원회의 공청회에 의한 심사 등의 순서로 이루어지는데 최소한 24주의 심사기간을 요한다.

심사의 내용은 건물의 배치, 방향, 규모, 파사드, 조망통로,
주차장, 보행자공간, 인접지의 공공공간에의 영향 등 다양
하다.[33]

③ 건축허가 심사의 적용상황

1990년대 들어 건축허가 심사의 연간평균 건수를 살펴보면
신축허가가 약 300건, 건축개축허가가 5,000건, 건축파괴허
가가 약 120건 정도이다.(표 5.4)

표 5.4 건축허가상황   (단위 : 건)

	1991-92	1992-93	1993-94	1994-95	1995-96	년간 평균
신 축	340	173	289	284	350	287
개 축	5239	5825	4574	4048	4013	4740
파 괴	142	92	107	130	119	118

(출전 : Planning Department Annual Report, 1995~1996)

■ 자유재량심사(Discretionary Review)

자유재량심사란 전술한 건축허가 프로세스 가운데 개발행위에 대
해 개발자와 근린주민이 도시계획국의 중재에도 불구하고 서로 합
의할 수 없을 때 도시계획위원회의 공청회에 의해 심의가 행해지는
일련의 심사프로세스를 말한다. 근린주민은 신청서 송부 후 30일 이
내에 자유재량심사를 신청해야만 한다. 또한 도시계획위원회의 결
정에 불복할 경우에는 15일 이내에 제소위원회에 제소할 수 있다.

자유재량심사에 의한 연간 허가건수는 약 60~80건에 이르고 있
는데 1996년 1년간 도시계획위원회에서 협의된 84건을 대상으로 심
의내용과 심사판정 상황을 정리하면, 협의내용은 대부분이 '후정
(rear yard) 증축'에 대한 근린주민으로부터의 이의(異義)에 대한 심
의가 차지하고 있다. 또 자유재량심사제도의 운용에 있어 도시계획
위원회의 판정상황을 살펴보면 약 반이 1회에 협의가 끝나지 않아
2회 이상의 계속협의가 이루어지고 있다. 이는 주민간 합의하지 못
한 안건에 대한 도시계획위원회의 신중한 대응을 보여주고 있다고
할 수 있다. 제안된 계획안을 승인하고 있는 것이 약 30%, 수정을

33) 이에 대한 상세한 내용
은 Planning Code Se-
c.309에 상세하게 정리
되어 있다.

전제로 한 승인이 약 20%를 차지하고 있다. 최종적으로 제안된 계획안이 거부된 경우는 전체의 약 5%에 머무르고 있다.(표 5.5)

표 5.5 자유재량심사의 판정결과(1996년)

판정결과	건수(건)	비율
· 승인(Approval as Proposed)	24	29%
· 수정 조건부 승인 (Apprpval with modification)	14	17%
· 거부(Disapproval)	4	5%
· 계속협의(continued/following discussion)	40	47%
· 취소(withdrawn)	2	2%
합 계	84	100%

(출전 : 도시계획위원회 회의록에 근거함)

■ 예외조건 심사(*Variance Review*)

예외조건심사란 개발행위의 특별한 상황(대지조건 등)에 의해 Planning Code의 기준에 적합하게 계획하기 힘든 상황일 경우 미리 도시계획국에 예외조건의 승인을 요구하는 것을 말한다. 예외조건의 주요 내용은 건축물 등의 '양적 기준(quantitative standard)'이 대상이 된다. 이 심사는 죠닝담당관이 담당하게 되며 공청회에 의해 심사가 진행된다. 그림 5.12는 예외조건심사 프로세스를 정리한 것이다.

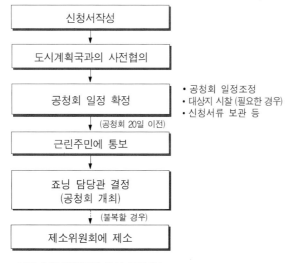

그림 5.12 예외조건 심사 프로세스

샌프란시스코 시에서는 연간 약 150건의 예외조건심사가 행해지는데(표 5.6), 신청내용을 살펴보면 전체의 약 반수가 후정(rear yard)의 증축이 차지하고 있고 그 외에는 주차장 규정, 최소 대지폭 및 면적규정에 대한 예외상황을 요구하는 안건이 차지하고 있다.

표 5.6 예외조건심사 신청내용 (단위: 건)

Planning Code	조항의 내용	건수(건)	비율
Sec.121	최소 대지폭 · 면적	9	12%
Sec.132	전면 세트 백 면적	10	13%
Sec.133	측면정원(Side Yards)	2	2%
Sec.134	후정(Rear Yards)	38	51%
Sec.136	가로나 건물 주변 공지의 장애물	1	1%
Sec.140	거실 외기면에의 개방	1	1%
Sec.151	주차장규정	15	20%
합 계		76	100%

(출전 : 도시계획위원회 회의록)

■ 조건부 용도허가(Conditional Uses) 심사

조건부 용도허가 심사란 상황판단에 따라 용도가 허가되는 항목에 대해 도시계획국 담당자의 재량으로 용도허가에 대한 심사를 행하는 것을 말한다. 신청자와 도시계획국 담당자가 서로 합의에 이르지 못할 경우에는 도시계획위원회에 심사를 의뢰하게 된다.

또한 대지에서 300ft 이내에 위치하는 지권자 10인 이상의 발의로 허가된 용도에 대해 이의를 신청할 수도 있다. 샌프란시스코 시에서는 연간 약 120건 가량 조건부 용도허가를 심사하고 있는데, 1996년 1년간 심사한 131건에 대해 협의내용을 정리한 것이 표 5.7이다. 협의 내용을 살펴보면 우선 점포 등의 용도가 전체의 약 30% 정도를 차지하고 있고 다음으로는 지붕에 설치하는 안테나수신기의 설치가 약 20%를 차지하고 있다. 그 외 주택, 주차장 등도 포함되어 있다.

표 5.7 조건부용도심사의 협의내용(1996년)

협의내용		건수	비율(%)
주택(dwelling)		15	11.5
점포등	점포(retails)	7	(5)
	레스토랑, Bar	18	(13.5)
	오락시설(entertainment)	10	(8)
	소　계	35	26.5
종교시설, 학교 등		9	7
호텔, 병원 등		3	2
사무실		5	4
주차장의 설치		13	10
노인, 아동보호시설		13	10
복합시설		4	3
안테나 수신기 설치		29	22
그 외(*)		5	4
합　계		131	100

* 그 외에는 은행자동현금인출기 설치 등이 포함되어 있다.

■ 제소(*Appeal*)를 위한 제도적 장치

샌프란시스코 시에서는 개발행위에 대해 다양한 심사제도가 운용되고 있는데 신청자(개발자)는 도시계획국이나 도시계획위원회에 의한 행정의 일방적인 결정에 불복할 경우 '제소위원회(Board of Permit Appeal)'나 시의 '감독위원회(Board of Supervisor)'에 이의를 제소할 수 있다.[34] 제소는 그 내용에 따라 제소하는 위원회가 다른데 예를 들면 자유재량심사, 예외조건심사 등의 제소는 '제소위원회'에, 조건부용도허가, 역사지구의 디자인심사 등은 '감독위원회'에 제소하게 된다.

① 제소위원회의 구성과 운용

도시계획국, 죠닝담당관 및 도시계획위원회의 결정에 불복할 경우 10일 이내에 제소위원회에 이의(異意)를 신청해야 한다. 또한 제소위원회의 결정에 대한 재심사(rehearing)의 신청은 제소위원회의 결정 후 10일 이내 1회에 한해 허용된다. 공청회는 매월 2회 개최되는데 연간 약 200건 이상의 건

34) Planning Code Sec.308

수가 협의되고 있으며 협의완료 건수는 연간 평균 약 170건
에 이른다. (표 5.8)

표 5.8   제소위원회 협의건수(1992~1996년)

년 도	92~93	93~94	94~95	95~96	평 균
완료건수	191	163	162	175	172

(출처 : Planning Department Annual Report, 1995~1996)

한편 제소위원회에 상정된 제소내용(Matters appealed)은
신축, 개축, 예외조건허가, 용도변경, 건물의 파괴허가, 가로
의 사용허가 등 다양하다. 여기서는 1996년 1년간 제소위원
회의 공청회 의사록(Minutes of the Meeting of Board of
Permit Appeals)에 근거해 구체적으로 어떠한 내용들이 제
소되었나를 분류, 정리했다.
표 5.9와 같이 전체 189건의 협의내용으로는 건축행위와 관
련해 개축, 신축 및 시설의 용도변경, 허가 등이 각각 20%
를 차지하고 있다. 약 10%는 예외조건에 대한 죠닝담당관
의 결정에 불복해 제소한 경우이다. 특히 건축절차상의 위
반행위에 대한 벌금부과의 철회를 요구하는 경우도 전체의
20%를 차지하고 있다.

표 5.9   제소위원회 제소내용(1996년)

판정결과	건수(건)	비율(%)
신축(Erect a Building)	33	17.5%
개축(Alter a Building)	40	21%
파괴허가(Demolition Permit)	13	7%
예외조건(Variences)	20	10.5%
시설의 변경, 허가 (Change/ Permit of uses)	37	19.5%
벌금의 철회 (Refund of Penalty)	38	20%
싸인(Sign)	2	1.5%
기타	6	3%
합 계	189	100%

(출처 : 제소위원회 공청회 의사록)

그림 5.13 제소위원회 공개심사

② 감독위원회의 구성과 운용

시 감독위원회는 시의회 산하 위원회로 시민의 선거로 선
출된 11명의 위원으로 구성된다. 조건부용도허가 등에 대한
도시계획위원회의 결정에 불복할 경우 제소하게 되는데 제
소신청서가 제출되면 30일 이내에 공청회를 개최해야 한다.
도시계획위원회의 결정을 번복하기 위해서는 11명 중 8명
의 동의가 필요하다. 조건부용도변경과 관련해 감독위원회
에 제소된 건수는 연간 약 5~10건으로 전체신청건수의 약
5%전후를 차지하고 있다.[35)]

이상에서와 같이 샌프란시스코시 디자인심사제도의 특징은 첫
째 마스터플랜과 죠닝제도라는 명확한 계획체계를 가지면서 이러
한 제도의 운용상의 경직성을 탈피하기 위해 행정의 재량권을 충
분히 인정하면서 다양한 예외적 판단이 가능하도록 되어 있다는
점, 둘째 예외적 판단에 있어서도 '양적(量的)' 기준과 용도 등 '정
성적(定性的)' 기준의 규제 내용에 따라 심사제도를 달리하고 있
다. 셋째 행정의 심사프로세스에 있어서도 근린주민의동의를 기본
조건으로 하고 있으며 행정의 일방적인 결정에 불복할 경우 이를
제소해 재심사를 청구할 수 있는 제도적 장치가 마련되어 있다.

■ 역사지구 디자인심사제도

① 역사지구의 현황과 개발행위 심사

샌프란시스코 시에서는 2000년 현재 215개의 중요건축물(랜

35) 시 감독위원회 담당
자와의 인터뷰 및 내
부자료에 의함.

드마크)과 10곳의 역사지구가 지정되어있다. 또 기존 13지구의 국가등록역사지구(National Resister of Historical places Districts) 가 있다.[36] 또 이와는 별도로 다운타운지구 (C-3 Districts)에서 건축적, 역사적, 도시 미관적으로 중요한 보존건축물이나 보존지구(Conservation District)가 지정되어있다.

5.14 샌프란시스코시 역사지구 전경

한편 역사지구에서의 개발행위에 대한 심사프로세스는 다음과 같은 역사지구와 관련한 심사에 근거해 허가, 승인을 취득한 후 일반건축물과 동일한 허가프로세스를 거치게 된다.

- 환경평가 : 건축물의 외관변경이나 파괴행위(demolition)에 대한 환경평가심사.
- 특별승인서(Certificate of Appropriateness) : 랜드마크나 역사지구 건조물의 외관변경, 파괴, 건설, 싸인설치 등의 건축행위에 대해서는 특별승인서가 필요하다.
- 변경허가(Permit to Alter) : 다운타운지구에 있어 보전대상건조물의 외관변경에 대해 '약간(Minor)의 변경' 이외에는 변경 허가를 필요로 한다.
- 마스터플랜 우선정책 심사 : 1988년 시의 마스터플랜 우선정책으로 채택된 내용으로서 특히 랜드마크위원회나 도시계획 위원회 심사에 있어 충분한 검토가 필요하다.

② **특별승인서(Certificate of Appropriateness)**

랜드마크나 역사지구에 있어 건조물의 외관변경, 파괴, 건설행위에 대해 특별승인서가 필요하다. 이는 도시계획국의

36) 시가 지정한 10곳의 역사지구 가운데는 Bush Street Cottage Row 역사지구 등 4곳은 국가등록 역사지구에 포함되어 있다. 또한 Buena Vista North 역사지구, Chinatown 역사지구, Saint Franscio 역사지구 등 3개 지구는 국가등록 역사지구의 등록을 검토하고 있다.

담당자나 도시계획심의위원회의 심사에 의한 것이지만 랜
드마크위원회가 어드바이스를 행하게 된다.

그림 5.15는 특별승인서 발급을 위한 심사프로세스를 나타내고
있는데 건설행위의 종류, 주변영향 등에 근거해 도시계획위원회에
서 공청회 개최 유무, 승인의 가·불가가 정해진다. 도시계획위원
회의 결정에 불복할 경우는 시 감독위원회에 제소할 수 있다.

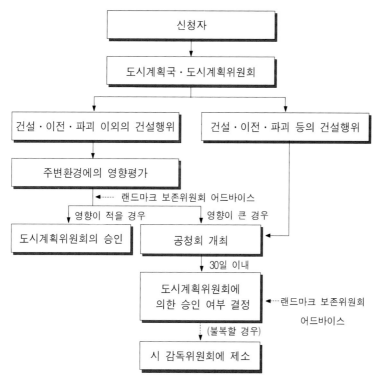

그림 5.15 특별승인서 발급을 위한 심사프로세스

한편 심사의 주요내용으로는 건축적 양식, 디자인, 배치, 재질,
색채 등이 역사지구의 물리적 특성에 적합한지를 고려하게 된다.
이때 지침이 되는 역사지구의 특성에 대해서는 법령집(Planning
Code) 제10장 부록에 기술되어 있다. 한편 특별승인서 및 변경허
가의 연간 건수는 약 30건 정도이다.(표 5.10)

표 5.10 특별승인서/변경허가 실적 (단위 : 건)

년도	1992~93	1993~94	1994~95	1995~96	년간 평균
건수	38	19	25	27	27

(출전 : Planning Department Annual Report, 1995~1996)

③ 랜드마크보존위원회(Landmark Preservation Advisory Board) 활동

랜드마크보존위원회는 전술한 도시계획국이나 도시계획위원회에 대한 역사적 보전에 관한 의제를 조언하는 조직(위원회)이다. 이 위원회는 시장이 지명한 9명의 위원으로 구성되고 임기의 경우 5명은 4년, 4명은 2년이다. 랜드마크보존위원회는 매월 2회 개최된다. 표 5.11은 1996년 1년간 랜드마크보존위원회에서 심사한 내용과 건수를 정리한 표인데 전체 65건 가운데 건물외관의 변경에 대한 특별승인서의 발급이 32건으로 약 50%를 차지하고 있다.

표 5.11 랜드마크보존위원회의 심사내용 및 건수(1996년)

심 사 항 목	심 사 내 용	건 수	합 계
특별승인서	외관변경	32	38
	창문개조	1	
	싸인, 조명	5	
변 경 허 가	지진피해복구	1	5
	증 축	1	
	파 괴	3	
마스터플랜	외관변경	9	22
	파 괴	10	
	신 축	3	
합 계			65

(출처 : 랜드마크보전위원회 내부자료)

37) 현실적으로 일정규모 이상의 대규모 개발행위의 경우 수준 높은 건축가들이 참여하게 되어 일정한 도시경관적인 질(質)을 확보할 수 있는 반면, 시가지경관의 대부분을 차지하는 소·중규모 건축행위가 건축심사대상에서 제외되고 있는 상황이다.

이상과 같이 샌프란시스코에서는 내부수리 이외의 모든 건축행위가 도시계획국의 담당자에 의해 심사되어진다. 이는 대규모 건축물 및 주거단지를 대상으로 건축심의(경관심의)가 행해지는 우리 나라와 차이가 있다.[37]

샌프란시스코 시에서는 랜드마크나 역사지구에 대해 도시계획

위원회에 의한 디자인심사가 의무화되어 있고 일반건축물과 같은 건축허가프로세스를 밟기 이전에 랜드마크보존위원회의 심사에 의한 특별승인서가 요구된다. 또 도시계획위원회나 보존위원회의 결정에 불복할 경우 시 감독위원회에 제소할 수 있는 제도적 장치가 마련되어 있다.

4. 소결

본장에서는 미국 디자인심사제도에 대한 개략적인 내용과 더불어 보스턴시와 샌프란시스코시를 사례로 그 운용실태를 중심으로 살펴보았다.

이상과 같이 미국 디자인심사제도의 경험에 근거해 현재 우리나라에서 전개되고 있는(혹은 앞으로 전개 될) 도시경관 디자인심사제도에 제안될 수 있는 몇 가지의 시사점을 정리함으로써 본장의 결론으로 한다.

첫째, 현재 우리 나라의 경우 경관시책과 관련한 건축심의는 대규모건축물 및 주거단지를 중심으로 행해지고 있지만, 시 전역(혹은 지구)을 대상으로 한 명확한 시가지상(像)을 제시하는 마스터플랜을 가지지 못하고 있는 실정이다.[38] 앞으로 우리 나라의 지자체에서도 시 전역을 대상으로 각 지구의 특성을 충분히 고려한 지구별계획을 작성, 지구의 가이드라인으로 활용할 수 있어야겠다. 다만 각 지구의 명확한 장래상(將來像)을 제시하기 어려운 한국의 도시공간구조상의 특성을 고려할 때 우선 중점적 경관디자인 형성지구를 설정하여 전략적으로 경관관리를 행한 후 일정한 성과를 바탕으로 점진적으로 시가지 전역으로 확대해 가는 전략적 접근이 효과적이라 할 수 있다. 또한 제안된 지구별계획에 대해 주민 대부분이 공유할 수 있는 계획책정 프로세스(주민참여 프로그램을 포함한)의 구축도 실효성 있는 계획실현을 위해 중요한 요소가 된다. 2000년 도시계획법 개정을 통해 용도지구로 지정 가능한 '경관지구'의 적극적인 활용이 모색될 수도 있을 것이다.[39]

38) 예를 들면 서울시 건축심의 제도의 운용실태에 관해서는 참고문헌 8.에서 상세하게 다루고 있다.

39) 2001년 현재 용도지구로서 지정 가능한 경관지구는 자연경관지구/시계경관지구/수변경관지구/조망경관지구/역사문화경관지구/일반경관지구 등 6개 유형의 지구로 지정할 수 있도록 되어 있다. 서울시를 예로 들면 2002년 현재 기존의 풍치지구를 자연 및 시계경관지구로 변경한 것 이외에 특별히 지구를 지정한 사례는 아직 없다.

둘째, 실효성 있는 제도의 운용을 위해서는 개개의 개발행위에 대해 상황에 따라 적절하게 판단할 수 있는 재량권을 행정측에 부여할 필요가 있으며, 동시에 행정측의 일방적인 행정판단에 대항할 수 있는 각종 위원회, 제소위원회 등 제도적 장치가 마련되어야 한다.[40]

셋째, 샌프란시스코시의 경우 다양한 유형(양적, 정성적)의 디자인심사를 통해 보다 효율적으로 심사를 행하고 있는 점은 우리에게 많은 시사점을 주고 있다. 우리 나라에서도 지금까지의 성과를 바탕으로 좀더 다양한 심사제도를 명확한 목적(용도, 예외조건, 제소, 역사지구 등)에 맞추어 마련함으로써 주민의 다양한 수요에 대응해 나가야겠다. 특히 모든 디자인심사는 근린주민의 동의를 전제로 하고 있다는 점도 간과할 수 없는 중요한 내용이며 현재의 민원, 공람 등의 제도적 장치를 발전시킨 주민참여 프로그램의 다양한 제도적 장치가 마련되어야 할 것이다.

넷째, 심사 프로세스의 명확화가 필요하다. 현재 서울시의 경우 대부분 계획이 거의 완료된 상태에서 건축심의가 행해져 실제적인 디자인 내용의 검토 및 변경이 이루어지지 못하고 있다. 초기계획안의 작성에서부터 체계적으로 심사가 이루어질 수 있도록 사전심의제도를 도입하는 등 심사프로세스의 명확한 규정을 통해 실효성 있는 제도로서의 정착이 요구된다.

다섯째, 건축행정과 도시계획행정의 연계 시스템의 구축이다. 현재 우리나라 지자체 경우 각 부서별로 개발행위를 검토하는 소위 '수직분할행정'의 체제에서 다루어지는데, 시가지경관의 종합적인 시점에서 경관디자인을 검토, 평가할 수 있는 체제정비가 필요하다고 할 수 있다. 예를 들면 건축과 도시계획행정을 연계시키는 보스턴의 BRA와 같은 조직의 설립도 고려해 볼 수 있다. 특히 이러한 조직의 운용은 경관디자인 심사가 자칫하면 개발자에게 2중3중의 행정부담을 가져올 수 있다는 점을 고려하면 창구의 일원화를 위해서도 필요하다고 할 수 있다.

끝으로, 현재 역사적 건조물의 건축심의는 일반건축물과는 차별

40) 현재 서울시의 경우 각 구(區)와 시에 건축분쟁 조정위원회가 설치되어 있지만, 홍보부족 등으로 실제적인 운용이 이루어지지 못하고 있다. 앞으로 이러한 제도의 적극적인 활용방법이 모색되어야 할 것이다.

화된 심사프로세스의 구축이 필요하다. 예를 들면 서울시의 경우
종전에 서울시 문화국에서 담당해오던 업무가 1999년 5월 건축규
제 완화차원에서 각 자치구(區)로 이관되어 일반건축과 동일한 규
제가 이루어지고 있다. 앞으로 자치구에서 역사적 건조물을 전담
하는 심의위원회(샌프란시스코市의 랜드마크보존위원회와 같은)가
설치되어 역사적 건축물의 특성에 대한 충분한 검토 및 심사가 이
루어진 후 일반건축물과 동일한 심사프로세스를 거치는 일반건축
물과는 차별화 된 건축심의제도가 운용되어야 할 것이다. 이 과정
에서 전담 부서와 일반건축물을 담당하는 행정부서와 긴밀한 연계
체계가 갖추어져야 할 것이다.

참 고 문 헌

1. John M. Levy(1988) : " Contemporary Urban Planning", Prentice-Hall Publishing

2. J. Carter Brown, "Federal Building in Context : The Role of Design Review", National Gallery of Art, Washington.

3. Brenda Case Scheer(1994) : "Design Review : Challenging Urban Aesthetic Control", Chapman & Hall.

4. BRA, "Boston Civic Design Commission, Annual Report" (1993)

5. Boston Redevelopment Authority : "Citizen's Guide to Zoning for Boston"

6. Terry Jill lassar(1989) : "Carrots & Sticks", the Land Use Institute

7. Richard Wakeford(1990) : "American Development Control", HMSO publishing

8. 김은중, "서울시 일반건축물 심의제도 및 그 문제점에 관한 연역적 연구", 대한건축학회논문집 계획계 14권 8호, 1998년 8월

9. 이성룡, 정석, "서울시 도시경관 관리방안 연구(Ⅲ), 서울시정개발연구원, 1997.

10. 안건혁, "상세계획과 도시설계의 집행상 차이점 비교연구", 대한건축학회논문집 계획계 14권 5호 (1998.5).

11. 김도년, 이창무, "건축심의제도 개선방안 연구", 서울시정개발연구원, 1998

12. 이정형(1999) : "미국 보스턴시에 있어서 경관디자인 심사제도의 운용실태에 관한 연구", 대한건축학회 논문집 계획계 15권 8호(통권130호)

13. 이정형(2001) : "미국 샌프란시스코시 디자인심사제도의 운용실태에 관한 연구", 대한건축학회 논문집 계획계 17권 8호(통권 154호)

2부

일본의 경관시책

제6장 일본 경관시책 개관

    본 장에서는 일본 경관시책의 전체상을 파악하는데 있어 경관정비·컨트롤을 위해 경관시책이 어떠한 법적·제도적 장치를 가지는가 제도론적인 관점에서 고찰을 행한다.

    경관적 시점에서 시가지 계획방법을 제도적으로 정리하면 '지키는 것'과 '만드는 것'으로 크게 나누어 볼 수 있다. 여기서 말하는 '지키는 것'이란 확보해야 할 최저수준을 확보하기 위해 토지이용이나 건축행위를 '컨트롤하는 것'이며, '만드는 것'이란 시가지정비를 위해 필요한 장소에 적절한 양과 수준 높은 디자인으로 '건설하는 것'을 의미한다.

    경관정비와 관련해 시가지형성을 도모하기 위해서는 토지이용이나 건축물 등을 외부로부터 컨트롤하게 되는데 이때 토지이용규제에 관한 제도론적 이해 특히 권리관계에 관한 기본적인 구조를 이해해야 한다. 예를 들면 시가지형성을 위해 '경관'이라는 것이 어떠한 조건에서 공공성을 가지게 되는가의 문제가 단적인 예이다.

    한편 일본에 있어 도시경관형성에 관한 현행 관련시책은 내용이 복잡다양하고 운영주체도 담당행정부서에 따라 나누어져 있어 전체상을 이해하는 것은 간단하지 않다. 이는 일본에서 종합적인 경관행정 혹은 디자인컨트롤시책의 개념이 아직 정착하고 있지 못한다는 것을 의미하기도 한다.

    이러한 상황에서 본 장에서는 1) 중앙정부 차원에서 경관시책의 역사적 변천과정 및 관련제도를 개략적으로 정리하고 2) 지자체별 경관시책의 유형적 특성, 조례, 요강에 의한 경관시책 등의 동향을 살펴본다. 3) 또 최근 새롭게 도시계획시스템으로 등장한 '시정촌

(市町村) 마스터플랜제도'가 지자체의 경관시책으로 어떻게 자리
잡고 있는가 어떠한 계획적 제도적 역할을 가지고 있는가 그 가능
성을 검토해 본다.

1. 일본 경관시책 동향

1.1 일본 경관시책 약사(略史)

일본에서 '경관(景觀)'이라는 말이 도시계획이나 건축에서 많은
관심을 가지기 시작한 것은 1970년 전후이다. 물론 그 이전에도 풍
경, 경관 등에 대한 제도가 없었던 것은 아니나,[1] 본격적인 경관형
성을 위한 제도적 장치는 1970년 전후에 역사적 경관을 대상으로
출발되었다고 볼 수 있다. 1970년 전후 '개발과 보존' 논쟁이 일어
났는데 당시의 사회적 상황을 반영해 고도경제성장에 따른 문제
즉 개발에 따른 다양한 문제에 대한 비판이었다. 공해와 환경이 사
회적 문제가 되고 건축, 도시계획의 영역에서는 개발에 의한 역사
적 환경의 파괴가 심각하게 문제시되어 역사적 환경의 보존 및 보
전문제가 진지하게 모색되기 시작했던 것이다.

이 시기에 경관형성제도와 관련 깊은 주목할 만한 사례로 1968
년 2개의 지자체(市町村) 조례가 제정되었다. 하나는 카나자와시
(金澤市) '전통환경 보전에 관한 조례'이고 또 하나가 쿠라시키시
(倉敷市) '전통미관보전조례'이다. 이들 도시는 각 도시의 개성을
살려 역사적 지구의 경관보전을 행정시책으로 전개하려고 했던 것
이다. 이후 유사한 역사적 시가지의 보존을 위한 활동과 시책은 많
은 지자체에서 채택되었다. 당시에는 경관이 아니라 '전통환경',
'미관'이라는 용어가 주로 사용되었다. 특히 쿄토시(京都市) '시가
지경관조례(1972년)'를 비롯하여 타카야마시(高山市), 하기시(萩
市) 등이 '경관'이라는 말을 조례에 붙이기 시작했다.

이러한 지자체(市町村) 경관시책은 국가적으로는 1972년 중앙관
청인 문화청(文化廳)에 의한 '집락(集落) 시가지 보존대책 협의회'의

설치 등을 거쳐 1975년 문화재보호법, 도시계획법의 개정, 지자체(市町村)의 '전통적 건조물군 보존지구제도'의 창설로 이어졌다. 전통적 건조물군 보존지구제도는 지자체가 조례에 의해 지구를 지정하면 중앙정부(文化廳)에서는 이를 받아들여 국고보조의 대상이 되는 '중요 전통적 건조물군 보존지구'를 '선정'하는 방식을 취하게 된다. 1999년 현재 전국적으로 이러한 보존지구는 40여 지구에 이른다.[2]

　역사적 경관에서 출발한 경관관련시책이 일반의 기성시가지를 대상으로 한 도시경관형성시책으로 확대 실시되기 시작했다. 이의 계기가 된 것은 물론 몇몇 지자체의 선구적인 시도가 있었는데 코베시(神戸市)와 요코하마시가 대표적인 지자체이다. 우선 요코하마시는 1965년경부터 도시디자인 행정이 실시되었다. 구체적인 성과로서 야마노테(山手) 지구의 '풍치경관보전요강(1972년)'이 있으며, 이후 1978년경 쇼핑몰(이세자키 몰) 정비사업 등이 전국적으로 화제를 불러 일으켰다. 이를 계기로 공공공간의 디자인 사례가 다양하게 전개되었다. 당시 경관이라는 용어도 사용되었지만 도시디자인시책으로서 경관계획의 가능성이 주목되었던 시기이기도 했다. 또한 이 시기는 공해대책, 도시계획법 개정(1968년) 등과 관련해 개발지도요강의 움직임 등 도시계획과 관련한 지자체의 독자적인 조례가 등장하기 시작한 시기이기도 하다. 경관형성과 관련해 역사적 경관 이외에도 녹화추진에 관한 조례가 나타나기 시작했다.

　한편 코베시는 1978년에 시 전역을 대상으로 '도시경관조례'를 제정했다. 이 조례는 시가지보존에 그치지 않고 양호한 경관형성을 목적으로 한 조례로서 높이 평가된다. 특히 코베시 조례는 민간 건축물의 경관유도를 시도하고 있다는 점에서 경관시책에 새로운 방향(행정지도와의 연계라고 하는 의미도 있다)을 제시한 것이었다. 이 시기 경관형성이 지자체 시책의 대상으로 주목되어지고 있는 가운데 이러한 추진방식은 다른 도시에 있어서도 도시경관에 대한 새로운 시책으로서 받아들여졌다. 히로시마시(廣島市, 1981년), 나고야시(名古屋市, 1984년)에 경관조례로서 도시경관기본계획의 책정이 착수되었다.

2) 하지만 카나자와시와 같이 '전통적 건조물군 보존지구제도'에 의하지 않고 독자적으로 역사적 경관보존을 계속하고 있는 사례도 있다.

이러한 1980년대의 경험을 바탕으로 1990년대에 이르러서는 보다 성숙한 도시경관시책이 전개되는데, 이전까지의 개발계획에 대한 '방어적 수단'으로서의 보존 및 보전시책에서 기성시가지의 점진적인 개선을 전제로 한 경관개선 시책으로서의 경관조례가 도쿄도(東京都)와 같은 대도시를 중심으로 전개되어진다. 이러한 시책은 단순한 경관시책의 범위를 넘어 대도시 기성시가지의 관리정책으로 자리잡아가고 있는 것이다.

한편 중앙정부차원에서 경관시책의 움직임을 살펴보면 우선 1979년 건설성(建設省) 도시계획중앙심의회의 답신인 '장기적 시점에서의 도시정비 기본방향'에서 처음으로 도시경관이라는 용어가 등장하고, 1983년 '도시경관형성모델사업', 1984년 '도시경관 가이드플랜조사' 등을 거쳐 1986년에는 도시계획중앙심의회의 답신인 '양호한 도시경관의 형성을 목표로'가 작성되었다. 이 가운데 코베시의 도시경관조례가 어떤 의미에서는 '권장모델'로 예시되었고 도시계획이 시민권(시민합의의 켄센서스)을 얻게 된 것도 바로 이 시기였다.

지자체(市町村)는 중앙정부의 움직임에 민감하게 반응하여 도시경관조례제정의 움직임이 급속하게 전개되었다. 예를 들면 1992년, 1993년 2년간 30개 이상의 지자체에서 도시경관조례가 제정되었는데 도시경관조례의 표준적인 유형으로는 특히 대규모건축물의 경관유도가 초점이 되었다. 또한 경관형성과 관련된 제도로서는 1983년 창설된 건설성 지역주택계획(HOPE 계획)도 큰 역할을 했다. HOPE계획에서 '경관'을 테마로 설정한 지자체가 많았고 지역의 주민운동을 중시한 계획이 많이 행해졌다.

역사지구 보존에서 출발한 경관형성 관련 제도는 도시디자인행정의 전개와 도시계획분야에서 '경관'의 시민권획득이라는 움직임 속에서 양자가 연계되는 형태로 진행되었다. 최근의 사례에서는 '경관시가지형성'이라는 개념이 확대되고 경관형성이 다양한 행정분야에서 다루어지게 되었다. 경관정비라고 하는 면에서도 경관은 다양한 영역에 전개되고 있으며 토지이용, 개발의 행정지도, 환경보전에 관한 시책에서도 중요한 개념으로 자리잡고 있다.

1.2 경관시책의 최근 동향

전술한 바와 같이 1990년대 들어 일본에서는 보다 성숙한 경관시책으로 기성시가지를 대상으로 한 경관 시책이 활발하게 전개되고 있으며 또한 여러 가지 측면에서 많은 변화의 양상을 보이고 있다. 이는 종전의 역사적 시가지 보전 등 급속한 도시개발에 대한 '방어적 수단'으로서의 경관시책에서, 기성시가지를 대상으로 한 점진적인 '도시관리적' 의미를 가진 경관시책으로 발전되어가고 있다는 것이다.

일본의 각 지자체에서 지역의 특성에 부응한 시가지경관의 정비·컨트롤을 위한 이러한 변화·발전의 시도는 첫째 개개의 건축형태 규제를 목적으로 한 건축기준법 및 용도지역제로 대표되는 도시계획법 등 기존의 현행 법제도가 시가지경관형성의 기능적, 시스템적인 측면에 편중되어 있다는 점, 둘째 따라서 각 지자체가 시가지정비에 있어 지역특성에 맞는 종합적인 디자인 컨트롤을 목적으로 하는 새로운 시책이 필요로 하게 되었다는 점, 셋째 종래의 획일적, 기능일변도적인 주 환경 정비 관련 공공사업의 추진에 있어서도 시가지의 경관을 고려한 환경의 어메니티(amenity) 개념이 도입되고 있다는 점 등 기성시가지를 대상으로 한 경관시책에 관한 많은 과제에 대응하기 위해서이다.

이러한 과제에 대응하기 위한 구체적인 움직임은 다음의 4가지로 정리된다.

① 시정촌(市町村) 마스터플랜 제도의 등장

종래의 도시계획행정이 전국 일률적으로 전개됨으로써 각 지자체가 지구 고유의 문제에 독자적으로 대응할 수 있는 종합적인 경관정비수법이 필요로 하게 되었다. 이에 1992년 도시계획법 개정을 통해 각 지자체에 있어 '시정촌 마스터플랜'의 책정 요청(도시계획법 18조2 제1항)이 제정되었다. 이에 근거해 각 지자체가 지역특성에 맞는 시가지정비 프로그램의 책정을 활발하게 준비하고 있다.

② 경관정비사업의 새로운 전개

지금까지 획일적, 기능일변도의 도시계획(경관) 관련 각종 공공사업에도 지역구성이나 경관특성 등 보다 수준 높은 주거환경의 요구에 부응할 수 있는 다양한 제도가 마련되고 있다. 예를 들면 도시전체의 경관정비계획을 정해 중점 지구를 정비하는 '도시경관형성 모델사업', 주 환경을 폭 넓게 경관정비까지 포함시킨 '시가지경관 정비사업' 등이 대표적인 예이다.

③ 건축·도시계획 행정 시스템의 변화

종래의 건축·도시계획제도의 틀인 경관정비 혹은 도시미관의 문제는 단순히 시가지의 표면적인 요소로 간주되어 도시미(都市美)를 창출하기 위한 종합적인 디자인 컨트롤을 목적으로 하는 계획시스템이 갖추어져 있지 않다. 이에 1998년 6월 건축기준법이 대폭 개정되어 특히 지역특성에 대응하는 방안으로서 1) 인허가 수속의 충실화에 의한 건축계획의 유도, 2) 조례의 활용에 의한 건축 컨트롤 시스템의 확충, 3) 주민의 참여와 협조에 의한 시가지정비 등이 제안되었다. 이는 도시경관 형성을 위한 실효성 있는 제도적 장치로서 향후 그 실효성이 기대된다.

④ 기성시가지를 대상으로 한 경관관련 조례의 등장

최근 일본 지자체의 조례 책정에 의한 특히 기성시가지를 대상으로 시가지 경관을 컨트롤하려는 움직임이 활발하게 전개되고 있다. 지금까지 역사지구의 보존, 교외부 리조트 개발 등에 대응하는 '방어적 수단'으로서 많은 지자체에서 독자적인 조례(혹은 요강)가 시행되어 왔다. 하지만 최근 도쿄도 구부(區部)와 같은 일반 기성시가지를 대상으로 개개 건축물의 개선을 통한 점진적인 시가지의 재편을 전제로 한 자치구의 독자적인 경관 컨트롤이 시도되고 있다. 이는 종래의 '방어적인 수단'에서 보다 바람직한 시가지상(像)을 목표로 한 적극적인 '유도적 수법'으로서 평가될 수 있다.
1999년 현재 도쿄도 자치구에 있어 이미 관련조례가 책정
되어 실시되어 있는 자치구로는 신쥬쿠구, 토시마구, 키타
구(北區), 치요다구(千代田區) 등이 있다.

2. 경관시책관련 제도적 장치

2.1 현행 법제도의 구성

현행 경관시책과 관련한 경관컨트롤 제도의 틀을 명확히 하기 위
해 경관컨트롤의 대상, 내용적 시점에서 현행 법제도의 구성을 살
펴본다.

■ 경관컨트롤의 대상

경관규제와 관련한 현행제도는 컨트롤 대상이 가지는 특질에 따
라 '자연·풍치환경', '역사·문화환경', '일반시가지환경'에 관련되
는 것으로 구분할 수 있다.

① 자연·풍치 제도에 관한 제도

'풍치지구제'나 '도시환경녹지법'에 의한 것 이외에 무질서
한 시가지를 규제하는 '시가지조정구역'의 지정과 '개발허
가제도', 국토의 보전을 목적으로 한 '보안림', '생산녹지'의
지정, 공업입지에 있어 환경보전을 의무화한 '공업입지법'
에 의한 조정, '도시의 미관풍치를 유지하기 위한 수목의 보
전에 관한 법률', '도시공원법' 등이 있다.

② 역사·문화환경의 보전에 관한 제도

'문화재보호법'에 근거한 '전통적건조물군보전지구제도'나
'고도(古都)보존법' 그리고 각 지자체에서의 역사환경에 관
한 조례 등이 있다.

③ 기성시가지의 경관형성에 관한 제도

'도시계획법' 및 '건축기준법'에 근거한 용도지구, '고도지구', '고도이용지구', '특정가구의 지정', '벽면선의 지정', '미관지구제도', '총합설계제도', '지구계획제도', '건축협정' 등이 있다.

■ 경관컨트롤 내용

경관컨트롤의 내용적 측면에서 현행 제도를 개관하면, '도시계획법'이 '건축기준법'과 연동하는 용도지역·지역제를 기본으로 하면서 용도 즉 기능배치의 규제·유도와 이에 연동하는 용적률, 건폐율에 의한 활동량 혹은 그 밀도의 배치 나아가 고도지구, 도로사선, 인접지사선, 북측사선, 벽면후퇴규제 등에 의한 형태규제가 주요한 컨트롤의 내용이 되고 있다.

도시 내에 어떠한 기능, 역사, 형태적 특징을 가진 구역, 혹은 현존하는 이러한 특징적 지구를 보전하는 구역에 대해 지구제의 적용을 통해 보다 상세한 규제·유도가 행해진다.

경관컨트롤의 내용은 건축물의 신·개·증축이나 토지의 형질에서 공작물의 색채변경까지 다양하다. 가장 규제가 엄격한 제도로 '자연환경보전법'이 있다. 또 '옥외광고물규제구역'도 형태규제의 중요한 제도가 된다.

이러한 현행의 제한 가운데 도시공간 형성상 종합적인 틀을 형성하는 것이 '도시계획법'을 중심으로 하는 용도지역 지구제인데 이는 기본적으로는 도시의 기능배치와 그 기능에 관련되는 활동의 양에 대해 용도 및 규모, 형태컨트롤을 주요한 목적으로 한다. 또 '건축기준법'에 근거한 형태컨트롤에도 안전, 건강, 편리라는 측면에 중점을 둔 개개 건축물을 대상으로 한 집단적 형태규제가 있고 지역 및 지구환경이 가진 공간적 특질에 근거한 형태컨트롤은 행해지지 않고 있다. 다만 '역사적 환경'을 대상으로 하는 제도에 있어서는 종래의 개별적인 문화재 보전 중심제도에서 시가지보전이라는 개념의 정착을 통해 '점(개체)'에서 '선(가로경관)', 나아가 '면

(지구)'을 대상으로 한 형태컨트롤 제도로의 변화는 각 지자체 조
례제도의 움직임에서 나타나고 있다. 또 '지구계획제도', '총합설계
제도'는 현행제도의 틀 속에서도 운용방법에 따라서는 일반시가지
혹은 역사적 시가지에 있어 도시공간형성에 관련되는 경관디자인
컨트롤 수법으로 활용될 수 있다.

2.2 경관관련 사업제도

경관시책으로서 중앙정부-성(省)/청(廳)-에서 실시하고 있는 공
공사업제도 가운데 경관정비와 관련된 사업의 개요를 정리하면 다
음과 같다.[3]

- **건설성(建設省)에 의한 사업**

① **도시경관형성모델사업(1983년 창설)**

시정촌(市町村)에 있어 양호한 도시경관의 보전과 형성을
도모하기 위해 경관형성상 중요한 지구를 모델지구로 지정
해 도시경관형성을 위한 경관형성기본계획을 책정한다. 이
계획에 근거한 사업의 일환으로 건설성 소관의 공공사업
(공원사업, 가로사업 등)을 상호조정하면서 당해지구에 집
중적으로 투자하고 공공시설을 정비하며 그에 맞는 시민참
여, 민간협력, 민간활동의 유도 등을 통해 지구경관을 효율
적으로 향상시키는 것을 목적으로 한 사업이다.

② **시가지환경정비사업(1993년 창설)**

생활환경의 질적 향상을 위해 주민의 자율적인 경관만들기
지원요청에 부응해 창설된 이 사업은 종래의 지구주환경정
비사업, 시가지정비촉진사업의 통합, 확충에 의해 새롭게
만들어진 사업이다.
사업의 특징으로는 1) 경관형성의 지원, 2) 주택 그 자체의
양호/불량의 개념에서 탈피, 3) 주민주도형 사업, 4) 사업
의 효율적인 추진을 위한 단계적 실시수법의 도입 등을 들

3) 최근 일본에서도 중앙
부처의 행정조직이 재
편되었으나. 여기서는
종전의 행정조직에 따
른 관련사업의 개요이
다.

수 있는데 본 사업의 가장 큰 특징은 경관형성에 대한 지원의 강화이다. 대상구역으로서 조례 등에 의해 경관형성을 도모해야 하는 구역이 추가되면 보조대상으로서 지구주민이 정비하는 조경시설 등이 추가된다. 지금까지 도시계획이나 건축행정 등에 의한 규제·유도와 지자체 조성에 더해 중앙정부에서도 강력한 지원이 행해지게 된다.

③ 심볼로드정비사업(1984년 창설)

도시의 얼굴이 되는 도로를 심볼 로드(symbol road)로 정해 관계기관이 협력해 지역특성이나 가로의 이용상황에 맞는 정비계획을 책정하고 이에 따른 향토적인 가로조성, 자전거도로 확보, 보도설치, 포켓공원조성, 전선의 지중화, 칼라포장 등을 행하게 된다.

④ 역사적 지구환경정비사업(1982년)

이 사업은 사적, 역사적 건조물, 역사적 시가지 등이 존재하는 지구를 대상으로 역사적 환경의 보전과 더불어 생활환경의 개선을 도모하는 종합적인 가로환경형성을 위해 매력적인 도시경관을 창출하기 위한 것이다. 역사적 환경의 보전과 주민생활환경의 향상이라는 2가지 측면이 조화를 이루면서 가로사업의 일환으로 도시기반정비를 추진하는 사업이다.

구체적인 사업의 내용은 1) 통과교통의 배제를 통한 보행자전용도로 설치, 2) 관광목적의 교통과 생활교통을 분리하기 위한 교통규제의 실시, 안내시스템 정비, 3) 방재향상을 위한 노선정비 등이다.

⑤ 시가지 마찌쯔쿠리 지원제도(1994년)

시가지정비에 관한 기반정비사업 실시에 맞추어 질 높은 도시공간형성을 위한 각종 시설의 정비를 종합적으로 지원함으로써 개성있는 시가지의 형성과 지역성을 살린 시가지정비를 추진하기 위한 목적의 사업이다. 이 제도의 특징으로는 1) 시가지정비의 질을 향상시키기 위한 부가적 시설이 각 지구의 특성에 따라 다르게 진행되며, 2) 시가지에 대한 지역 주체의 운용체제를 추진하는 '메뉴보조방식'을 채용하고 있는 점이다. 보조대상으로는 시가지정비활동지원에 관련되는 조사비에 대한 보조가 주요내용이다.

⑥ 시가지경관종합정비사업

도로의 확폭 및 증개축과 더불어, 새롭게 창조되는 도로경관의 정비를 적극적으로 추진하기 위해 그 중심이 되는 도로 내 경관형성을 도모함과 더불어, 도로에 면한 연도축의 정비와 일체화되어 도로와 연도가 일체화된 종합적인 시책의 전개를 목적으로 한 사업이다. 보조의 대상이 되는 것은 도로관리자가 행하는 사업(경관설계, 도로 확폭, 고급포장, 녹화 등), 연도이용자가 행하는 사업(경관정비, 오픈스페이스 사업, 수경시설설치사업 등) 등이 있다.

■ 문화청(文化廳)에 의한 사업

① 전통적건축물군 보존지구 정비사업(1976년 창설)

중요전통건조물 보존지구(전통적 건축물 및 그 주변의 환경을 포함하는 시가지보전을 목적으로 선정된 지구)의 보전을 목적으로 건조물의 관리, 수경 등을 행한다. 지자체 조례에 의해 선정된 '전통적건조물군보전지구'의 전부가 국가의 '중요전통적건조물군보전지구'로서 선정된다.

② 문화 마찌쯔쿠리 사업(1996년 창설)

지역활성화의 충실을 도모하기 위한 사업으로 사업의 목적은 문화적 유산, 풍토 등을 살리면서 지역에 근거한 특색 있는 예술문화 창조와 더불어 뛰어난 예술문화를 가까이서 감상할 수 있는 시가지정비계획을 지원하고 지역문화의 발신지를 창출해 지역문화진흥에 이바지하기 위한 사업이다.

■ 환경청(環境廳)에 의한 사업

① 쾌적환경정비사업(어메니티 타운사업, 1980년 창설)

이 사업은 지역의 자연성, 경제사회적, 문화적, 역사적 분야에서 환경요소를 살려 지자체의 쾌적환경을 도모하기 위한 것이다. 쾌적환경사업은 당해 시정촌 전반에 관련되는 사항으로 시책의 사례로는 1) 녹지와 수공간을 중심으로 한 쾌적환경 정비, 2) 양호한 자연환경의 정비, 3) 쾌적한 도시생활공간의 창출, 4) 환경을 배려한 생활방식 개선, 5) 역사적 가치의 보전 등 5가지 항목으로 분류된다.

또 이 사업은 합의형성을 계획책정프로세스 가운데 중요한 요건으로 인식하고, 시민이 자율적으로 활동하고 지역의 자주성을 최대한 존중함으로써 시정촌이 목표로 하는 어메니티 도시상을 위한 시민컨센서스 배양을 도모하기 위한 것이다.

■ 국토청(國土廳)에 의한 사업

① 지방도시정비 파이롯 사업

지방도시의 역사적 지리적 조건 등의 특성에 근거해 지방도시의 우수한 개성과 매력을 유지하면서 이를 활용, 발전시키는 선도적인 역할을 하는 사업이다.

그 내용으로는 1) 역사적 전통적 유산을 활성화해 경관적 자원으로 활용하는 '전통적문화도시환경보존지구정비사업'(1981년 창설), 2) 전통산업을 주축으로 시가지정비를 행하는 '전통산업도시모델지구정비사업'(1981년), 3) 녹지와 수공간을 살린 '수녹(水綠)도시모델지구정비사업'(1981년) 등이 있다.

② 고향재건추진모델사업

소외된 지역의 매력, 특성을 살리면서 도시와의 교류, 지역
자원의 자주적인 보전관리를 도모하는 새로운 '고향만들기'
를 추진함으로써 소외 지역의 특성에 부응한 역할이나 개
성의 충실, 강화와 더불어 이미지의 향상을 도모하는 것을
목적으로 한다. 보조의 대상으로는 도시와의 교류, 자연환
경 및 역사적, 문화적 보전관리에 관한 계획에 근거한 지역
시설 정비 등이 있다.

이상의 경관관련 사업제도를 정리한 것이 표 6.1이다.

표 6.1 경관관련 사업제도(중앙정부)

담당부서	사업제도명	사 업 내 용	보 조 내 용
건설성	· 도시경관형성모델사업	가로사업, 공원사업, 하천사업 그외(공공시설, 조경 등)	· 시설보조 1/2 · 용지보조 1/3
	· 시가지환경정비사업	생활도로 등 지구시설의 정비, 주 환경 정비	· 협의회책정비, 사업계획책정비의 1/2 · 수경시설정비비의 1/3(중앙정부), 1/3(지자체)
	· 심볼로드정비사업	심볼로드(상징도로)에 있어 확폭보도의 정비, 포켓공원 정비, 전선지중화 등	· 사업비 2/3
	· 역사적지구 환경정비 가로사업	보행자전용도로, 차도의 사행(蛇行)화, 교통규제, 안내시스템정비, 방재향상을 위한 가로정비 등	
	· 시가지 마쯔쯔꾸리 지원사업	시가지 시설정비의 포괄적 메뉴보조, 기금을 활용한 마쯔쯔꾸리 활동지원에 관한 조사에 대한 지원, 정보지원센터 활동 등 지원	· 사업비 1/3
	· 시가지경관종합 정비사업	도로경관 정비, 도로정비와 일체화 된 수경 사업	· 사업비 2/3
문화청	· 전통적 건축물군 보전지구정비사업	인정물건의 정비, 환경정비(관리시설, 방재 등)	· 사업비 1/2
	· 문화 마쯔쯔꾸리 사업	무대예술, 미술, 생활문화 등 문화활동과 문화재보존활동사업 등을 유기적으로 연계하는 사업	· 사업경비의 1/2이내에서 별도로 정한 금액
환경청	· 쾌적환경정비 사업	양호한 자연환경의 보전, 쾌적한 도시 생활공간 창출, 사적가치의 보전 등.	· 계획책정사업비의 1/2(시정촌 별로 700만엔 까지)
국토청	· 지방도시정비 파이롯사업	역사적문화도시환경보전지구의 정비, 수녹도시모델지구 정비, 전통산업모델도시 정비	
	· 고향재건추진모델사업	지역특성의 자각과 지역이미지의 구체화사업	

3. 지자체 경관시책의 유형과 특징

3.1 경관시책의 유형과 수법

■ **경관시책의 접근방식**

지자체에 있어서 경관정비를 위한 시책 전개는 경관정비의 대상 및 목적에 따라 크게 다음과 같이 4가지 접근방식으로 나눌 수 있다.

① **자연환경보전에서의 접근**

자연환경의 보호·보전을 목적으로 한 접근방식으로는 환경 파괴의 원인이 되는 개발행위나 건축행위의 규제이다. 그 중 심이 되는 녹지의 보전은 '도시녹화보전법'에 의한 녹지보전 지구 등 지역지정에 의한 법적규제도 가능하지만 지자체에서 독자적인 조례나 요강에 의한 녹지보전의 시책도 가능하다. 녹지나 수변 등 자연환경에 있어 경관정비의 과제는 주택 단지의 조성 등 면적개발에 대한 규제뿐만 아니라, 관광, 레 크레이션 계획 등 자연환경의 개발이나 도로, 교량 등의 건 설에 대한 경관적 평가가 문제가 된다. 자연환경보전을 위 한 경관평가기술도 중요한 과제이다. 경관평가는 어디까지 나 환경평가의 일환으로 행해지는 것으로 식생 등 그 지역 공간 속에서 종합적으로 평가 가능한 계획적 수법이 요구 되고 있다.

② **역사적 환경보전에서의 접근**

일본에 있어 역사적 환경보전 시책에는 2가지 흐름이 있다. '고도보전법'(1966년)에 의한 지자체 시가지보전조례에 의 한 것과 그 후 문화재보호법의 일부 개정에 의한 '전통적건 축물군보전지구제도(1975년)'의 도입에 의한 것이 있다. 이 러한 제도에 의한 역사적 시가지 건축행위의 규제, 유도는 단순한 역사적 환경뿐만 아니라 일반시가지의 건축디자인 유도에 의한 시가지형성에도 크게 기여할 수 있다.

③ **공공공간정비에서의 접근**

공원녹지나 도로 등 공공공간의 정비를 목적으로 주로 지
자체의 사업적 수법에 의한 접근방식이다. 공공공간을 중심
으로 한 녹화사업, 보행자공간에 주목한 가로환경정비사업
이 1970년대 초반부터 전국 각지에서 활발하게 전개되기
시작했다. 가로환경의 정비를 기초로 한 오픈스페이스를 포
함한 보행자동선의 네트워크를 도모하고 나아가 연도공간
의 건축유도로 전개된 요코하마시의 일련의 도시디자인시
책은 선구적인 사례가 되었다.

이러한 도로나 가로를 비롯한 공공공간의 정비가 경관정비
로 효과적으로 발전되기 위해서는 개개의 사업이 개별적으
로 행해지는 것이 아니라 이들 요소를 상호연계하는 '관계
디자인'이 중요한 과제가 된다.

④ **건축물의 규제 · 유도에서의 접근**

건축물디자인의 규제 · 유도에 의한 시가지가로경관의 정
비를 목적으로 한 접근수법이다. 주로 지자체 경관관련조례
의 책정에 의한 것이 많지만 민간의 건축행위에 대한 지도,
조언을 행함으로써 경관정비, 형성을 행하는 것이다.

구체적인 수법의 전개인 디자인에 관한 사항의 규정은 조
례나 요강에 근거한 기준의 내용에는 한계가 있으며 가이
드라인이나 매뉴얼에 의해 전개된다.

표 6.2는 지자체 경관시책의 4가지 접근방식과 대표적 지자체 사
례를 정리한 표이다.

표 6.2 지자체 경관시책의 접근방식과 사례

접 근 수 법	시책의 내용	사 례
① 자연환경보전에서의 접근	자연환경의 보호, 보전을 통한 접근으로 환경파괴의 원인이 되는 개발행위나 건축행위의 규제를 행하는 시책이다.	· 仙台市 녹지환경을 만드는 조례(1973년) · 요코하마시 녹지환경육성조례(1973년) · 고베시공원조례(1976년)
② 역사적 환경보전에서의 접근	역사적 환경보전이나 시가지 보전지구를 위한 시책이다.	· 金澤市 전통환경보전조례(1968년) · 倉敷市 전통미관보전조례(1968년) · 柳川市 전통경관보전조례(1971년)
③ 공공공간정비에서의 접근	공원녹지나 도로 등 공공공간성 정비를 위한 시책이다.	· 요코하마시 시가지환경설계제도(1973년) · 고베시 타운로드정비구상 · 尾崎市 가로공간형성(1984년)
④ 건축물의 규제·유도에서의 접근	건축물의 디자인 규제·유도에 의한 시가지경관 정비 시책이다.	· 京都市 시가지경관조례(1972년) · 大阪市 건축미관유도제도(1982년) · 名古屋市 도시경관조례(1984년) · 北九州市 도시경관조례(1984년)

■ 지자체 경관시책의 유형적 특징

일본 지자체 경관시책을 선진지자체의 사례로 그 특징을 정리하면 다음과 같은 유형으로 분류할 수 있다.

① 시민협력경관관리형

시민운동을 적극적으로 평가하고 그 활력을 원동력으로 행정과의 협력을 도모해간다. 경관은 결국 주민, 시민단체 등이 경관정비, 형성에 적극적으로 참여함으로써 단계적으로 진행해 가는 것이다.

대표적인 사례로는 모리오카시(盛岡市) '盛岡을 지키는 모임'으로 대표되는 시민운동이 환경을 지키고 청결하게 해 개성없이 행해지는 공공사업을 감시하는 활동을 한다.

② 경관자원확충형

경관요소의 중요한 부분을 발견해 경관정비를 행함으로써 경관형성을 도모하고자 하는 것이다. 많은 경우 녹지가 테마가 된다. 녹화는 경관형성상 큰 역할을 담당하는 요소가 되고 경관시책으로 구체화되기 쉽다. 담당하는 부서의 실질적인 권한이 시책전개의 중요한 요소가 된다.
'센다이시(仙台市) 녹지환경을 만드는 조례'(1973년) 등이
대표적인 사례이다. 녹화시책 등은 건축유도, 재개발사업
등과 연계한 시책전개가 요구되고 있다.

③ 경관규제보전형

역사적 유산의 계승과 자연풍치가 경관의 중요한 요소가 된
다. 이러한 경관시책의 경우 이미 축척된 풍치는 자연적이든
인공적이든 보전의 방향을 명시하고 설득력을 가지게 된다.
전형적인 사례로는 1959년 이미 풍치지구행정이 시작된 교
토시(京都市)에서 시가지경관조례(1972년)의 제정과 더불어
미관지구공작물규제지구, 특별보전수경지구가 풍치, 역사특
별지구와 연계하면서 일종의 경관지역제가 확립되어 갔다.

④ 경관형성지도 · 유도형

요코하마시, 고베시 등 경관행정의 선진지자체에서 보여지
는 것으로 경관시책에 적극적인 자세를 가지며 시가지경관
전반에 대한 내용을 대상으로 하는 경우가 많다. 이 경우 2
개의 조건을 전제로 할 필요가 있다. 지도 및 유도를 담당하
는 제도와 조직을 가지면서 한편으로는 행정내부에서 정비
에 관련되는 다양한 건설행위에 대해 조정능력을 가지는
것이 중요하다. 모든 지자체에서 가능하다고 보기는 힘들며
행정사무능력이 약한 조직에서는 행정외부의 전문가 집단
의 협력을 통해 경관시책의 전개를 도모할 필요가 있다.

⑤ 경관 · 디자인형

경관형성 · 유도형이 좀더 진행되면 경관시책은 계획에 근
거한 것이 된다. 전 지역을 대상으로 경관정비 도시디자인
의 체계적인 계획수립이 되면 경관 · 디자인형 행정이 된다.
체계적인 행정인 이상 시 전역의 기본계획에서 단계적으로
체계화된 계획도 가이드라인, 운용수법 등을 제도화해 갈
필요가 있다.

이처럼 경관시책의 유형은 지자체의 상황, 지역환경조건, 인적 능력 등을 충분히 고려하여 선택해야만 한다. 특히 이러한 유형은 하나의 유형에 그치는 것이 아니라 몇 가지의 중복시스템을 통해 지자체 경관시책이 효과적으로 기능할 수 있다.

■ 지자체 경관정비수법의 분류

경관시책을 실현하는 구체적인 수법을 공간적인 측면에서 분류하면 다음과 같다.

① 개체정비형(spot형)

중요한 건조물이나 사적(史蹟), 혹은 기성시가지 가로등, 조각 등 시가지의 개체요소를 보전 혹은 정비하는 것이다. 특히 중요문화재나 사적, 문화재 관련법 등이 이에 해당된다.

② 연도정비형(street형)

도시의 상징적인 주요가로 등 가로변의 경관을 정비해가는 유형이다. 나고야시(名古屋市) 도시경관형성지구, 고베시 경관형성도로 등 대도시의 경관형성시책이 중심이 된다.

③ 조망확보형(view-corridor 형)

역사적인 건조물이나 지구의 시각적 보전을 목적으로 하는 것으로 어떤 시점을 정해 그곳에서의 시각적 경관을 중점적으로 보전하려는 경관시책유형이다. 요코하마시 야마노테(山水)지구 경관풍치보전요강 등이 대표적인 사례이다.

④ 지구지정형

경관형성을 중점적으로 행하는 지구(경관형성중점지구, 전통적 건조물군보전지구 등)를 면(面)적으로 지정해 전략적으로 경관규제·유도를 행하는 것이다. 고베시 도시경관형성지구 등이 대표적인 사례이다.

⑤ 전역컨트롤형

행정구역전반에 걸쳐 일률적인 경관기준을 설정해 적용해
가는 유형이다. 오오사카시 건축미관유도기준 등이 있다.

표 6.3은 이상의 경관정비수법과 지자체 사례를 정리한 표이다.

표 6.3 경관정비수법유형과 사례

유 형	경관수법의 내용	사 례
① 개체정비형 (spot형)	시가지 개체요소를 보전, 정비를 행하는 수법	• 문화재보호법에 의한 중요문화재나 사적 보호 • 지자체의 조각/환경조형물 정비사업 등
② 연도정비형 (street형)	가로변의 경관을 정비하는 수법	• 名古屋市 도시경관형성지도요강 • 大阪市 건축미관유도지구
③ 조망확보형 (view-corridor형)	어떤 시점을 정해 그곳에서의 시각적 경관을 중점적으로 보전하는 수법	• 요코하마시 山手지구경관풍치보전요강 • 小田原市 도시경관조례
④ 지구지정형	경관형성·보전을 중점적으로 행하는 지구를 지정해 경관규제를 행하는 수법	• 고베시 도시경관형성지구 • 오키나와현 竹富町전통적건축물군보전지구
⑤ 전역컨트롤형	행정구역 전역을 대상으로 일정한 경관규제를 행하는 수법	• 大阪市 건축미관유도기준 • 야마가타현 金山町시가지경관조례

3.2 지자체 경관시책의 실제

여기서는 전술한 지자체 경관수법의 유형 가운데 특히 '조망확보형'에 주목해 지자체 경관시책의 구체적인 사례를 살펴본다.

사례 1 가나가와현(神奈川縣) 오다와라시(小田原市) 조망보전시책

오다와라시는 가나가와현(神奈川縣)에 위치하며 역사성 깊은 小田原城은 전국적으로도 그 규모를 자랑하는 대규모 성곽이다. 뛰어난 자연환경과 역사적 도시기반을 가진 小田原市는 1988년 도시경관형성 모델도시로 지정되어 1990년 도시경관형성 가이드라인을 책정하고 1994년 도시경관조례를 책정, 실시하고 있다.

이 경관조례 제4장(제17조-23조)에서는 경관보전지구에 관한 규정이 기술되어 있는데 '조망보전지구'의 지정과 그 조망경관의 확보를 위해 소유자의 신청에 근거해 그 토지를 매수할 수 있도록

하는 규정이 포함되어 있는 것이 특징이다.(표 6.4)

한편 小田原城 주변지구 도시경관계획 기본계획에서는 小田原城 주변에서 小田原城으로의 조망을 확보하기 위해 小田原역앞 광장이나 국도1호선의 교차점 등 공공성이 강한 지점 5개소를 선정하고 있다. 현재 小田原城 주변에서는 경관형성지구의 지정과 협의회활동을 통해 중요한 조망통로 상에서는 행정시설의 이전계획 구상 등 다양한 시책이 전개되고 있다(그림 6.1). 건축물 등의 규제, 유도시책으로는 벽면후퇴규제, 높이, 형태, 색채 컨트롤 등을 포함한다.

하지만 조망계획의 실효성 있는 실시를 위해서는 상세한 조망실시계획이 필요하며 조망계획에 근거한 건축물의 규제·유도 등도시 전역을 대상으로 전개되어 도시계획 전반에 관련되는 문제라는 점 등으로 충분한 시민합의를 필요로 한다는 점에서 아직 본격적인 실효성 있는 시책의 전개에는 미흡한 상황이다.

표 6.4 小田原市 경관조례에 있어 조망보전계획

조 항	항 목	내 용
제17조	조망보전지구의 지정 등	시장은 도시경관형성을 위해 특히 조망보전이 필요한 지구를 조망보전지구로 지정할 수 있다.
제18조	조망보전계획 등 안의 작성	시장은 조망보전계획 등 안의 작성에 있어 사전에 공청회 개최 등 조망보전지구 내의 주민의 의견을 반영할 수 있는 조치를 강구한다.
제19조	조망보전계획 등 안의 공람	시장은 조망보전계획안을 작성한 후 즉시 공고하고 2주간의 공람기간을 가진다.
제20조	조망보전계획 등의 결정	시장은 심의회의 의결을 거쳐 안을 결정한다.
제21조	조망보전계획 등의 고시 등	계획안은 고시 다음날부터 효력을 발생한다.
제22조	조망보전지구 등의 변경	지정지구 및 계획안의 변경은 상기의 조항에 준한다.
제23조	조망보전지구에 관련되는 토지매수	시장은 필요시 지정지구 내 건축물, 공작물 및 토지를 그 소유자의 신청에 근거해 매수할 수 있다.

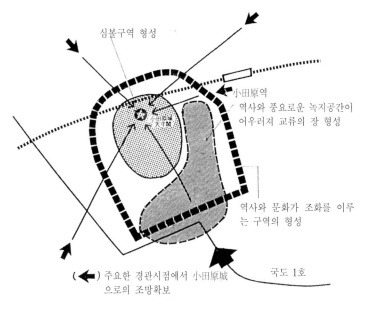

심볼구역 형성

小田原역
역사와 풍요로운 녹지공간이
어우러져 교류의 장 형성

역사와 문화가 조화를 이루
는 구역의 형성

(←) 주요한 경관시점에서 小田原城
으로의 조망확보

국도 1호

그림 6.1 小田原市 조망보전개념도
(출전 : 小田原市 도시경관가이드라인)

사례 2 요코하마시 '야마노테(山手)지구 경관풍치보전요강'

① 보전요강 개요

요코하마시 야마노테(山手)지구는 개항이후 외국인거류지
로서 양호한 거주지를 형성하고 있는 지구로 경관풍치를
보전하고 요코하마에 어울리는 도시경관과 더불어 山手지
구에서 요코하마항으로의 조망을 확보하기 위해 1972년 '경
관풍치보전요강'을 책정, 실시하고 있다.

그림 6.2는 대상지구의 구역 및 전경을 나타내고 있는데, 요
강에 근거해 건축물의 신·증개축을 대상으로 건축물의 외
벽, 공작물의 개수, 음식점 등의 영업허가 등에 관련된 사항
에 대해 사전심사가 행해진다.

표 6.5는 요강에 근거한 심사의 내용을 정리한 것인데, 주로
지구 내에서 바다쪽으로 조망을 확보하기 위해 건축물의
높이규제가 행해진다. 특히, 조망은 경관기준점에서 경관을
근경/중경/원경으로 나누어, 각 조망통로에 관한 고려가 심

사된다. 건축물의 높이제한은 기존 건축기준법과 동일하지
만 높이산정방법을 달리하고 있는 점이 특징이다.

② **보전요강 운용**

요강에 근거한 심사방법은 지구(특별보전지구/보전지구/고
도고려지구)나 건축행위에 따라 다르지만, 기본적으로는 각
담당부서(도시디자인실, 택지개발과, 건축과, 택지정비과)
의 계장으로 구성된 계장회(係長會) 및 부장급으로 구성되
는 보전회의에 의해 협의 운용되고 있다. 계장회는 월 2회
정기적으로 개최되며 보전회의는 논의가 필요한 안건 신청
이 있을 때 회의가 소집된다.

당 지구내에 건축행위를 행하고자 할 경우 풍치지구조례에
근거한 허가신청 및 건축확인 인허가 신청 이전에 요강에
근거한 심사가 이루어지도록 되어 있다. 신청은 도시계획국
도시기획부 도시디자인실이 담당하고 있다.

표 6.5 야마노테(山手)지구 경관풍치보전요강에 근거한 심사내용

심 사 항 목	심 사 내 용
건축물 용도	• 제1종 주거전용지구 내 음식점은 원칙적으로 불허한다.
건축물 높이	• 그림 6.2에 표시된 높이를 최고한도로 한다. • 건축물의 최고한도는 건축물이 주변과 접하는 낮은 곳으로부터의 높이로 건축물의 옥상 구조물(피뢰침, 안테나 등)을 포함한다. 최고높이는 지구에 따라 10m, 15m, 20m 이하이다. 다만, 최고고려지구 내의 상업지역에 대해서는 건축물 본체 25m 이내, 옥탑 포함 31m 이내까지 가능하다.
경 관	• 녹화 : 택지내 공지, 법면 등에 식재를 행한다. • 조망 : 특별보전지구내 건축물 등은 그림 6.2에 표시된 경관기준점에서 조망을 방해하지 않도록 한다. • 색채・형태 : 山手지구의 경관풍치보전상 어울리는 색채, 형태로 한다. • 외관 : 시가지경관과 조화된 디자인으로 한다. • 광고물 : 광고물은 최소한으로 제한한다. 山手언덕에서 보이는 측면에 광고물 설치는 금지한다.
그 외	• 영업시간(풍치지구 내) : 음식점의 영업시간은 원칙적으로 오전10시에서 오후9시까지로 한다.

(출전 : 山水지구 경관풍치보전요강 가이드라인에서 재정리)

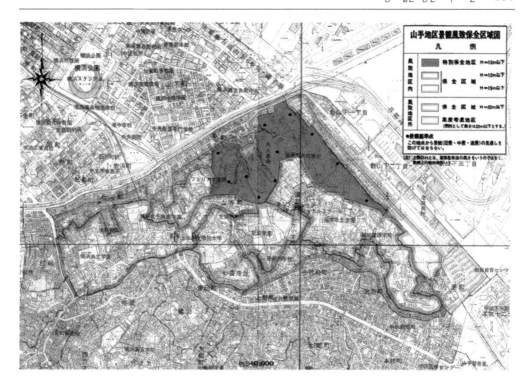

그림 6.2 山手지구경관풍치보전구역도 및 전경

③ 적용상황

보전요강은 1972년에 시작되어 오랜 역사를 가지고 운용되고 있다. 1990년대 들어 요강의 적용상황을 정리하면 표 6.6과 같은데, 연간 약 50~60건 가량이 신청되고 있고 그 중 약 80%가 건축물의 신축이 차지하고 있다. 그 외 공작물의 신/개/증축이나 영업허가에 관한 사항이 포함된다.

표 6.6 보전요강의 신청건수

	1993년도	1994년도	1995년도	1996년도	년간평균
·건축물의 신축	53	31	45	43	43
·공작물의 신/개/증축	7	10	8	7	8
·영업허가(신규/변경)	2	2	5	4	3
·신청 총건수	62	43	58	56	54

주) 1996년도는 10월 22일까지의 신청건수 임.

(출전 : 요코하마시 도시디자인실 내부자료)

4. 지자체 경관시책으로서 '시정촌(市町村) 마스터플랜제도'

1992년 도시계획법 및 건축기준법 일부를 개정해 전국의 시정촌(市町村)—특별구를 포함—에 대해 '시정촌 도시계획에 관한 기본적 방침'(소위 시정촌 마스터플랜 제도)의 책정이 의무화되었다. (도시계획법 제18조 2조1항) 이 법개정의 주요 목적은 기성시가지 내부의 상세한 주환경정비이며 계획의 주체는 지자체, 책정구역은 지자체 행정구역이다.

여기서는 새롭게 도시계획시스템으로 도입된 제도가 지자체 도시경관정비, 컨트롤시책의 관점에서 어떠한 가능성과 한계를 가지고 있는가를 살펴보기로 한다.

4.1 일본에 있어서 마스터플랜의 등장과 기존 유사계획

■ 일본에 있어서 마스터플랜 등장배경

구미의 도시계획시스템이 마스터플랜에 해당하는 종합계획 및 이에 근거한 토지이용규제라고 하는 2중구조로 되어 있는 것에 반해, 일본의 경우 2중구조의 도시계획은 존재하지 않는다. 일본에서 마스터플랜이 존재하지 않는 이유는 다음의 3가지로 요약된다.[3]

우선 구미의 근대도시계획에 있어서 마스터플랜의 출현은 시가지가 일정한 수준을 가진 상태에서 생겨난 것에 반해 일본의 경우 근대화를 서두르는 과정에 변화가 심한 사회상황 속에서 현존하는 시가지가 반드시 바람직한 시가지상이라고 받아들여지기 어려운 상황이었다. 즉 '바람직한 도시상(都市像)'을 전제로 한 명확한 도시마스터플랜을 만들어 가는 것이 극히 곤란한 상황이었던 것이다. 둘째로는 각종 국토계획, 지방계획 등이 상위계획으로서 사실상 마스터플랜의 역할을 담당하고 있었다. 도시계획법 제13조의 도시계획기준은 '도시계획의 일체성, 종합성'이라는 명분 하에 도시계획결정에 대한 다수의 국토계획, 지방계획에의 '정합(整合)'을 의무화했다. 이는 특히 고도성장기 국가에 필요한 광역스케일의 인프라정비를 위해 극히 효율적으로 기능하고 있었다. 셋째 변화가 심한 일본의 도시사회에서는 무질서한 도시개발을 강력한 규제 하에 두는 수법이 강하게 요구되고 있는 반면 그것을 전체적으로 조정하는 시스템은 경시된 것이다. 즉 공허한 마스터플랜보다는 실효성 있는 컨트롤수법이 필요했던 것이다.

한편 최근 사회가 안정되고 교외부 개발도 진정되어 기존 일반 시가지의 주 환경을 확보하려는 움직임이 활발해져 지역의 장래상에 근거한 마스터플랜이 요구되기 시작했다. 특히 1970년대 이후 주환경모델사업이나 지구계획을 비롯한 많은 종류의 강력한 컨트롤수법이 실적을 더해가고, 지역분권의 흐름 속에서 지역에 밀착한 주민주체의 도시계획의 필요성 등은 '시정촌 마스터플랜' 창설의 중요한 배경이 되었다.

■ 기존 마스터플랜 유사계획

일본 도시계획체계 속에서 마스터플랜 그 자체가 존재하지는 않았지만 어느 정도 유사한 마스터플랜의 성격을 가진 계획내용은

3) 이에 관한 구체적인 내용은 참고문헌17. 참조.

포함되어 있었다. 예를 들면 지방자치법에 근거해 시정촌의 기본
구상이나 국토계획법에 근거한 '시정촌종합계획', '정비, 개발 혹은
보전의 방침(도시계획법 제7조 4항)' 등은 그 기술상의 애매성은
있지만 마스터플랜적인 성격을 가진 계획으로 간주될 수 있다.

특히 1970년대 후반부터 '정비, 개발 혹은 보전의 방침'을 보완하는
것으로 건설성 행정에 있어 부문별로 '마스터플랜'이라 부르는 방침,
계획, 구상 등이 창설되기 시작하고 있었다. 즉 '구역구분'의 도시계
획 계획서로서 도시계획이 결정된 '정비, 개발 혹은 보전의 방침'은
기본적인 사항에 대해 문장표현이 중심이기 때문에 개개의 도시계획
전제로서는 반드시 충분하지는 않다. 이 때문에 이것을 보완하는 것
으로 각 부문에 있어서 부문별 마스터플랜이 보급되게 된 것이다.

다음은 이러한 부문별 마스터플랜의 사례별 내용을 간략하게 정
리한다.

① 녹지 마스터플랜

도시지역에 있어 녹지와 오픈 스페이스에 관한 기본방침을
정해놓은 것이다. 1977년 현(縣)지사가 시정촌의 원안에 근
거해 도시계획구역별로 책정하는 것이 의무화되고 그 기본
적인 사항은 '정비, 개발 혹은 보전의 방침'으로 정하도록
되어 있다. 이에 의해 각종 부문별 마스터플랜의 중요사항
이 '방침'으로서 도시계획결정 되기 시작했다.

② 시가지정비기본계획

시가지정비기본계획은 도시의 기간시설(도로, 공원, 하수도
등)과 면적 정비(토지구획정리, 재개발 등)를 종합해 각종
사업간 조정 및 공공투자재원과의 조정을 도모하는 프로그
램으로 현(縣)지사가 도시계획구역별로 책정한다. 이 계획
은 1977년도 3대 도시권의 인구급증도시에 있어 시가화구
역을 대상으로 한 계획책정에 대한국고보조제도로서 창설
되어 그 기본적인 사항을 시가화구역 및 시가화조정구역에
'방침'으로 정하도록 규정되었다.

③ 재개발 마스터플랜(도시재개발방침)

시가지재개발법(1969년 법률 제38호)의 시행시 '도시재개발의 기본방침'의 책정노력이 정해져 있었지만 그 후 10년간 이 구상에 대해서는 거의 진전이 없었다. 그러나 1980년 법개정으로 새롭게 '도시재개발방침'이 창설되었다(법 제2조 3). 이로써 도시재개발방침이 도시재개발의 장기적 종합적 마스터플랜으로 자리잡게 되었다. 도시재개발방침에는 시가지전체 속에서 재개발지구를 선별해 내는 '주도성(主導性)'이라는 중요한 마스터플랜적 기능이 부여되고 있다고 할 수 있다.

④ 주택 마스터플랜

이것은 도시계획과 주택정책을 연계하는 가교적 역할을 한다. 1990년 '대도시 지역에 있어 주택 및 주택지공급의 촉진에 관한 특별조치법'(1975년 법률 제67호)이 개정되어 주택관계의 3중 계획체계가 창설되었다. 즉 국가적으로는 수도권, 긴끼(近畿)권, 중부권에 있어 '주택 및 주택지 공급에 관한 기본방침'을 정해, 이에 근거해 동경도(東京都), 오오사카부(大阪府) 등에 있어 동 계획을 작성했다. 나아가 대도시지역의 도시계획구역은 이것에 적합한 형태로 '주택시가지 개발계획 방침'(소위, 주택 마스터플랜)을 정하는 것이 의무화되었다.

　이상의 부문별계획에서 부문별이란 행정부문별이라는 의미가 있지만 본래는 과제별, 분야별이라는 의미로 해석되어야 하며 도시계획의 종합성을 표현하는 중요과제 혹은 중요분야로 생각하는 것이 적절하다. 또한 이 분야별 마스터플랜의 기본사항이 도시계획의 목표, 토지이용방침에 의한 도시계획의 틀에 더해 '정비, 개발 혹은 보전의 방침'에 집약되고, 또 분야별방침과의 상호연계를 도모하면서 도시계획의 정합성을 실현한다는 시스템으로 되어 있다.

여기서 새롭게 도입된 '시정촌 마스터플랜제도'는 그 기술내용이나 '정비, 개발 혹은 보전의 방침', '부문별 마스터플랜'과의 상호관계에 있어 '정비, 개발 혹은 보전의 방침'은 광역적 도시전체의 골격적인 도시계획이며 '시정촌 마스터플랜'이 지역에 밀착된 도시계획이라는 역할분담의 성격을 가진다. 이 가운데 분야별 마스터플랜은 '정비, 개발 혹은 보전의 방침'에 반영된 기본계획사항과 '시정촌 마스터플랜'에 반영된 지역에 밀착된 상세계획내용을 종합한 계획의 성격과 내용을 포함하고 있다.

4.2 '시정촌 마스터플랜제도' 관련 계획체계

전술한 바와 같이 일본의 도시계획시스템을 법제도적으로 보면 도시의 마스터플랜은 1968년 도시계획법에서 처음으로 규정되어 도도부현(都道府縣)지사가 정한 '정비, 개발 혹은 보전의 방침'이 그 출발점이 되었다. 이 '정비, 개발 혹은 보전의 방침'은 이후 등장한 '시가지정비기본계획(1977년)', '녹지 마스터플랜(1977년)', '도시재개발방침(1980년)' 등 부문별 마스터플랜의 집합체로서 전개되었다. 또 1995년 건설성에 의한 '시정촌 주택 마스터플랜 책정 매뉴얼'이 게시됨으로써 도시계획법과 직접 연계하면서 '주택마스터플랜'도 이 구성에 포함되게 되었다.

이처럼 1992년 도시계획법 개정에 의해 종래의 2종류 마스터플랜적 계획, 즉 1) 도시계획법에 근거한 '정비, 개발 혹은 보전의 방침', 2) 지자체에 근거한 '시정촌 종합계획'에 더해 새롭게 '시정촌 마스터플랜'이 책정되게 되었다.

그림 6.3은 전체 도시계획체계 속에서 '시정촌 마스터플랜'의 위치를 나타내고 있는데 이 계획체계의 특징을 정리하면 다음과 같다.

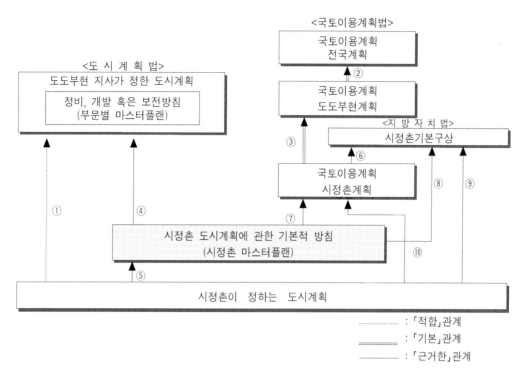

그림 6.3 계획체계와 시정촌 마스터플랜의 위치관계

　우선 '관계의 복잡성'이다. 10개의 관계 중 시정촌 마스터플랜에 의해 4개의 관계가 증가하고 기존의 계획체계에서 새롭게 또 하나의 계획체계가 부가되어 계획체계의 복잡성이 가속화되고 있다. 다음으로 종래 국토이용계획이나 기본구상과는 간접적인 관계에 머무르고 있던 '정비, 개발 혹은 보전의 방침'이 시정촌 마스터플랜의 도입으로 인해 그러한 관계가 보다 긴밀하게 되고 계획체계 속에서 시정촌 마스터플랜이 중심적인 위치를 차지하고 있다. 세 번째로는 계획체계에서 계획간의 관계를 규정하는 것에 '적합', '근거해', '기본으로 하다' 등 3종류의 관계가 있다는 것이다. 즉 '..계획에 적합하다'란 계획의 내용에 모순되지 않는다는 의미이며, '계획에 근거해 정해져 있다'란 계획내용에 정확히 일치하는 경우 이외에 정확하게는 일치하지 않지만 계획목적이 달성될 수 있도록 정해지는 경우를 포함하는 것을 의미하고 있다. 즉 상위계획에 '근거하다' '적합한' 관계로 연계된 하위계획은 상위계획을 보다 구체화한 것으로 간주된다.

4.3 '시정촌 마스터플랜제도'의 구성

■ 제도의 성격

이 제도는 도시계획법 제18조2의 규정에 의한 '시정촌 도시계획에 대한 기본적인 방침'이 제도화된 것인데 건설성은 이 기본방침이 시정촌에 의한 도시계획의 마스터플랜으로 위치되어지는 것을 명확히 하고 있다.

한편 이 법개정에 관계하는 도시계획중앙심의회의 답신에는 도시계획 마스터플랜의 창설에 대해 다음과 같이 서술하고 있다.

'....정비, 개발 혹은 보전의 방침이 도시계획전체의 마스터플랜으로서 구역내의 중요한 용도배분, 시가지의 밀도구성, 시가지개발/재개발, 도시기반시설의 정비나 자연환경의 방침 등 대략적인 위치나 정비방침을 명확히 설정하고 있는 것에 반해, 시정촌 마스터플랜은 정비, 개발 혹은 보전 방침의 틀 속에서 지구정비의 기본방침에 근거해 지구특성에 따른 토지이용방침, 각지구별 정비과제에 부응하는 공공시설 등의 정비방침과, 이들을 고려해 책정되는 지구계획, 시가지재개발사업 등을 설정해야 한다. 또 시정촌 도시계획 마스터플랜의 책정에 있어서는 주민이나 토지소유자의 의견이 계획내용에 충분히 반영될 수 있도록 주민참가의 시스템을 도입해야만 한다.'

또 이 답신에서는 정비, 개발 혹은 보전의 방침의 충실이라는 지적도 있지만 정비, 개발 혹은 보전의 방침을 도시계획의 마스터플랜으로서 충실화해 '행정뿐만 아니라 지역주민에게도 도시전체의 장래상을 명확히 제시한다는 관점에서 도시계획의 장기적인 목표를 기술하는 것 이외에 토지이용의 방침에 대해 도면에 의해 표시할 필요가 있다.'라고 하고 있다.

이러한 현행제도 하에서는 도도부현에서 우선 정비, 개발 혹은 보전의 방침을 충실히 하고 이에 근거해 주체적으로 각각의 특징 있는 주민용 마스터플랜을 제안해 가는 것이 중요하다.

■ 제도의 기능 · 역할

전술한 바와 같이 시정촌 도시계획 마스터플랜의 제도화에 의해
하나의 지자체에 다른 종류의 3가지 마스터플랜— '정비, 개발 혹
은 보전의 방침', '시정촌 종합계획', '시정촌 마스터플랜'—이 존재
하게 되었다. 표 6.7은 시정촌의 2개 마스터플랜을 비교한 것인데,
향후 기존의 지자체 종합계획에 더해 '시정촌 마스터플랜'이 시가
지 종합계획을 보완하는 기능을 하기 위해서는 다음의 사항이 보
완되어야 한다.

① 지구별계획의 명확화

현재 지자체종합계획 가운데 지구별계획을 가진 시정촌이
많은데 시정촌 마스터플랜에 지역별계획을 반영시켜 물리
적인 지구별계획을 강화하고 계획을 보다 선명하게 해 나
가야 한다.

② 관 / 민 협조형 도시만들기 전개

주민의 도시만들기의 책임을 명확히 하기 위해 시정촌 마
스터플랜은 주민참가를 전제로 계획을 책정함으로써 관 /
민 협조형 도시만들기를 계획사업으로 해 전개해 갈 필요
가 있다. 시정촌 지자체는 광역적 관점에 근거한 계획(정비,
개발 혹은 보전의 방침)과 협의의 상세한 계획을 설정하는
시정촌 마스터플랜과의 관계 속에서 상호 연계되는 관계로
그 내용을 반영해 갈 필요가 있다.

표 6.7 시정촌종합계획과 시정촌 마스터플랜의 비교

	시정촌 마스터플랜	시정촌종합계획
근 거 법	도시계획법 제18조2	지방자치법 제2조 제5항
발족년도	1992년	1969년
책정목적	도시계획의 종합적인 마스터플랜, 도시상 및 시가지상의 명확화. 장래상 확립.	사무처리의 종합성, 계획성
책 정 자	시정촌(특별구를 포함)	시정촌(특별구를 포함)
담당부서	도시계획국	기획국
책정구역	도시계획구역(행정구역)	행정구역
목표년도	10~20년	기본구상 : 10년, 기본계획 : 5~10년
계획구성 내용	0. 이념, 목표, 장래생활상 1. 전체구상 　① 도시상 　② 중요과제 　③ 정비방침 　· 도시구조, 도시공간형성, 토지이용 　· 시설정비, 도시환경, 도시경관 등 2. 지역별 구상 　① 지역설정 　② 시가지상 또는 지역상 　③ 실시시책방향 　· 건물용도, 형태, 시설, 녹지, 공지 　· 경관형성, 지구계획	1. 장래상(유기적 일반적 지역사회상) 　① 인구, 산업 프래임 　② 토지이용 등의 구상 　③ 주민의 생활수준 목표 2. 시책 개요 　① 교통 등 지역사회기반 사항 　② 복지, 교육 등 인간형성에 관한 사항 　③ 산업진흥에 관한 사항 　④ 행재정 합리화에 관한 사항
계획형식	도면은 지형도 위에 표시하고 모형, 이미지 드로잉 등을 적절히 사용해 시각적으로 이해할 수 있도록 한다.	원칙적으로 문장형식으로 한다.
재정계획관계	특별히 없음.	사업계획의 나열
책정수속	시정촌 심의회 의결	의회의결
주민참가	공청회 개최 등 주민의견 반영에 필요한 조치를 취한다라고 법으로 정하고 있다.	특별히 없음. 앙케이트, 지구별설명회 등 실시
지역구분	사회적인 경계를 고려하면서 지형, 간선도로, 하천 등 물리적 지역공간 분단요소를 경계로 구분한다.	지구별계획을 가지는 것은 행정구역 등 기존의 사회적 요소를 경계로 구분한다.

4.4 지자체 경관시책으로서의 가능성과 한계

　　1992년 새로운 도시계획시스템으로서 도입된 '시정촌 마스터플랜제도'가 지자체의 종합적인 경관정비시책의 관점에서 향후의 가능성과 활용방안에 대해 정리하면 다음과 같다.

　　우선 시정촌 마스터플랜제도의 도입으로 시정촌 지자체의 도시

경관시책은 정비 개발 혹은 보전의 방침/시정촌종합계획/시정촌마
스터플랜이라는 3개의 마스터플랜을 가짐으로써 지역(구역)의 공
간적인 규모에 따라   ─할 수 있는 계획적 체계가 갖추어지게 되
었다.

  향후 시정촌마스터플랜이 시정촌경관시책의 마스터플랜적인 역
할을 담당하기 위해서는 지역의 과제나 장래상을 명확히 하고 개발
사업자와의 협의를 통해 지역문제를 해결하기 위한 방안을 모색해
가는 프로세스 구축이 필요하다. 즉 기성시가지를 대상으로 한 경
관정비시책이 성숙화 한 시가지의 경관정비를 전제로 할 때 소규
모개발의 개별적 건축행위에까지 세심하게 대응해 가는 계획시스
템, 운용체계정비가 무엇보다 필요하다 하겠다.

  현재 일본에서는 많은 지자체에서 조례나 요강에 의한 경관시책
이 전개되고 있는데 시정촌마스터플랜이 이러한 지자체조례 등과
적극적으로 연계하면서 전개될 수 있는 시스템이 요구된다. 예를
들면 지자체 경관시책의 실시는 가이드라인에 의한 규제/유도가
이루어지는데, 경관시책의 관점에서 보면 경관가이드라인은 시정
촌마스터플랜을 실현해 가는 것으로 또 시정촌마스터플랜은 가이
드라인의 방향성을 제시하는 것으로 상호보완 되어져야 한다. 특
히 법적 담보력이 약한 조례나 요강 등에 의한 지자체 경관시책은
법적 근거를 가지는 시정촌마스터플랜이 보완하는 형태로 경관시
책의 실현성을 높여 갈 수 있다.

  한편 경관시책은 시가지상의 물리적 공간규정과 깊은 관련이 있
으며 주민의 합의형성이 전제가 된다. 시정촌마스터플랜 책정시 주
민의 합의형성은 경관가이드라인 실현에 중요한 요소가 되며 시정
촌마스터플랜의 책정프로세스는 주민협조형 경관시책을 중요한
프로세스의 전제로 하고 있다고 할 수 있다.

5. 소결

본장에서는 일본 지자체의 경관시책의 동향을 파악하기 위해 계획체계의 현황을 법제도, 사업제도를 포함해 지자체 경관정비시책의 접근방식, 수법과 유형적 특징과 더불어 경관정비의 구체적인 대응수법을 살펴보았다.

최근 일본 지자체에서는 각 지자체의 실정에 따라 독자적인 조례나 요강의 제정을 통해 다양한 경관정비, 컨트롤시책을 전개하고 있다. 그러나 기존 법제도의 탄력적 운용시스템 부재, 중앙정부 보조사업제도의 중복성, 과잉성, 종합성의 결여, 조례·요강의 실행성 약화, 주민프로세스의 부족 등이 지적되고 있기는 하지만 90년대 들어 종전까지의 방어적 수법으로서의 경관시책이 기성시가지를 대상으로 보다 적극적인 유도시책으로서의 경관시책이 활달하게 전개되고 있으며 그 가능성을 충분히 가지고 있다.

특히 새롭게 도시계획시스템으로 도입된 시정촌마스터플랜제도는 지자체 경관시책의 마스터플랜적인 역할을 담당하며 지역의 명확한 장래상을 설정해 가며 지자체 조례 등과 연계를 적극적으로 모색해 갈 수 있을 것이며 그 역할이 기대되고 있다고 할 수 있다.

참 고 문 헌

1. 川添 登他(1984)：“都市美創出のためのデザインコントロール手法”, 總合研究開發機構
2. 松谷春敏他(1990)：“良好な都市景觀の形成への取り組み”, 都市計劃 No.166
3. 赤崎弘平(1996)：“市街地整備のための建築ルールの地方的展開”, 東京大學博士論文
4. 建設省建築研究所(1994)：“市街地景觀形成の觀點による建築形態規制內容等の調査”
5. 都市計劃(1995)：“特輯：景觀研究と景觀創造”, No.196
6. 都市計劃(1985)：“特輯：まちづくりと景觀整備”, No.134
7. 都市計劃(1985)：“特輯：續 まちづくりと景觀整備”, No.138
8. 都市計劃(1975)：“特輯：景觀論について”, No.83
9. ジュリスト(1985)：“座談會—都市景觀—今日から明日へ”, No.839
10. ジュリスト增刊綜合特輯(1985)：“都市景觀創造への方途”
11. 都市景觀研究會(1988)：“都市景觀を考える', 大成出版社
12. 特輯/造景(1996)：“まちづくり補助事業マニュアル”, No.5
13. 環境廳アメニティタウン研究會(1986)：“アメニティタウンハンドブック”, 中央法規出版
14. 日經産業消費研究所(1994)：“景觀とまちづくり”-全國214地自体の挑戰
15. 孟令强(1991)：“歷史的市街地の保存整備手法に關する研究”, 東京大學博士論文
16. 日本都市計劃學會(1996)：“市町村マスタープランの現状と課題”
17. 渡辺後一(1994)：“市町村マスタープランをめぐるプラン大系”, 第29回日本都市計劃學會學術研究論文集
18. 林村道美(1993)：“都市計劃の新らしい體系”, 第28回日本都市計劃學會學術研究論文集
19. 佐光孝文(1997)：“市町村マスタープランの課題に關する研究”, 東京大學修士論文
20. 石井有他(1995) ：“都市整備に關する計劃體系から見た市町村マスタープランの役割”, 第30回日本都市計劃學會學術研究論文集
21. 吉村輝彦(1994)：“都市マスタープラン策定プロセスへの市民參加の現状分析”, 第29回日本都市計劃學會學術研究論文集
22. 瀨戸口剛他(1996) ：“地方中小都市における市町村マスタープランの意義に關する研究”, 第31回日本都市計劃學會學術研究論文集
23. 日本都市計劃學會(1997)：“特輯：綠のまちづくりと多様な展開”, Vol.46 / No.1

제7장 경관조례(景觀條例)에 의한 경관시책의 전개

　　최근 일본지자체에서는 기성시가지를 대상으로 개개의 개발행위에 의한 시가지재편(再編)활동에 있어 보다 바람직한 시가지 경관의 유도/관리시책으로 '경관조례'를 책정, 운용하고 있다. 본장에서는 도쿄도(東京都)의 2개 자치구-토시마구(豊島區)와 신쥬쿠구(新宿區)-를 사례로 지자체 조례에 의한 경관시책의 운용실태를 살펴보고자 한다.

　　특히 경관시책의 일환으로 전개되는 경관조례의 검토에 있어서는 조례운용의 구성, 운용체제 등 조례의 운용측면을 중심으로 행정에 의한 민간 개발(재편)행위의 컨트롤뿐만 아니라 공공사업에 있어 지자체 내부 조정체제 등 다양한 주체간의 관계를 포함한 제도의 운영실태 전반에 관해 고찰해보기로 한다.

1. 토시마구(豊島區) '어메니티형성조례'

1.1 어메니티형성 기본계획

■ 어메니티형성 기본계획 개요

　　토시마구는 1990년 구(區) 마스터플랜으로서 '토시마구 지구별 정비방침'을 책정했다. 이는 도시계획에 있어 구가 주체가 되어 지구레벨의 상세한 도시계획이나 도시정비부문 및 다른 행정부문의 시책을 종합적으로 실시하기 위한 것이다. 또 '지구별 정비방침'에 근거해 7개의 '과제별기본계획'이 책정되었는데 그 중의 하나가 '어메니티형성 기본계획'(1992년)이다.

어메니티형성 기본계획은 도시정비의 과제별 방침 및 이에 근거해 책정된 5개의 과제별 기본계획에 근거해 행해지는 토지이용이나 도로망 형성 등의 시책을 비롯해 그 실현과정을 지구 어메니티형성의 기회인 동시에 대상으로 다루는 것이다. 어메니티형성 기본계획은 지구별정비방침에 근거해 책정된 과제별 기본계획의 하나이며 구의 기본구상, 구 기본계획, 지구별정비방침의 하위계획에 위치한다.

그림 7.1은 토시마구 도시계획체계 속에서의 어메니티형성 기본계획의 위치를 정리한 것이다.

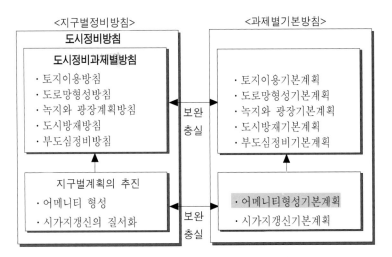

그림 7.1 '에미니티 형성 기본계획의 위치'

■ **어메니티형성 기본계획의 역할과 범위**

어메니티형성 기본계획의 역할은 다음과 같이 정리된다.

① **어메니티형성에 대한 마스터플랜으로서 경관행정을 구속한다**

지구별정비방침을 보완하고 실현하기 위한 행정계획이며 '방침'과 더불어 어메니티형성에 관한 구의 제반 계획, 사업을 규제 · 유도하는 마스터플랜이다.

② **구민 등에게 어메니티형성의 방향을 제시하고 규제 · 유도한다**

구민의 건축행위 등에 대해 직접적인 권리제한이나 의무

규정을 제시하지는 않으나 구의 시책방향 등을 대외적으로 명확히 함으로써 구와 각 주체와의 공동작업을 보다 원활하게 추진한다.

③ 행·재정계획이나 사업실시계획의 책정지침이 된다

어메니티 관련시책에 있어 중장기적 시점에서 사업계획 및 그 재정계획, 연도별 예산책정, 사업실시계획 책정의 지침이 된다.

④ 물리적 계획과 관련한 행정전반을 대상으로 한다

구에서 행하는 공공사업이나 민간의 건축, 개발행위에 대해 구의 규제·유도행위 전반을 대상으로 한다.

⑤ 비 물리적 요소도 고려한다

시설물 등의 형태적 디자인적인 정비에 머무르지 않고 환경형성에 필요한 범위에서 비 물리적인 요소도 대상으로 한다. 또 쓰레기문제, 방치자전거문제 등의 문제도 관련되어진다.

■ 어메니티형성 시책의 구성

전술한 어메니티형성 기본계획의 내용에 근거한 구체적인 어메니티시책으로는 1) 골격적 지역환경의 보전과 창출, 2) 공공시설의 어메니티형성, 3) 민간건축에 있어 어메니티형성 유도, 4) 어메니티의 다양한 수용에의 적극적 대응 등으로 구성된다.

① 골격적 지역환경의 보전과 창출

'지구가이드라인'에 따라 중추적인 지구를 선정해 그 특징을 살려 건축물이나 도로, 공원 등의 정비를 위해 공공시설의 정비를 추진한다. 또 민간건축물에 대해서는 사전협의를 행한다.

② 공공시설의 어메니티 형성

'공공시설 프로젝트 진행 가이드라인'에 따라 사업간의 조정/유도를 행한다. 또 어메니티 모델사업을 지정 추진한다.

③ 민간건축물에 대한 어메니티형성의 유도

일정규모 이상의 건축물에 대해 인허가 절차에 앞서 정해진 기준(가이드라인)에 맞추어 사전협의를 행한다. 또 문화재 자원 및 그 환경보전에 대한 사전협의도 병행한다.

④ 어메니티의 다양한 수용

각종 주민참여 및 계몽·PR 등을 통해 어메니티 자원을 발굴하고 새로운 수요에 적극적으로 대응해 간다.

1.2 '어메니티 형성조례'의 구성과 운용

■ 조례의 구성

어메니티형성 시책체계를 실현해 나가기 위해서는 실현활동을 제도적 조직적으로 지원할 수 있는 제도적 장치가 필요한데 어메니티형성 기본계획을 실행하기 위한 제도적 실현장치로서 '어메니티 형성조례'가 책정되게 되었다.(1993년, 그림 7.2)

조례의 골자는 1) 행위변경제출, 2) 일정규모 이상의 건축에 대한 조언·지도, 3) 특별추진지구의 지정과 지구형성지침의 책정, 4) 표창·공표제도, 5) 심의회제도 등으로 되어있다.

조례에 근거한 구체적인 시책의 전개방법으로는 1) 가이드라인의 책정 및 활용, 2) 모델 사업의 지정과 추진, 3) 담당부서의 설치, 4) 심의회 제도·표창/공표제도 등을 들 수 있다.

조례의 주요개념으로는 일정규모 이상의 건축물이나 공작물, 광고물 등의 건축, 설치에 있어 '사전협의'가 의무 지워져 있으며 가이드라인을 작성해 경관컨트롤의 지침으로 활용하고 있다. 즉 일정규모 이상의 건축물 등을 대상으로 한 '사전협의제도'가 조례운용의 주요한 축을 형성하고 있다고 할 수 있다.

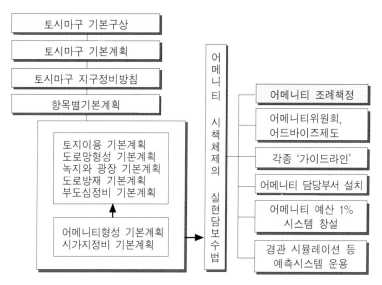

그림 7.2 에메니티 형성조례의 위치

■ **조례의 전개방법**

어메니티 형성조례는 어메니티 기본계획의 전개방법에 근거해 추진되는데 구체적인 전개방법은 다음과 같다.

① **가이드라인의 책정/활용**

조례에 의한 경관정비·형성은 건축행위를 행하는 경우 기본적으로 고려해야 할 사항을 정리한 가이드라인이 필요하다. 가이드라인은 구 전체 시설 등을 대상으로 경관유형에 따라 경관특성, 기본지침 등 기본적인 고려사항을 포함하고 있다. 또 경관형성상 중요한 지구(특별추진지구)에 대해서는 '지구 가이드라인'이 작성되어 있다.

구체적으로 가이드라인은 1) 특별추진지구 가이드라인, 2) 어메니티형성 가이드라인, 3) 일정규모 건축물 등 가이드라인, 4) 문화재자원에 관한 가이드라인, 5) 프로젝트 진행 가이드라인으로 구성되는데, 이러한 가이드라인은 대상한정 가이드라인[1]으로 대규모건축물이나 옥외광고물 혹은 공공시설 등 대상이나 지역을 막론하고 대상물건의 종류나 규모를 한정하게 된다.

1) 경관 가이드라인은 특정한 장소를 면적으로 선정하는 '지구한정형 가이드라인'과 지역을 막론하고 대상물건의 종류나 규모를 한정하는 '대상한정형 가이드라인'으로 구분된다.

② **모델사업의 추진**

어메니티 모델사업은 지구별정비지침과 연계한 사업과 어
메니티시책을 추진하기 위한 신규 어메니티 프로젝트로 구
성된다.

③ **담당부서의 설치**

어메니티형성을 효과적으로 추진하기 위해서는 체계적인
추진체계가 중요한 내용이며 이를 위해 어메니티 담당부서
를 설치한다. 이 부서는 어메니티 시책의 조정, 규제 및 유
도, 사업추진 등의 역할을 담당하게 된다.

④ **심의회 / 표창제도**

어메니티형성을 적절하게 추진해 나가기 위해서는 심의위
원회를 별도로 설치하고 다양한 표창을 통한 장려책을 마
련해 나간다.

■ **어메니티 형성조례 운용실태**

전술한 바와 같이 어메니티 형성조례의 운용에 있어서는 일정규
모 이상의 건축행위에 대한 '사전협의제도'가 주요요소가 된다. 따
라서 여기서는 '사전협의제도'의 적용상황 및 운용프로세스를 통
해 조례의 운용실태를 살펴보기로 한다.

① **조례의 적용대상**

일정규모 이상의 건축 등에 관련한 사전협의 대상이 되는
것은 건축기준법에 근거한 건축물이나 공작물, 옥외광고물
조례에 의해 신청이 필요한 광고물 그 외 어메니티형성에
크게 영향을 미치는 사항으로 구성된다.

표 7.1은 사전협의의 대상이 되는 건축행위의 내용을 정리한 것
인데 협의대상물의 규모는 구내의 지역을 막론하고 해당규모 이상
의 개발행위에 적용된다.

표 7.1 사전협의대상 건축행위

협 의 대 상	협 의 규 모
건축물 (건축기준법 제2조 제1항에 한정된 것)	• 총 바닥면적 상업지역 800m² 이상/그 외 지역 600m² 이상
공작물 1) 건축기준법 제88조에 규정된 것 2) 그 외 규정에 정해진 공작물	• 건축기준법 시행령 제138조에 정해진 규모
광고물 (설치/개조/이설/수선 등)	• 옥외광고물조례에 근거해 허가신청이 필요한 것
토지의 형질변경	• 면적 500m² 이상
그 외 어메니티형성에 크게 영향을 미치는 것	• 스트리트퍼니처 : 규모에 관계 없음 • 수목, 수림의 채벌 : 높이1.5m, 면적300m² 이상 • 토지구획정리사업/시가지재개발사업 • 도시계획법에 의한 500m² 이상 개발 행위 • 건축기준법 제42조에 의한 도로

(인용 : 일정규모 건축물 등 가이드라인)

② **조례의 적용상황**

표 7.2는 1993년에서 1995년까지 조례에 적용된 건축행위의 내용을 나타내고 있는데 연간 100건 이상이 적용되고 있음을 알 수 있다.

3년간 적용된 342건 가운데 건축물이 약 50%를 차지하고 그 외 옥외광고물이 약 30%가량 적용되어졌다. 여기서 적용된 건축물과 개발행위 186건(1993년 54건, 1994년 57건, 1995년 75건)에 대해 그 특성을 정리하면 다음과 같다.

표 7.2 건축행위별 적용상황 (1993-1995년)

	1993년	1994년	1995년	합계(건)
건 축 물	51	55	72	178
개발행위	3	2	3	8
광 고 물	34	32	44	110
그 외	12	17	17	46
합 계	100	106	136	342

* 그 외에는, 입체주차장, 裝飾燈 등이다.
** 1993년도는 1993년 7월 1일부터이다.

- 건축물의 용도(표 7.3) : 적용된 대부분의 건축물은 공동 주 택, 사무소+공동주택이 차지하고 있다. 이것은 지역특성을 반영하고 있는 것으로 지역의 재편이 공동주택을 중심으로 이루어지고 있음을 알 수 있다.

표 7.3 건축물 용도별 적용상황 (1993-1995년)

건축용도	공동주택 등				사무소 등			점포 등			주택등	학교등	그외	합계
	공동주택	공동주택+점포	공동주택+점포+사무소	공동주택+사무소	사무소	사무소+창고	사무소+박물관	점포	호텔(여관)	음식점				
건	100	15	6	10	16	3	1	4	5	1	5	12	8	186

* 그 외에는 노인정, 수도원, 客殿, 山門 등이 포함되어 있다.

- 건축물의 총 바닥면적 : 건축물 총 바닥면적의 경우 사전협 의의 대상은 600m² (상업지역 800m²) 이상인데, 적용된 건축 물은 1,000m² 미만의 규모가 약 30%, 1,000m²~2,000m² 미 만도 약 30%를 차지해 2,000m² 미만의 중·소규모 건축물이 전체의 70%를 차지하고 있다(표 7.4).

표 7.4 적용 건축물의 총 바닥면적 (1993-1995년)

바닥면적	1000m²미 만	1000m²~2000m²	2000m²~3000m²	3000m²~5000m²	5000m²이 상	불 명	합 계
건 수	59(32%)	63(34%)	24(13%)	19(10%)	17(9%)	4(2%)	186(100%)

- 협의 내용 및 협의기간 : 사전협의 과정에서 협의된 내용을 1993년에서 1995년까지 제출된 '제출서'에 근거해 주요 협의 내용을 정리하면, 저층부의 여유공간의 확보 / 연접부 및 주 차장 녹화 / 건축물의 외관(파사드) 및 색채 / 기존 수목의 유 지 등을 들 수 있다. 특히 건축물의 용도별 협의내용을 살펴 보면 공동주택은 '접도부(接道部)와 주차장의 녹화', '과도한 색채의 배제'가 많이 논의되었다. 또 사무소 건축의 경우 'setback에 의한 여유공간의 확보', '지역특성을 중시한 외관' 등이 주요 협의내용이다. 그림 7.3은 사전협의를 통해 형성된 가로경관의 실례를 보여주고 있다.

그림 7.3 조례의 적용 건축물 사례

한편 협의기간을 1993년과 1994년에 적용된 110건을 대상으로 정리한 것이 표 7.5이다. 평균협의기간은 약 4주를 소요하고 있지만 8주 이상의 협의기간도 약 15%를 차지하고 있다.

표 7.5 건축물에 대한 협의기간(1993~1994년)

기 간	2주일 미만	2주~4주일	4주일~8주일	8주일 이상	불 명	합 계
건 (%)	22 (20%)	35 (32%)	27 (24%)	17 (15%)	10 (9%)	111

③ 조례의 운용 프로세스

조례의 운용 프로세스는 민간 건축행위와 공공사업부문으로 나누어지는데 그림 7.4는 조례에 근거한 '사전협의 제도'의 운용 프로세스를 정리한 것이다. 계획의 조사, 기획단계에서 행정측과 민간(계획, 설계자)측이 최소한 2회 이상 사전협의가 이루어지도록 되어있는 것이 특징이다.

한편 공공시설의 경우 시가지 경관형성에 중요한 영향을 미치는 요소이기 때문에 토시마구에서는 별도의 '프로젝트 진행 가이드라인'을 마련하고 있다. 이는 공공시설의 디자인에 대해 기획단계에서부터 경관적 검토를 행하는 프로세스를 설정하고 있는 가이드 라인이다.

구(區) 공공시설정비에 있어 이러한 경관 컨트롤 프로세스를 지원하기 위해 '어메니티 형성 조정회의 설치요강'이 시행되었다.(1994년 9월30일) 또한 조정회의와 더불어 담당자가 참가하는 '담당직원회의'가 운용되고 있다. 이는 구 도시계획국 '어메니티 추진담당과'가 주도하여 관련 공공사업에 대해 담당부서 담당자의 경관형성 의식향상과 정보교환을 주요 목적으로 하고 있다.

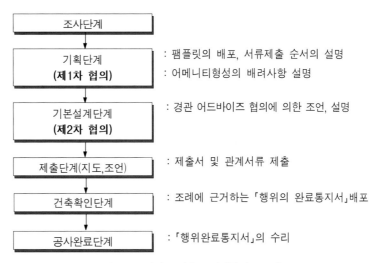

그림 7.4 토시미구 건축물 사전협의 프로세스

④ '경관 어드바이즈 제도'의 운용

가이드라인에 의해 경관 컨트롤을 행할 경우 특히 운용 프로세스에 중점을 둔 가이드라인의 운용에 있어서는 기준을 기계적으로 운용할 수는 없으며 상황에 따른 판단력이 중요하다. 따라서 행정만의 대응에는 한계가 있으며 외부의 전문가에 의한 조언(어드바이스)을 필요로 하게 된다. 이를 위해 도입한 것이 '경관 어드바이즈제도'이다.

경관 어드바이즈는 건축물 개개의 디자인보다는 시가지 경관과의 관계성을 중시하게 된다. 즉 시가지 경관의 개선을 계획자(설계사무소), 행정 담당자와 공동 작업으로 추진해 가는 역할을 담당하게 되는 것이다. 토시마구에서는 2명의 경관어드바이즈가 비상근(非常勤)직원으로 근무하며 어디까지나 행정 담당자에 대한 어드바이즈의 역할을 담당하고 있다. 따라서 설계자(계획자)와 직접 접하는 경우는 없다. 다만 구의 공공시설의 경우 어드바이즈가 직접 자문을 행하는 경우도 있다.(그림 7.5)

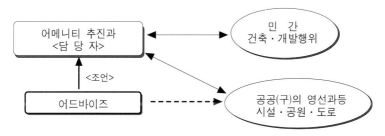

그림 7.5 토시마구 경관어드바이즈 위치

2. 신쥬쿠구(新宿區) 경관시책과 '경관조례'

2.1 경관기본계획 체계

신쥬쿠구는 1988년 '도시정비방침'을 책정했는데 도시정비방침은 6개의 부문별 정비방침[2]과 7개의 지역별정비방침으로 구성되어 있다. 부문별 정비방침의 하나가 '도시매력 만들기 방침'이며 이 방침에 근거해 3개년 계획으로 '신쥬쿠구 경관정비 기본계획'을 책정하게 되었다(1991년).

'경관정비기본계획'에 근거한 경관정비의 내용은 1) 시가지 어메니티 자원의 활용, 2) 시가지 골격과 특성의 활성화, 3) 공공공간의 경관 정비, 4) 시가지의 다양한 변화를 고려한 경관형성, 5) 경관 운

2) 6개의 부문별 정비방침은 토지이용방침, 도로 및 교통 정비방침, 도시방재방침, 공원 및 녹지 정비방침, 도시매력만들기 방침, 주택 및 주 환경 정비방침 등으로 구성된다.

동의 추진 등 5항목으로 요약된다.

또 이러한 5가지 항목을 구체화하는 기본계획의 항목으로는 1) 보전형 어메니티정비, 2) 창출형 어메니티정비, 3) 신쥬쿠역(新宿驛) 주변의 경관형성, 4) 구를 특징지우는 지역의 경관형성, 5) 경관선도 정비사업, 6) 건축계획의 경관유도, 7) 공공디자인에 대한 경관유도, 8) 지역별정비방침에 따른 지구별 경관형성, 9) 경관정비운동의 추진, 10) 경관모니터링 추진 등 10개의 항목을 제안하고 있다.

■ 신쥬쿠구 경관시책의 전개방법

경관기본계획의 이념을 구체적으로 실현하기 위해 계획내용을 체계화해 정리한 것이 '경관사업계획'이다. 경관정비계획에 근거한 경관시책의 전개방법에 대해 사업계획을 중심으로 정리하면 1) 어메니티 추진사업, 2) 지역개성화 모델사업, 3) 경관정비선도사업, 4) 경관사전체크사업, 5) 경관포럼사업으로 구성된다.

① 어메니티 정비사업

도로주변, 도로와 건축물과의 사이공간, 오픈스페이스(포켓공원)정비 등 생활공간 주변의 어메니티 공간을 정비하는 사업이다.

② 지역개성화 모델사업

특징 있는 지역, 구의 이미지를 향상시키는 지역을 구 전체의 중추적인 경관지구로 지정해 적극적으로 육성, 정비해 가는 사업이다. 각 지역마다 지역별정비계획이나 협의회, 경관협정 등의 계획시스템 도입을 통해 지역경관의 개성화를 추진하는 사업이다.

③ 경관정비 선도사업

도로나 공원, 공공건축물은 시가지경관에 미치는 영향이 크다. 따라서 공공시설 상호간에 연계성을 고려하면서 환경의 쾌적화를 추진하는 사업이다. 특히 공공싸인정비 등을 통해 시민들에게 알기 쉬운 도심경관의 창출에도 역점을 둔다.

④ **경관사전체크사업**

개개 건축물의 설계에 있어 시가지경관을 의식한 경관적 배려가 필요한데 이러한 관점에서 설계과정에 사업자나 설계자가 구와 협의를 통해 계획을 추진해 가는 제도이다. 특히 설계자가 계획이 완료되어 인허가심사를 제출하기 이전, 계획의 기획단계에서부터 스스로 시가지경관을 체크하고 그 결과에 근거해 사전협의가 이루어지도록 되어있는 것이 특징이다. 그림 7.6은 사전협의제도의 프로세스를 정리한 것이다. 또 사전협의 및 자기체크의 지침으로서 가이드라인이 준비되어 있는데,[3] 각 가이드라인은 경관을 규제하기 위한 도구라기보다는 경관예비조사를 통해 설계자가 자기체크를 하기 위한 지침으로 활용될 수 있도록 하고 있다.

그림 7.6 신쥬쿠구 사전협의체크 프로세스
(출전 : 신쥬쿠구 경관사전협의 메뉴얼)

⑤ **경관포럼사업**

경관포럼이란 경관계획에 대해 계몽 및 PR을 위한 사업이다. 즉 경관을 시민 모두가 만들어 간다는 취지에서 포럼이나 모니터링 등 일련의 사업을 추진하는 것을 말한다.[4]

2.2 '경관조례'의 구성과 운용

■ **'경관조례' 개요**

신쥬쿠구는 기본구상을 책정하고(1987년) 도시정비방침을 정리

---

3) 가이드라인은 구의 모든 건축과 환경정비 등을 대상으로 한 기본적인 가이드라인인 '공통설계 가이드라인'이 있고, 개별 가이드라인으로서 '대규모시설물의 조사·계획 가이드라인', '지역개성화를 위한 설계가이드라인', '도로·공원 등 설계 가이드라인', '지구별 정비·조사 가이드라인', '입체주차 가이드라인' 등이 있다.

4) 신쥬쿠구에서는 도시정비부 주최로 1998년 9월부터 1999년 3월까지 29회에 걸쳐 '신쥬쿠구 경관포럼'을 개최했다.

했는데 도시정비방침은 6개의 부문별정비방침과 7개의 지역별정
비방침으로 구성된다. 부문별정비방침 가운데 하나가 '매력적인
시가지 정비방침'인데 이 방침에 근거해 '경관정비기본계획'을 수립
하게 되었다.

또 경관기본계획을 추진하기 위해서는 시책추진의 체제를 확립
할 필요가 있는데 경관시책 추진을 위한 제도적 장치의 기초가 되
는 것으로 '경관조례'가 책정되었다(1992년). 그림 7.7은 경관조례
의 관련상위계획과의 관계를 정리한 것이다.

경관조례의 성격은 1) 구(區)가 경관시책을 선언하는 성격, 2) 경
관유도의 근거로서의 성격, 3) 구로서의 경관형성의 목표를 제시하
는 성격 등이다.

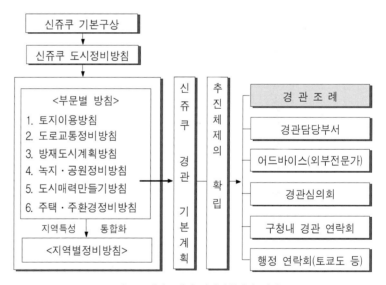

그림 7.7 경관조례의 상위계획과의 관계

■ '경관조례'의 운용

전술한 바와 같이 경관조례는 경관기본계획을 제도적으로 담보
하기 위한 수단으로 '경관사전협의제도'를 중심으로 운용된다.

① 사전협의제도의 대상

경관사전협의제도의 대상은 '건축물' 및 '공작물', '택지조성'

등이다. 협의의 대상이 되는 건축물은 규모에 따라 중고층 건축물과 대규모건축물로 구분된다(표 7.6).

- 건축물 : 건축물의 신축 / 증축 / 개축 / 대규모 수선 / 대규모 외관변경(색채, 재질) 등의 행위를 대상으로 한다. 대상건 축물의 규모는 용도지역에 따라 달리하고 있는데 구체적인 내용을 정리하면 표 7.6과 같다.
- 공작물 : 공작물의 신축 / 증축 / 개축 / 대규모 수선 / 대규모 외관변경(색채, 재질)을 행하는 것을 대상으로 한다. 대상 공작물의 규모는 건축기준법 시행령 제138조에 정한 공작 물로 한다.
- 택지조성, 토지의 형질변경 : 1,000m² 이상
- 공공기관에 의한 사업 : 건축물 건설 / 공작물 축조 / 공공시 설 정비 및 조사

표 7.6 경관사전협의 제도 대상건축물

건 축 물	용도지역	건축물 규모
중고층 건축물 (중고층 표식간판 설치 건축물)	제1종 주거전용지역	간(幹)높이 7m를 넘는 건축물 또는 지상 3층 이상의 건축물
	그 외 지역	높이 10m를 넘는 건축물
대규모건축물 등	상업지역	총 바닥면적 2,000m² 이상 건축물
	근린상업지역	총 바닥면적 1,500m² 이상 건축물
	그 외 지역	총 바닥면적 1,000m² 이상 건축물

② 운용 프로세스

경관사전협의는 사전협의의 대상이 되는 건축물을 크게 '중 고층 건축물'과 '대규모 건축물'로 나누어 진행한다. 운용 프 로세스 가운데 특히 특징적인 것은 사전협의 및 행위의 제 출 전 단계에 '자기체크의 실시'가 행해지도록 되어있는 것 이다. 이는 프로젝트의 조사, 기획단계에 설계자(계획자) 스 스로가 시가지 경관을 충분히 고려하도록 제도화되어 있다 는 것을 의미한다. 또한 사전협의의 지침이 되는 가이드라 인도 자기체크의 지침으로 활용되고 있다. 이것은 행정측의 일방적인 경관행정의 제도적 틀에서 탈피해 설계자(계획가)

가 계획의 초기단계에서부터 시가지 경관을 배려하도록 자기체크 단계에 역점을 두고 있다.

협의의 진행 프로세스는 중고층 건축물의 경우 구(區) 담당자가 설계자의 '자기체크' 결과에 근거하여 협의가 진행되는 반면 대규모 건축물의 경우 예비조사에 의한 '예비협의' 및 경관 어드바이즈, 구 담당자가 직접 설계자와 협의해 가는 '본협의'가 행해진다. 그림 7.8은 이러한 일련의 협의 프로세스를 정리한 것이다.

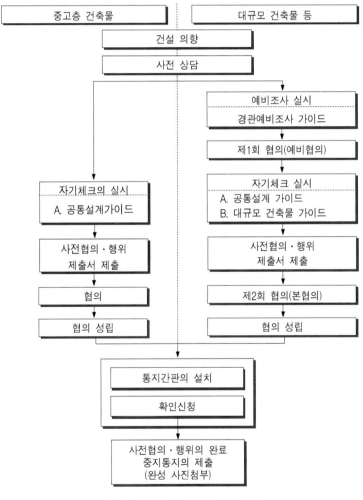

그림 7.8 신쥬쿠구 사전협의체크 프로세스
(출전 : 신쥬쿠구 경관 사전협의 메뉴얼)

③ 적용상황

조례가 책정, 실시된 1992년에서 1995년까지 4년간 적용된
건축물 등의 적용건수는 연간 약 200건으로 합계 797건에
이른다. 대부분의 건축물은 민간 건축물이며 그 중 대규모
건축물이 약 30% 정도를 차지하고 있다(표 7.7).

표 7.7 건축물의 적용상황 (1992-1995년)

연 도	1992년		1993년		1994년		1995년	
민간/공공	민 간	공 공	민 간	공 공	민 간	공 공	민 간	공 공
대규모건축물	51	12	38	10	46	15	60	9
중고층건축물	95	9	129	7	137	6	132	6
그 외(*)		2		9	1	10	7	6
小 計	146	23	167	26	184	31	199	21
합 계	169		193		215		220	

* 그 외에는 공원, 광장, 주차장, 광고탑, 안내판 등이 포함되어 있다.

여기서 적용된 797건에 대해 건축물의 특성을 정리하면 다음과
같다.

• 적용 건축물 등의 용도 : 조례가 적용된 건축물의 용도 및 규
  모별(대규모/중규모) 적용 건수를 살펴보면 중고층 건축물이
  전체의 약 70%를 차지하는 반면 건축물의 규모와 상관없이
  공동주택 등의 건축물이 전체 적용건수의 약 30%를 차지하
  고 있다. 또한 도심에 위치한 신쥬쿠구의 성격을 반영한 것
  으로 사무소, 주택, 점포 등의 용도 혼합 건축물이 많은 비율
  을 차지하고 있다.(표 7.8)

표 7.8 적용 건축물 등의 용도

년도	용도	공동주택 등			사무소 등			주택 등			학교 등						점포 등(*)	그 외(**)	합계
		공동주택	공동주택+점포	공동주택+사무소+점포	사무소	사무소+점포	사무소+주택	주택	주택+점포	주택+점포+사무소	기숙사	소방서	경찰서	학교·종교시설	지역센터	역사			
1992년도	대규모	13	4	8	10	3	0	0	0	10	6	0	0	0	0	0	0	9	63
	중고층	0	0	0	15	5	8	34	9	13	2	0	0	0	0	0	4	14	104
	그 외	0	0	0	0	0	0	0	0	0	0	0	0	0	0	0	0	2	2
1993년도	대규모	23	1	6	1	0	1	0	1	0	4	2	1	4	2	0	0	2	48
	중고층	35	0	0	10	5	24	17	16	10	0	0	0	0	0	0	0	19	136
	그 외	0	0	0	0	0	0	0	0	0	0	0	0	0	0	0	0	9	9
1994년도	대규모	28	2	4	4	0	0	0	0	0	4	0	0	4	1	2	2	10	61
	중고층	39	0	0	8	5	13	19	26	6	0	0	0	3	0	0	3	21	143
	그 외	0	0	0	0	0	0	0	0	0	0	0	0	0	0	0	0	11	11
1995년도	대규모	40	2	1	6	0	3	0	2	0	5	0	0	8	0	0	2	0	69
	중고층	51	16	0	14	2	14	17	0	6	1	0	0	5	0	0	0	12	138
	그 외	0	0	0	0	0	0	0	0	0	0	0	0	0	0	0	0	13	13
합계(1)		229	25	21	68	20	60	87	54	45	22	2	1	24	3	2	11	123	797
합계(2)		275			148			186			54						11	123	797

 * 점포 등에는 점포, 호텔 등 상업시설이 포함되어 있다.
** 그 외에 공원, 광장, 주차장, 도로, 광고탑, 안내판 등이 포함되어 있다.

• 건축물의 층수 : 적용된 건축물의 층수는 중층 건축물(4~6
층)의 비율이 전체의 약 50%를 차지하고 있다. 경관형성에
많은 영향을 줄 수 있는 10층 이상의 건축물도 전체의 약
10%를 차지하고 있다(표 7.9).

표 7.9 적용 건축물의 층수(1992-1995년)

	3층 이하	4층~6층 이 하	7층~9층 이 하	10층 이하	그 외	불 명	합 계
1992년	33	63	40	22	2	9	169
1993년	23	111	28	19	5	7	193
1994년	43	112	28	17	0	15	215
1995년	35	112	31	26	8	8	220
합 계	134	398	127	84	15	39	797

④ 사전협의 협의내용

경관사전협의 과정에 행정측과 설계자 및 경관어드바이즈
사이에 시가지경관 형성을 위해 어떠한 내용들이 논의되었
나를 1995년에 적용된 대규모건축물을 대상으로 조사했다.
제출서에 근거해 협의내용을 가이드라인의 항목[5]에 따라
건축물 용도별로 협의 내용을 정리하면 다음과 같다.
• 주요 협의내용은 대지주변의 녹화, 노출된 건축 설비기기의
은폐, 외벽의 재료, 마감 등이다.
• 건물 용도별 협의내용으로는 주택은 식재, 녹화, 설비기기
등이 많고, 사무소의 경우 저층부의 디자인 및 옥상부 처리,
학교 등에서는 주차장의 계획수법, 파사드의 디자인 등이 많
이 논의되었다.
• 간판류 등의 벽면광고물에 대한 논의가 거의 행해지지 않고
있는 반면, 옥상부의 설치기기, 광고탑 등의 디자인에 관한
논의의 빈도가 많이 차지하고 있다.
• 대규모건축물 1건당 협의항목은 평균 3~4항목이다.

5) 가이드라인의 항목은
'가로변'(가로변은 보행
자들에게 즐겁게 디자
인한다 등), '옥상'(옥상
의 어메니티화 등), '입
면'(장소의 특성을 살린
입면구성 등) 등 3개의
명확한 카테고리를 제
시하고 있다.

그림 7.9 경관조례가 적용된 건축물

⑤ 신쥬쿠구 '경관어드바이즈 제도'

신쥬쿠구 경관조례는 설계자의 자기책임에 의한 사전조사에 역점을 두고 있다. 이는 설계자가 항상 시가지경관 형성에 적극적으로 공헌할 의사를 가지고 있다는 것을 전제로 한다. '경관 어드바이스제도'도 이러한 관점에서 운용되고 설계자와 더불어 시가지 경관형성에 관한 논의가 행해지고 있다. 현재 2명의 경관 어드바이즈가 건축부문과 도시계획부문으로 나뉘어 매월 2~4회 출장형식으로 협의가 이루어진다. 이때 행정, 설계자, 경관어드바이즈가 하나가 되어 같이 협의를 진행해 간다.[6] 협의의 방법은 중고층 건축물의 경우 행정 담당자가 직접 가이드라인에 따라 협의를 행하게 되며 경관 어드바이즈는 대규모건축물 및 공공건축물의 협의에만 참가하게 된다.

6) 토시마구에서는 경관어드바이즈가 직접 계획자나 사업자와 협의하지 않는데 반해, 신쥬쿠구의 경우 직접 경관어드바이즈가 협의에 참여하고 있다. 이는 경관어드바이즈의 위상에 관련되는 문제이며 그 권한을 어디까지 인정할 것인가와 관련되는 문제이다. 즉, 토시마구의 경우 경관어드바이즈는 어디까지나 행정담당자에 대한 조언자인 것에 반해 신쥬쿠구에서는 계획자나 사업자에 대한 조언자 역할을 하고 있다.

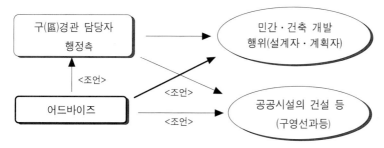

그림 7.10 신쥬쿠구 경관어드바이즈 위치

3. 소결

이상, 일본에 있어서 기성시가지를 대상으로 조례책정에 의한 경관 컨트롤 시책의 운용실태에 대해 도쿄도 구부(區部) 2개 지자체를 사례로 살펴보았다.

2개의 지자체에 있어 경관시책은 신규개발에 대한 '사전협의제도'를 큰 축으로 전개되고 있다. 이는 건축기준법 등 기존의 제도적 틀의 한계를 넘어 시가지 경관이라고 하는 경관컨트롤의 개념을 도입했다는 점, 또 행정담당자, 사업자(계획가 / 설계자), 경관어드바이즈 사이에 시가지 경관을 논의할 제도적 장치가 마련되었다는 점 등에서 일정한 평가를 할 수 있다.

토시마구가 일정규모 이상의 모든 개발행위를 대상으로 하고 있는데 반해, 신쥬쿠구의 경우 중규모건축물과 대규모건축물로 나누어 협의가 진행되고 있다. 특히 신쥬쿠구에서는 사전협의에 앞서 '자기 체크'를 실시하고 있다는데 이는 사업자(설계자) 스스로가 계획의 초기단계에 주변의 시가지 경관을 충분히 고려할 수 있도록 할 수 있다는 점에서 실효성 있는 방법으로 평가된다. 특히 사전협의의 내용으로 저층부의 디자인 방법, 주차장의 녹화, 건물의 파사드와 색채, 기존 수목의 유지, 옥상부의 디자인 방법 등 지금까지의 제도적 틀 속에서는 논의하지 않았던 내용에 대해 다루고 있는 것이 특징이다.

한편 조례라고 하는 지자체의 새로운 제도를 도입함으로써 기존의 건축확인 및 허가 행정, 지도요강 등 경관관련시책과의 조정 (구청내의 각 부서간의 조정, 신청서류의 간략화 등)을 행하지 않을 경우 사업자(신청자)는 2중3중의 행정절차를 거치게 될 가능성이 있다. 규제완화의 측면에서도 이러한 경관심의의 역기능을 충분히 고려해 행정수속절차의 문제에 충분히 배려할 필요가 있겠다.

사전협의 제도의 운용에 있어서는 제도운용을 담당하는 전문부서의 설치가 절대적인 조건이 된다고 할 수 있다. 새로운 제도의 도입에 의한 2중 3중의 중복적 행정대응을 개선하고 행정내부간에 조정기능을 확충하기 위해서도 경관전문부서에 의한 선도적인 역할이 필요하기 때문이다. 또 사전협의에 있어서 디자인 심사제도의 일환으로 외부 전문가인 경관어드바이즈가 참가하는 것은 유효한 방법이라 할 수 있다. 하지만 토시마구와 신쥬쿠구의 사례에서도 알 수 있듯이 경관어드바이즈를 둘러싼 역할, 위상, 참가형태 등에 관해 많은 논의의 여지가 있다. 예를 들면 신쥬쿠구에서는 경관어드바이즈가 직접 설계자와 협의를 하고 있지만 토시마구의 경우 경관어드바이즈는 어디까지나 행정담당자에게 조언하는 입장을 취하고 있다.

끝으로 현재의 조례제도에는 사전협의 단계에서 논의된 내용들이 실제로 어떻게 실현되었는가를 검증하는 프로세스가 마련되어 있지 않다. 현재의 건축확인제도와 연동해 경관시책을 확인, 검증하는 시스템의 구축이 필요하겠다. 나아가 경관의 문제가 일률적, 기계적으로 적용, 판단 될 수 없는 문제이기 때문에 디자인 심사를 행할 수 있는 '논의의 장'을 만들어 많은 논의를 통해 시가지 경관의 미래상을 형성해 가는 개방적이고 투명한 프로세스의 구축이 무엇보다 중요하다고 할 수 있겠다.

참 고 문 헌

1. 豊田區(1990) : "豊田區地區別整備方針"

2 豊田區(1992) : "豊田區アメニティ形成基本計劃"

3. 新宿區(1991) : "新宿區景觀基本計劃"

4. 新宿區(1990) : "新宿區のまちづくり'90–都市計劃とまちづくりの動き–"

5. 新宿區(1988–1993) : "新宿景觀フォーラム"1卷–5卷

6. 荒 秀編 : "基本計劃づくりから實際例まで", ぎょうせい

7. 安全于作(1990) : "都市景觀形成のための計劃構成と建築デザイン誘導に關する研究, 神戸大學博士論文

8. 赤琦弘平(1992) : "指導要綱に基づく都市景觀整備施策における指導と應答について"日本都市計劃學會學術研究論文集

9. 都市計劃(1995) : "特輯: 景觀研究と景觀創造", 日本都市計劃學會

제8장

일본 옥외광고물 규제시책

본 장에서는 우리와 유사한 제도적, 행정적 체계에서 옥외광고
물의 컨트롤이 행해지고 있는 일본 지자체의 광고경관시책의 최근
동향에 대해 살펴보기로 한다. 이러한 일본 지자체의 선진경험을
검토, 평가해 봄으로써 앞으로 전개될 혹은 현재 진행되고 있는 우
리 나라 지자체의 광고경관시책의 시사점을 정리해 보고 시책의
바람직한 방향을 제시하고자 하는 것이다.

일반적으로 일본 지자체의 광고경관시책에 관한 고찰을 행함에
있어서 일본 광고경관시책의 개략적 내용을 정리한 후 연구의 내
용은 다음의 2가지 영역으로 나누어 진행한다. 1) 일본의 '도도부
현(道都府懸)'으로 일컫는 '광역지자체'에 있어서의 광고경관시책,
2) '시정촌(市町村)', 자치구부(區部)의 '기초지자체' 광고경관시책
에 관한 내용이다. 즉 광고경관시책의 주체가 되는 행정의 단위(광
역지자체 / 기초지자체)에 따라 광고경관시책의 영역을 달리하고
있다. 특히 옥외광고물 컨트롤에 관해 책정된 규제기준을 운용하
기 위한 행정의 운용수법에 초점을 맞춰 실효성 있는 광고물 경관
규제수법에 대해 검토를 행한다.

1. 일본 광고경관시책 개요

일본 광고경관시책을 고찰하는데 있어 우선 광고경관시책이 어
떻게 전개되어져 왔으며 광고경관시책을 위한 제도적 장치의 기본
이 되는 '옥외광고물법'이 어떻게 구성되어 있는가에 대해 간략하
게 정리하고 아울러 광고경관을 둘러싼 행정의 최근 동향에 대해

서도 구체적인 사례를 통해 살펴보기로 한다.

1.1 일본 광고경관시책 약사(略史)

일본에 있어 옥외광고물 시책에 의한 종합적인 입법은 1911년 공포된 '광고물법'이다. 이 법률은 미관, 풍치, 위험뿐만 아니라 질서와 풍속의 견지에서 행정관청에 대해 강력한 단속권한을 부여하고 있다. 이후 1949년 현행의 옥외광고물법이 제정되었는데 새로운 옥외광고물법은 표현의 자유, 적정수속절차, 지방자치의 존중 등 법체계로서는 손색없는 내용이지만 실제적으로 규제강화의 통지(通知)가 내려진 것은 도쿄 올림픽 전후뿐이었다.

한편 1968년 최고재판소는 오오사카시(大阪市) 옥외광고물법 위반사건에 대해 교량, 전주 등에 부착한 광고물은 도시의 미관풍치를 해치는 것으로 규제의 대상이 되며 공공의 복지를 위해하는 표현의 자유에 대해 합리적인 제한이 가능하다는 판례가 나왔다. 또 1970년 최고재판소는 '경범죄법 1조 33호 광고부착금지'에 대해 '이 정도의 규제는 공공의 복지를 위해 표현의 자유를 합리적으로 제한할 수 있다'는 판단을 내렸다. 이 2개의 판례로 인해 경범죄 및 광고물법(조례)에 의한 포스터, 간판 등에 대한 규제가 한층 강화되었다.

1973년에는 옥외광고물업자의 신고제 및 강습회 개최가 의무 지워지고 광역지자체인 도도부현(道都府縣)의 지사가 옥외광고물업자에 대해 필요한 지도, 조언 및 권고를 할 수 있게 하는 등 대폭적인 법개정이 행해졌다. 이러한 규제의 강화는 광고업자뿐만 아니라 정치활동이나 표현의 자유에 관계되는 문제로 국회에서도 격렬한 논의가 이루어졌다. 그 결과 적용법상의 주의규정(제15조)이 신설되어 법 적용상의 충분한 주의를 환기시키고 있다.

최근 경관행정에 대한 관심의 증가와 더불어 각 도시의 경관조례 등에 있어 옥외광고물의 총량면적 및 높이, 지상에서의 높이 등 상세한 규정이 제시되고 있지만 옥외광고물의 많은 부분을 차지하는 자가용(自家用) 광고물이 표준조례에 있어 적용제외 되는 등 제도의 실효성에 많은 문제점을 가지고 있는 것 또한 현실이라 할 수 있다.

1.2 '옥외광고물법'의 개요

일본에서의 옥외광고물법은 옥외광고물에 의한 공공의 위해를 방지하고 미관풍치를 유지하기 위해 필요한 규제를 행하기 위해 1949년 제정되었다. 이 법의 기준에 근거한 구체적인 규제는 각 지자체(都道府縣 혹은 政令都市)의 실정에 따라 조례로 정하게 되어있다.

옥외광고물법의 주요내용을 정리하면 다음과 같다.

① 옥외광고물의 정의(법 제2조1항)
② 옥외광고물의 표시등의 제한 : 금지, 제한지역(법 제3조, 제4조1항, 제13조) / 금지, 제한물(법 제4조2항, 제13조) / 적용예외 광고물 / 허가기준
③ 조례위반에 관한 조치 : 조치명령 / 간이삭제
④ 옥외광고물업에 관한 규제, 유도

1.3 옥외광고물 규제의 최근동향

최근 일본에서는 광고경관을 둘러싼 행정측의 대응에 활발한 변화가 나타나고 있다. 우선 주도관청인 건설성(建設省)에서는 보다 포괄적인 경관행정의 범위 속에 옥외광고물 문제를 다루고 있다. 즉 1984년 건설성 직속의 자문기관인 '아름다운 국토건설을 생각하는 모임'을 발족시켰는데, 그 가운데 특히 지역경관형성의 시점에서 기업 광고물의 사회적 역할에 대해 논의하고 있다. 또한 1987년 '광고경관 포럼'이 건설성 도시국장의 자문기관으로 발족, 옥외광고물과 도시경관의 바람직한 모습에 대한 제안이 다음해 제출되었다.

1992년에는 옥외광고물의 색채, 의상, 소재 등에 관한 지식 및 기술의 심사증명사업인정규정(건설성 고시428호)에 근거하여 '옥외광고물사 제도'가 창설되게 되었다.

한편 많은 지자체에서도 옥외광고물조례나 경관조례의 제정, 광고경관 관련사업을 통해 보다 효율성 있는 옥외광고물의 규제, 유도책이 모색되고 있다.[1]

1) 예를 들면 1996년 쿄도시(京都市)에서는 종합적인 경관정비시책의 총정리판으로 '쿄도시 옥외광고물 등에 관한 조례'를 제정하고 있다.

2. 광역지자체에 있어 광고경관시책

2.1 광고경관시책 현황과 전개수법

도도부현(都道府縣)의 광역지자체에서는 옥외광고물법에 의한 조례의 책정을 통해 광고경관시책이 전개되고 있다. 그러나 이것은 지자체 전역을 대상으로 한 공통의 평균적 기준이며 광고경관 컨트롤에 있어 기본적인 규정 및 기준에 불과하다. 이러한 한계를 극복하기 위해 각 지자체에서는 조례에 광고경관의 정비, 형성을 위한 '광고경관형성지구'를 지정하도록 되어있다.

표 8.1은 광역지자체에 있어 옥외광고물조례의 규정을 통해 본 광고경관형성지구의 지정요건의 내용을 정리한 것인데 광고경관형성지구의 지정수속은 '현(縣) 주도형'이 대부분이다. 이는 지역주민의 발의에 의한 모델지구나 협의지구가 현실적으로 잘 실현되지 못하고 있다는 것을 의미한다. 또한 지역주민의 자율적인 참여를 전제로 한 '협정지구'의 지정이 가능한 지자체가 많지 않음을 알 수 있다. 특히 광고형성지구의 지정이 경관보존을 목적으로 한 지구가 대부분이다.

한편 시책의 원활한 추진을 위해서는 지구의 광고경관을 선도해 갈 수 있도록 옥외광고물의 신설이나 개선에 대해 보조나 지원을 해 나갈 필요가 있다. 그 방법으로는 1) 정한 보조금을 조성하는 방법, 2) 수한 광고물의 소개와 표창을 해 나가는 방법, 3) 디자인이나 기술적인 지원을 행하는 방법 등이 있다. 보조금을 지원하는 방법에도 행정측의 보조재원에 의한 방법과 조성기금의 설립에 의한 방법 등이 있다.

표 8.1 광역지자체 광고형성지구의 지정

道都府縣名		東京都	北海道	宮城縣	三重縣	宮 崎 縣		兵庫縣	新奈川縣	愛知縣
지구유형		협정 지구	모델 지구	모델 지구	모델 지구	모델 지구	협정 지구	모델 지구	모델 지구	모델 지구
경관형성에 관 한 대응방식	경관시책의 실 시		●			●			●	
	주민자주 방 식	●	●				●			
장 소 의 의 미 성	경관보존			●	●	●		●	●	
	중심상가					●				
지정수속	縣주도형		●	●	●	●		●	●	
	市町村형									
사업수법의 전개			○	○	●				●	

주) ○는 조례에서는 특별히 지정하고 있지 않지만 실제로 지정사례가 있는 지구

2.2 홋카이도(北海道) 광고경관시책

홋카이도 광고경관시책은 '광고경관지구'의 지정과 더불어 '옥외
광고물 지도원제도', '우량광고경관 형성 추진사업 보조금제도' 등
으로 구성된다.

■ '광고경관지구'의 지정

홋카이도에서는 조례 제7조21에 근거하여 광고물을 포함 지역
의 양호한 경관 보전, 형성이 필요한 지구에 대해 지사(知事)가 '광
고경관지구'를 지정할 수 있도록 하고 있다.

지구 지정의 대상은 1) 지자체에 의해 양호한 경관형성 혹은 환
경보전을 위한 시책이 강구되어 있는 구역, 2) 미관풍치의 유지, 향
상을 위해 주민이 자주적으로 협정을 체결하고 있는 구역 등을 대
상으로 하고 있다. 또한 지구지정은 '광고경관 우량지구'와 '광고경
관 장려지구'로 나뉜다. 1998년 현재 '우량지구' 2구역과 '장려지구'
2구역이 지정되어 있다.

■ 옥외광고물 지도원제도

광고경관 형성에 있어 옥외광고물에 관한 법령 등 이해하기 어려
운 점에 대해 기술적인 지원을 위해 광고경관의 경험이나 지식을 가

진 옥외광고물 지도원이 조원, 지도하는 제도이다. 주요활동으로는 옥외광고물조례, 시행규칙의 주지, 지도, 계몽활동 및 광고경관형성에 관련된 조언, 지도, 광고경관행정에 대해 의견의 제출 등이다.

■ 우량광고 경관형성 추진사업 보조금제도

① 제도의 목적

　　이 제도는 지역의 개성을 살린 경관을 창출해 가기 위해 자주적으로 지침을 설정하는 등 우수한 광고경관을 추진하고 있는 '광고경관장려지구'에 대해 보조를 행함으로써 '광고경관우량지구'로 승격시켜 우량지구의 지역확대를 도모하는 것을 목적으로 한다.

　　보조금 제도의 구성을 정리하면 그림 8.1과 같다.

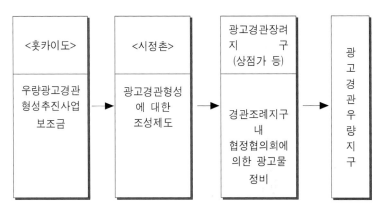

그림 8.1 '우량광고 경관형성 추진사업 보조금 제도'의 구성

② 보조대상자

　　시정촌(市町村)

③ 보조대상사업 및 보조경비

　　우수한 광고물을 정비하는 정비사업자에 대해 시정촌이 그 정비에 필요한 경비에 대해 보조하는 경우 이것을 보조대상사업으로 하고 그 때 필요한 경비를 보조대상경비로 한다.

④ 보조금액

도(道)의 보조금액은 시정촌 보조금의 1/2 이내에서 광고물
비용의 1/4 이내, 하나의 광고물에 대해 15만엔을 한도로
한다. 또한 보조대상지구에 대해 1차년도 내 150만엔을 한
도로 한다.

⑤ 사업 실적

전술한 바와 같이 이 제도는 장려지구에 대해 보조함으로써
장래 우량지구로 유도하기 위한 지구인데, 사업실적을 살펴
보면 대부분이 상점가를 대상으로 1994년 28건, 1995년 35
건, 1996년 31건으로 3년간 4개의 장려지구에 연간 보조 건
수는 약 30건 정도이다.(표 8.2)

표 8.2 우량광고 경관형성 추진사업 보조실적

광고경관 장려지구	실시년도	건수(건)
浦臼町 상점가	1994	20
	1995	10
	1996	11
美瑛町 중앙지구	1994	8
	1995	5
	1996	12
伊達市庇島大町상점가	1995	20
	1996	7
庇追町상점가	1996	8

(인용 : 홋카이도 도시계획과 내부자료)

이와 같이 홋카이도 광고경관시책은 광고경관우량지구와 광고경
관장려지구로 나누고 상점가를 대상으로 한 광고경관 장려지구에
대해 보조사업을 통해 광고우량지구로 승격, 확대시켜나감으로써
지구전체 광고경관의 질적 향상을 도모하고 있는 것이 특징이다.

2.3 미에현(三重縣) 광고경관시책

미에현 광고경관시책은 '옥외광고물연도경관지구'의 지정과 더
불어 '부적격광고물의 교체보조제도'등으로 구성된다.

■ 옥외광고물 연도경관지구제도

① 제도의 개요

미에현(三重縣) 옥외광고물조례에 근거해 주요간선도로의 연도, 역 광장 등을 통과하는 도로의 연도, 전통적 건조물 보존지구 내 주요도로의 연도 등의 지역 중 도로에서 100m 범위 내에서 지사가 정하는 일정한 구역을 '옥외광고물연도 경관지구'로 지정할 수 있다.

② 지구의 기준 및 지정상황

'옥외광고물연도경관지구'에 있어서 허가기준으로 미관풍치 유지기준과 행정의 지도기준이 되는 경관형성 지도기준 등이 마련되어 있다. 1998년 현재 2구역에 지구의 지정이 되어있다.

■ 부적격광고물의 교체 보조제도

'옥외광고물연도경관지구' 내에 기존의 부적격 옥외광고물을 당 지구의 기준에 맞게 조기에 철거 혹은 교체 수선하는 경우 이에 필요한 비용의 일부를 예산의 범위 내에서 보조하는 제도이다.

① 보조대상

보조의 대상은 광고주 혹은 광고주의 의뢰를 받은 광고업자가 된다.

② 보조의 요건 및 내용

보조의 요건은 일반적인 교체, 공동 집합화 한 교체, 철거 후 신설, 철거 등으로 나누어지는데 보조의 내용 또한 이러한 보조의 요건에 따라 설정되어 있다. 표 8.3은 부적격광고물에 대한 보조제도의 보조내용을 정리한 것인데 보조의 요건과 광고물의 규모에 따라 보조금액을 달리하고 있다.

표 8.3 부적격광고물에 대한 보조내용

보 조 요 건	광고물의 규모	보 조 금 액
일반적인 교체	5m² 이하	2만엔/1m²
	6m²~10m²까지	만엔/1m², 상한액 15만엔
공동으로 집합화한 교체	10m²까지	2만엔/1m², 상한액 20만엔
철거 후 신설	규모와 무관	5천엔/1m², 상한액 5만엔
철 거	10m²까지	3천엔/1m², 상한액 3만엔

(인용 : 미에현 옥외광고물 가이드북)

③ **보조 실적**

표 8.4는 이 제도가 실시된 1990년부터 1995년까지의 실적을 보여주고 있다. 6년간 총 828건에 대해 약 500만엔의 보조가 행해졌으며 보조의 대상으로 대부분이 '전주광고물의 색채변경'이 차지하고 있다.

이와 같이 미에현의 광고시책은 시가지의 주요간선도로 연도경관에 중점을 두고 있으며 특히 기존의 부적격광고물의 교체에 대해 보조사업을 통해 광고경관의 개선을 추구하고 있다는 점이 특징이다.

표 8.4 부적격광고물의 교체 보조제도 보조실적

년 도	보 조 내 용	건수(건)	보조액(엔)
1990	옥외간판의 교체	15	2,175,000
1991	전주광고물의 색채변경	228	667,100
1992	전주광고물의 색채변경	284	831,200
1993	해당사항 없음	0	0
1994	옥외간판의 교체	1	147,000
	전주광고물의 색채변경	264	772,000
1995	전주광고물의 색채변경	36	205,900
합 계		828	4,798,200

(인용 : 미에현 도시계획과 내부자료)

2.4 효고현(兵庫懸) 광고경관시책

효고현 광고경관시책으로는 '광고경관 모델지구'의 설정과 '경관
기금에 의한 보조제도'가 마련되어 있다.

■ 광고경관모델지구의 지정

효고현에서는 옥외광고물조례에 근거해 주요도로 연변/하천,
계곡, 산림 및 부근지역/역앞, 관공서 주변/도시경관형성지구/
리조트시설 정비구역/그 외 광고물과 지역환경과의 조화가 특별
히 필요한 지역을 '모델지구'로 지정해 광고경관형성기준을 설정
함과 동시에 광고물의 신설 및 개선에 대한 조성을 행한다. 1993년
제도가 신설된 이래 1998년 현재 6개의 지구가 지정되어 있다.

■ 경관기금에 의한 보조제도

경관기금에 의한 경관형성보조사업을 모델적으로 실시하는 제
도로 광고경관과 관련된 사업으로는 '싱글싸인 사업'(1990년 10월
개시)이 있다. 이 사업은 옥외광고물에 대한 관심을 높이고 광고
주, 광고업계 및 지역주민에 의한 자주적인 광고경관형성 활동에
일정한 보조를 행하는 제도이다.

① 보조의 내용

싱글싸인의 실시경비에 대해 조성율 1/4, 조성한도액 100만
엔에 한해 보조를 행한다. 단, 광고경관모델지구에 대해서
는 지구지정 후 5년간 한해 조성한도액 25만 엔으로 한다.

② 조성제도의 수속절차

조성제도의 운용은 (재)효고현 도시정비협회가 '경관형성
조성금교부요강'(1993년 12월6일 개정)에 근거 실시하고 있
다. 그림 8.2는 조성제도의 수속절차를 정리한 것이다.

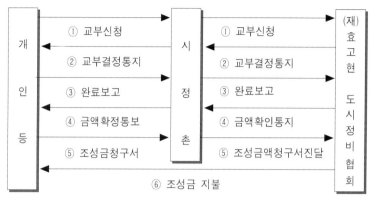

그림 8.2 보조제도의 수속절차

③ **조성 실적**

표 8.5는 싱글싸인 사업에 있어 사업이 실시된 1990년부터 1995년까지의 조성실적을 정리한 것인데 이 기간 중 9개의 기초지자체(市町村)에 대해 61건, 약 3백 6십만엔이 지원되었다. 한편 보조규정에 따라 조성율은 1/4(25%)이 한도이다.

표 8.5 싱글싸인사업 조성실적(1990-1995년)

기초지자체	적용건수(건)	조성액(엔)	교부대상사업비(엔)	조성율(%)
姫路市	2	200,000	2,667,700	7.5
伊勢市	3	221,000	1,382,731	16.0
龍野市	1	66,000	267,800	24.6
宝塚市	1	100,000	2,575,000	3.9
川西市	3	300,000	9,749,943	3.1
城崎町	9	403,000	1,679,394	24.0
日高町	2	497,000	2,109,440	23.6
出石町	5	329,000	1,331,736	24.7
律名市	35	1,517,000	6,277,650	24.2
합 계	61	3,633,000	28,021,394	13.0

(인용 : (재)효고현 도시정비협회 내부자료)

2.5 미야기현(宮城縣)의 광고경관시책

미야기현(宮城縣)에서는 광고경관과 관련된 시책으로 '모델지구' 설정과 '광고물어드바이즈 제도'가 운용되고 있다.

■ 광고물경관모델지구제도

미야기현(宮城縣)에서는 옥외광고물조례에 근거해 '광고물경관 모델지구'를 설정, 지역주민의 의견을 집약해 광고물에 관한 지침 제시 및 지도조언을 행한다. 모델지구의 지침에는 광고물 설치시 허가기준이 되는 '광고물미관유지기준'과 광고물 설치지도/유도 기준이 되는 '광고물경관형성기준' 등 2가지 기준이 있다.

한편 광고경관지침의 고려요소로는 광고물의 면적, 높이, 광고 물의 수, 종류, 색채, 조명, 디자인 등이 있다. 또 이러한 기준의 적 용에 있어 필요한 경우 '광고물 어드바이즈 제도'에 의해 어드바이 스가 행해지게 된다. 1993년 이 제도가 시행된 이래 1998년까지 3 개 구역에 모델지구가 지정되어 있다.

■ 광고물 어드바이즈 제도

이 제도는 옥외광고물제도를 적용해 양호한 경관형성을 도모하 기 위해 지사의 지도, 조언 및 권고를 행함에 있어 전문적인 관점 에서 의견을 듣기 위해 '광고물 어드바이즈 설치요강'(1995년 2월 13일 시행)이 제정되었다.

① 광고물 어드바이즈 임명과 임기

광고물 어드바이즈는 옥외광고물의 디자인, 색채 및 도시경 관 전반에 관해 전문적인 지식과 경험을 가진 자를 지사가 임명한다. 임기는 1년이며 재임 가능하다.

② 광고물 어드바이즈 업무내용 및 범위

광고물 어드바이즈의 업무는 모델지구 내의 광고물 설치에 대한 조언 및 지도, 광고업자의 광고물 디자인에 대한 어드 바이스, 일반시민, 광고주, 광고업자에 대한 광고물 및 경관 에 관한 의식향상을 위한 강연 등으로 요약된다.

③ 광고물 어드바이즈 활동실적

광고물 어드바이즈는 행정직 4급직(일반직 비상근직원)으로

현(縣)의 사무요망이 있을 때 현 청사로 내방하게 된다. 표 8.6은 이 제도가 실시된 1995년부터 1997년까지의 광고물 어드바이즈의 활동실적을 정리한 것인데 활동내용으로는 모델지구 관련상담, 강습회, 옥외광고물 콩쿠르 심사, 강연회 등이다.

표 8.6 광고물 어드바이즈 활동실적

활 동 시 기	관련 시역	활 동 내 용
1995. 2. 17		광고물 어드바이즈 취임
1995. 3. 7	古川市	모델지구 관련 상담회
1995. 3. 14	古川市	모델지구 관련 상담회
1995. 5. 17	塩釜市	모델지구 관련 강습회
1996. 1. 18	센다이市	옥외광고물 콩쿠르 심사
1996. 1. 24	小野田市	옥외광고물 담당자 회의 강연
1996. 2. 21	센다이市	옥외광고물 콩쿠르 표창식
1996. 3. 21	센다이市	우량광고물 사례집 조언
1996. 10. 23	센다이市	옥외광고물 담당자 회의 강연

(인용 : 미야기현 도시계획과 내부자료)

미야기 현의 경우 광고경관시책의 운용에 있어 광고물 어드바이즈제도를 도입해 지사의 자문역으로 모델지구의 광고경관에 관해 다양한 자문을 행하고 있다. 특히 광고물 어드바이즈는 직접적인 광고경관의 자문 이외에도 강연, 강습회 등 광고경관에 관련한 부수 활동을 실시하고 있다.

2.6 도쿄도(東京都) 광고경관시책

도쿄도의 경우 '옥외광고물조례'에 근거해 광고경관시책이 전개되고 있다.

■ 조례의 성격 및 특징

'도쿄도 옥외광고물조례'는 '옥외광고물법의 규정에 근거한 규제'와 '도민(都民)의 자주적인 규제'라는 2개의 성격을 가지고 있다.

1987년 개정된 조례의 특징으로는 1) 건축물마다 광고물 표시면 총량을 규제하고, 2) 지역관계자에 의한 광고협정지구의 지정이 가능하며, 3) 정기적인 점검보고, 입회검사가 의무화되었다. 또, 4) 제1종 및 제2종주거지역 내의 간판을 제한하게 되었다.

■ 조례에 의한 규제 시스템

조례에 근거한 옥외광고물의 규제는 광고물을 표시 혹은 설치할 때 지사의 허가를 필요로 하는 '허가수속제'를 기본으로 하고 있다. 또한 조례의 운용에 있어 도쿄도가 직접 허가업무에 관여하는 지역은 타마(多摩)지구의 일부 및 전주, 가로등, 자동차 등의 이용광고에 관한 내용이며 그 이외의 업무에 대해서는 1) 특별구(23구)는 구청장에게, 2) 시부(市部) 및 서타마(西多摩)지구, 군부(郡部)는 시장 및 건축지도 사무소장에, 3) 도서부(島瑞部)는 지청장에게 위임하고 있다.

한편 조례의 운용 프로세스는 우선 당해 광고물이 금지구역 및 금지물건인가를 검토하고 그 다음 적용제외물건인가 혹은 금지광고물인가, 규격기준에는 적합한가 등을 검토한 후 설치의 가부(可否)를 결정하게 된다.(그림 8.3)

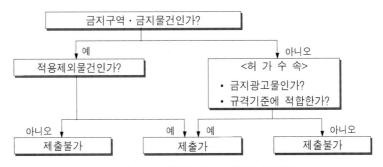

그림 8.3 '토쿄도 옥외광고물 조례'운용 프로세스

■ 조례의 적용상황

표 8.7은 1993년부터 1995년까지 각 담당부서(都/區/市)에서 허가한 내용을 정리한 것인데, 이 기간 중 허가건수는 약 7천~8천 건에 이르고 있으며 그 중 특별구(23구)가 약 80%를 차지하고 있다. 적용된 광고물의 유형을 1995년 적용된 7,227건에 대해 살펴보면 광고판(68%) 및 광고탑(21%)이 전체의 약 90%를 차지하고 있다.

표 8.7 옥외광고물의 허가실적 상황(1993~1995년)

	도(都)			특 별 구			시			합 계		
	1993	1994	1995	1993	1994	1995	1993	1994	1995	1993	1994	1995
광 고 탑	336	320	285	1388	1655	1246	1	4	1	1725	1979	1532
광 고 판	708	984	875	3779	4165	3799	203	271	271	4690	5420	4943
소형광고판	7	12	10	57	76	58	0	0	0	65	88	68
광고전단	0	0	0	7	2	1	9	5	4	16	7	5
입 간 판	0	0	0	29	3	1	32	36	46	61	39	47
전주이용 간 판	6	5	4	74	69	72	0	0	0	79	74	76
표식이용 간 판	5	3	5	78	65	67	0	0	0	83	68	72
선 전 차	1	3	2	7	3	5	0	0	0	8	6	7
버 스, 전차이용광고	7	6	8	37	36	36	0	0	0	44	42	44
상기이외 차체이용간판	1	1	1	25	31	31	0	0	0	26	32	32
에드벨런	0	0	0	38	8	4	17	16	8	55	24	12
광 고 막	0	0	0	364	274	279	95	66	53	459	340	332
아 치	4	1	5	26	30	17	0	0	0	30	31	32
장식가로등	0	0	0	2	4	3	0	0	0	2	4	3
점포장식	0	2	0	15	16	30	0	0	0	15	18	32
소 계	1075	1337	1195	5926	6437	5649	357	398	383	7358	8172	7227
합 계	3,607			18,012			1,138			22,757		
비 율	16%			79%			5%			100%		

(출전 : 도쿄도 도시계획국 건축지도부관리계 내부자료)

■ '광고협정지구'의 지정 및 운용

① 협정지구지정의 목적

옥외광고물 규제는 옥외광고물에 대한 최소한의 기준을 정해 놓은 것으로 보다 매력적인 도시경관의 창출을 위해서는 지역의 실정에 맞게 주민, 광고주, 광고업자 등이 자주적으로 광고경관형성에 참여해 나가야 한다.

광고협정지구제도는 이러한 자주적인 규제에 관한 협정에 대해, 지사가 광고협정지구를 지정함으로서 협정의 위치설정을 명확히 하고 보다 폭넓게 지역관계자들이 자주적으로 광고경관형성을 촉진할 수 있도록 한 것이다.

한편으로는 광고물의 규제에 있어 표현의 자유 등의 문제 등으로 공적인 수단에 의한 규제수법으로 조례의 규제목적을 달성하는데는 한계가 있어 자주관리에 의한 보다 상세한 규제내용(형상, 색채, 설치장소 등)을 유도하는 것을 염두에 둔 제도이다.

② 협정의 체결자

협정구역내의 토지, 건축물, 공작물, 광고물 등의 소유자 또는 이들을 사용하는 권리를 가진 자

③ 협정사항

협정구역내의 광고물 등의 형상, 면적, 색채, 의장, 그외 표시방법에 관한 사항

④ 협정지구 지정상황

1995년 11월 '임해부도심 광고협정지구'가 지정되었다.

■ 임해부도심 광고협정지구

임해부도심은 동경만에 위치한 신도시로 신도시개발의 초기단계부터 광고경관시책에 관한 체계적인 광고물 관리를 위해 협정지구를 지정하게 되었다.(그림 8.4 및 8.5) 광고협정지구의 구역은 사업지역 등의 '광고유도지구'와 주택, 문교지구의 '광고제한지구'로 나누어 특히 자가용(自家用) 광고물의 총 표시면적, 광고물의 형태 등에 관한 규정이 설정되어 있다.

① 광고물게제의 기본적인 내용

광고협정지구에 있어 게제광고물은 게제가능광고물과 일시적광고물로 나누어진다.

게제가능한 광고물의 하나인 자가용광고물에 대해서는 옥외광고물조례에서 인정되는 크기보다 훨씬 엄격하게 제한하고 개체형태도 한정된다. 일반적으로 인정되고 있는 부지

외에 돌출한 광고물 / 횡단현수막 / 점광싸인 등이 금지된다.
또 일반적인 광고물에 대해서는 철거가 용이한 것이라면
연간 60일 이내에 한해 개제가능하다. 다만 횡단현수막은
개제할 수 없다.

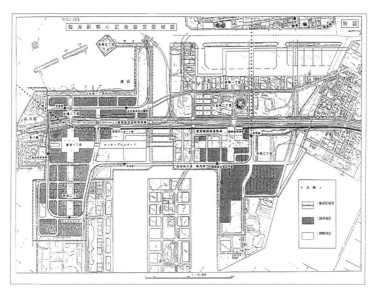

그림 8.4 임해부도심 광고협정지구 구역도

그림 8.5 임해부도심 전경

② 개제 가능한 광고물 형태 기준

표 8.8은 광고협정지구 내에 개제 가능한 광고물의 내용을
정리한 것인데 주요내용은 옥외광고물조례 및 조례규칙에

근거하고 있다. 특히 자가용광고물의 경우 총표시면적, 형
태 등의 제한, 1차적인 광고물의 취급 등에 관한 규정이 마
련되어 있다.

표 8.8 광고협정지구에 있어 개제가능광고물의 내용

광고물 종류	옥외광고물조례	내용
공용·공익적 광고물	5조 1호	다른 법령에 근거한 것.
	5조 2호	국가 혹은 공공단체가 공용 목적으로 표시하는 것.
	5조 3호	공익을 목적으로 한 집회, 행사 등을 위해 표시하는 것으로 종이전단지, 입간판, 광고막 및 에드벨런.
	5조 4호	공익상 필요한 시설 혹은 물건에 기부자의 이름을 표시한 것.
	5조3의 2호	도로표식, 안내판 등의 광고물 등 공용목적을 가진 광고판
관 리 용	5조 6호	자기가 관리하는 토지 혹은 물건에 관리자가 관리상 필요한 사항을 표시하는 것.
제 례 용	5조 7호	관혼상제, 제례 등을 위해 표시하는 것.
이동광고물	5조2의 2호	전차 혹은 자동차 차체에 표시하는 것.
	5조2의 3호	사람, 동물, 차량, 선박 등에 표시하는 것.
행 사 용	5조2의 1호	강연회, 전시회, 음악회 등을 위해 표시하는 것.
비영리광고물	5조5	전주, 가로등 등을 이용해 표시하는 광고물로 공용이용을 목적으로 하는 것.
자가용광고물 .	5조5의 수정	자기의 이름, 명칭, 점포명, 상표 혹은 자기 사업이나 영업의 내용을 표시하기 위해 자기 주소, 영업소, 작업장을 표시하는 것. (1) 총표시면적의 제한 : 유도지구(부지면적의 1% 이내), 제한지구(1동 건물당 50m² 이내) (2) 형태 등의 제한 : 부지외 돌출, 횡단현수막, 옥상설치광고물, 건축물에서의 돌출, 적색광, 네온싸인 등 (3) 1차적 광고물

③ 협정지구의 운용

광고협정지구 내에 있어서 광고물의 설치허가 프로세스는
10m²이내의 옥외광고물과 10m²를 넘는 옥외광고물로 나뉘
어 협의가 진행된다. 10m²이내의 경우 '협정위원회'에 의해
심사승인 되지만, 10m²를 넘는 경우 '협정위원회' 신청이전
에 구 토목부의 허가가 필요하도록 되어 있다.

협정위원회 심사의 창구는 도쿄도 항만국이며 광고물 개제
자는 협정자(건물소유자 등)와의 협의 후 7명으로 구성된
위원회에 심사를 청구한다. 위원회 심사 후 구 토목부에 서

면으로 적합여부의 통지를 송부하고 협정자에게 승인서를
교부하면 구 토목부는 제출자에게 최종승인을 내리게 된다.
그림 8.5는 협정지구에서의 일련의 심사프로세스를 정리한
것이다.

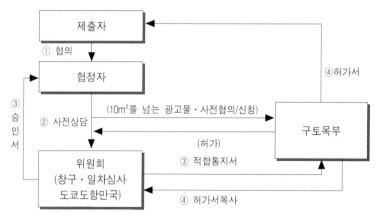

그림 8.6 '임해부도심 광고협정지구'의 옥외광고물심사 프로세스

④ 적용상황

한편 표 8.9는 광고협정지구가 지정, 실시된 이래 1996년까
지 약 1년간 적용된 광고물의 상황을 보여주고 있는데 적용
건수는 9개의 설치자에 의해 51건의 광고물이 설치되었다.
전체의 약 60%(29건)가 벽면광고물이며 규모면에서는
$20m^2$ 미만의 광고물이 80%를 차지하고 있다. 이는 총 표시
면적에 대한 규제가 반영되고 있음을 보여주고 있다고 할
수 있다.

표 8.9 광고협정지구의 적용광고물 유형(1996년)

종 류	벽면간판	옥상간판	입 간 판	모뉴멘탈싸인	안내싸인	합 계
건수(건)	29	3	15	2	2	51

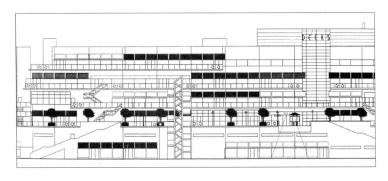

그림 8.7 광고협정지구에서의 규제된 옥외광고물

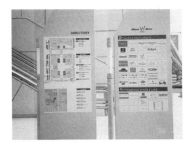

그림 8.8 광고협정지구에서의 공공싸인

3. 시정촌(市町村) 광고경관시책

시정촌의 기초지자체는 광역지자체(都道府縣)의 옥외광고물 조
례를 실제적으로 운용하는 역할을 하고 있다. 또 옥외광고물조례에
근거해 지자체의 필요에 따라 특별지구를 설정해 광고경관을 컨트

롤하게 된다. 여기서는 3곳의 기초지자체 사례를 통해 광고경관시
책의 운용실태를 살펴보기로 한다.

3.1 가와사키시(川埼市) 광고경관 컨트롤

   카와사키시 광고경관컨트롤 시책은 '카와사키시 광고물조례'와
더불어 '중점지구'에 있어 시의 '행정지도'에 의해 전개되고 있다.
광고경관형성을 위한 중점지구로서는 '도시디자인지구'와 '신유리
가오카(新百合丘)역앞 주변지구'가 설정되어 있는데 여기서는 신
유리가오카(新百合丘) 지구를 대상으로 살펴보기로 한다.

   이 지구는 지구마스터플랜에 근거해 토지기반정비에서 건축물
의 건설까지 일체적으로 계획유도를 행하고 있다. 그 가운데 '옥외
광고물의 설치기준'이 마련되어 있는데, 이 기준에 근거한 광고물
컨트롤은 지구를 4개의 구역(area)으로 나누어 구역별로 지침이
설정되어 있다.(그림 8.9) 지침의 주요내용으로는 광고물설치 금지
항목(입간판, 아치광고물, 깃발광고물 등) 및 설치규모, 광고물색
채와 채도에 관한 규정이 기술되어 있다.(표 8.10)

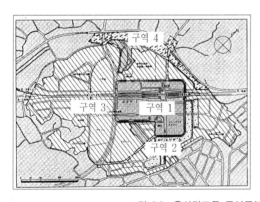 

그림 8.9 옥외광고물 구역구분도 및 신유리가오카 역앞 전경

표 8.10 신유리가오카(新百合丘)역앞 주변지구 옥외광고물 설치기준

광고물의 종류	설치기준의 내용
옥상이용광고물	구역1에서 구역4까지 금지.
벽면이용광고물	– 자가광고물에 한함. – 색채 : 3색 이내 한정 – 채도 : 건축물의 3층 이상 높이에 설치하는 광고물에는 맨셀색채도에서 정하는 최고색도의 1/3 이하, 2층 이하 높이에 설치하는 싸인의 채도는 자유로 함. – 면적 : 구역1에서는 1면당 20m²～60m² 이내, 2, 3, 4구역에서는 1면당 5～15m² 이내.
유리면이용 광고물	– 유리면에 직접 부착금지. – 광고는 내부에 설치. – 면적 : 점포 등의 임대면적의 50% 이내(단 1층은 제외)
돌출광고물	– 공도(公道)상은 금지. 다만, 지구계획에서 '벽면의 위치제한'이 없는 지구에서는 공도상공에 설치 가능. – 구역1에서는 전면 금지. 구역2, 3, 4에서는 높이 90cm, 돌출폭 90cm 이내. 다만, 보도 위 2.5m, 차도 위 4.5m의 공간확보가 필요.
고정식광고물	– 공도상은 전면 금지. – 공개공지 혹은 부지내 설치하는 경우는 다음의 타입 중 하나를 선택. • 구역 1 : (타입A) 높이 4.5m, 폭 1.2m 이내, (타입B) 높이 2.5m, 폭 4.0m 이내 • 구역 2, 3 : (타입A) 높이 4.5m, 폭 1.2m 이내, (타입B) 높이 2.5m, 폭 2.0m 이내 • 구역 4 : 높이 9.0m, 폭 3.0m 이내 – 수량 : 원칙적으로 1대지당 1개소로 함.
이동식광고물	– 공도상은 전면 금지 – 공개공지 혹은 대지내 설치하는 경우는 다음과 같다. • 구역1에서 4까지 높이 1.2m, 폭 90cm 이내
입 간 판	– 공도상이나 공용시설, 설비등(가로등, 방범등, 식재, 담장등)에는 전면 설치금지. – 대지내 설치하는 경우는 주변상업시설이나 주환경 등과의 조화를 고려.
전주이용광고물	– 기업상업광고는 전면금지.
아치광고물	– 상점번영회에서 설치하는 경우에 한함. – 설치에 있어서는 가로경관의 활성화 및 주변환경과의 조화를 최대한 고려. – 설계 및 계획시 지역협의회와의 협의를 거쳐 디자인을 결정한다.
그 외 광고물	– 다음의 광고물은 전면 금지. • 공공시설, 설비에의 설치(가로등, 방범등, 소화전 지주, 가드레일 등) • 현수막, 기업광고물 • 과도한 조명설비의 설치 • 공도상의 자판기 설치 • 공공싸인 : 행정기관 등 공공 정보기능을 가지는 싸인은 상기 설치기준에서 제외.

(인용 : 가와사키신도심 신유리가오카(新百合丘)역 앞 주변지구 건설 마스터플랜)

행정지도에 의한 마스터플랜의 운용은 '사전협의제도'에 의해 행해진다. 사전협의에는 시의 4개 관련부서가 참여하게 되는데 도

시계획과가 토지이용계획의 협의를, 공원녹지과가 식재계획을, 경
관디자인과가 색채계획을, 도로과(路政課)가 옥외광고물을 담당하
게 된다. 시 도시계획과가 전체를 총괄하는 창구역할을 담당하고
전체를 조정하게 된다. 사업주(계획설계자)는 이러한 사업협의가
종료하고 각 담당부서로부터 승인통지서가 발급된 이후 건축허가
신청을 제출하도록 되어 있다. 그림 8.10 은 이러한 일련의 사전협
의 프로세스를 정리한 것이다.

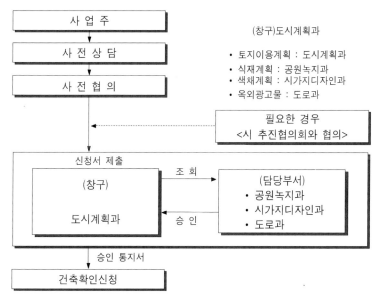

그림 8.10 가와사키시 건축·옥외광고물 사전협의 프로세스

우선 사업주가 시 도시계획과에 사전상담을 통해 사전협의를 신
청하게 되면 각 계획담당부서에서 계획내용을 검토해 도시계획과
에 승인여부를 통보하게 된다. 사업주는 이러한 일련의 사전협의
를 거친 후 건축확인신청을 제출하도록 되어있는 것이 특징이다.

이처럼 가와사키시에서는 '중점지구'를 설정하여 지구 마스터플
랜에 근거해 건축 및 옥외광고물을 구체적으로 규제하고 있다. 특
히 '중점지구'를 구역별로 구분해 명확한 옥외광고물 설치기준을
마련하고 있다.

3.2 토시마구(豊田區) 광고경관 컨트롤

제7장에서 살펴본 바와 같이 도쿄도 토시마구에서는 시가지경관을 컨트롤하기 위해 '어메니티 형성조례'가 책정, 운용되고 있다. 옥외광고물의 컨트롤 또한 이 조례에 근거해 이루어지면서 '도쿄도 옥외광고물조례'도 아울러 적용되어지고 있다.

'어메니티 형성조례'에서는 일정규모 이상의 건축 등에 관해 사전협의제도가 운용되고 있는데 옥외광고물의 규제기준은 옥외광고물법 및 도쿄도 옥외광고물조례의 기준에 근거한다.[2]

이 조례에 근거해 적용된 옥외광고물은 1993년에서 1995년에 걸쳐 3년간 110건에 이른다. 그 내용을 살펴보면 광고물의 종류는 광고탑이 19건, 옥상간판이 21건으로 많은 부분을 차지하고 있다.(표 8.11). 적용광고물의 규모는 $10\sim30m^2$가 전체의 약 반(45%)을 차지하고 있다.

표 8.11 적용 광고물의 종류(1993~1995년)

종 류	광고탑	옥 상 간 판	돌 출 간 판	깃 발 간 판	점 포 간 판	광고탑	그 외	합 계
건 수	19	21	13	19	2	28	8	110

(출전 : 토시마구 어메니티추진과 내부자료)

조례에 의한 광고경관시책의 운용은 어메니티 담당과 중심으로 사전협의에 의해 진행되는데 주로 광고물의 색채가 컨트롤의 대상이 된다. 한편 토시마구에서는 이 조례 이외에도 '도쿄도 옥외광고물조례'의 운용을 담당하는 토목부 감찰과(監察課)가 광고물의 총량규제를 담당하게 되고 공작물로서의 확인신청에 의한 허가업무는 건축과(建築課)가 업무를 담당하고 있다.

토시마구의 경우 기존의 '도쿄도 옥외광고물조례'의 업무, 건축확인심사 인허가 업무에 더해 자치구 조례에 의한 광고경관시책이 부가되고 있다. 또 각 부서간 연계시스템이 체계적이지 못해 효율적인 행정체계를 갖추고 있다고는 할 수 없다. 하지만 지금까지 광고물의 양(量)적 사항 및 구조적 안정성에 대해서만 행정적 검토가

2) 토시마구의 어메니티 형성조례에서는 구의 지구별 특성을 고려한 옥외광고물의 컨트롤을 위한 별도의 기준이나 가이드라인을 설정하고 있지 않다.

이루어져 왔으나 어메니티 형성조례의 시행으로 질(質)적인 항목 (색채 등)에 대해서도 검토가 이루어지게 되었다는 점은 일정한 평가를 내릴 수 있다.

3.3 요코하마시 광고경관시책

요코하마시 광고경관시책은 전역에 걸쳐 '요코하마시 옥외광고물조례'를 기본으로 하면서 도시디자인 중점지구를 1) 시가지 경관협의지구, 2) 지구계획제도 지구, 3) 시가지경관 협정지구로 구분해 도시디자인시책의 일환으로 전개되고 있다. 즉 별도의 광고경관시책 보다는 전역에 걸쳐 중점지구를 지구의 성격(특성)에 따라 구분해 도시디자인시책을 전개하고 있는데 그 가운데 광고경관시책이 포함되어 있다.

■ 시가지경관 협의지구

이 지구는 '시가지경관 협의요강'에 근거해 역주변의 상업, 업무지구나 계획적 개발지구 등을 '시가지협의지구'로 지정해 시민과 기업 등의 협의를 통해 보다 안전하고 쾌적한 시가지형성을 목표로 하고 있다. 1998년 현재 39지구가 지정되어 있는데 이 협의지구는 그 대응방식에 따라 크게 3가지 성격의 지구로 분류할 수 있다. 첫째 상점가지구 등에 있어 주민의 '자주관리'를 촉진하는 지구, 둘째 구획정리사업, 재개발지구 등 '사업적 수법'에 의한 대응을 전제로 하는 지구 세 번째로 지구계획제도 등 '제도적 수법'에 의해 대응하는 지구 등이다. 지정된 39개의 지구 가운데 29지구가 자주관리지구이다.

한편 '시가지경관 협의요강' 제6조(지구별 시가지협의지침)에서는 건물이나 대지의 공동화, 건축물의 벽면, 담장 등의 후퇴, 건물용도, 주차장설치 등 다양한 시가지경관 관련 요소에 관한 협의지침을 설정하고 있는데 그 가운데 광고물경관에 관한 지침도 아울러 설정되어 있다. 예를 들면 표 8.12는 요코하마시의 대표적인 3곳의 협의지구에 있어 광고경관정비에 관한 지침의 내용을 정리한

것인데 그 내용을 살펴보면 각 지구의 특성에 맞춰 광고물의 규모,
색, 설치장소, 설치할 수 있는 광고물의 수, 디자인 등 다양한 항목
에 대해 광고물의 종류별로 그 정비지침을 설정하고 있다.

표 8.12 시가지협의지구 광고경관정비지침

지 구 명	정 비 방 침	광고물 종류	정비지침의 내용
元町地區	패션, 문화의 거리에 어울리는 개성있는 파사드를 살리기 위해 간판, 옥외 광고물 등을 가능한 한 작게한다. 기존 광고물도 개수할 경우 이 지침에 따르도록 한다.	돌출간판	• 개성적인 간판을 설치하고 지상에서의 높이를 3.5m 이상, 건물에서의 돌출을 도로점용 1m 이내로 상하크기는 4m 이내로 한다.
		벽면간판	• 건물 파사드의 개성을 중시하고 각 점포의 구성을 살리도록 한다.
		옥상간판	• 가능한 한 피하도록 한다.
		텐트/차양 간판	• 건물 파사드의 개성을 중시하고 각 점포의 구성을 살리도록 한다.
		이동간판	• 보도상의 설치를 금지한다.
驛馬車 地區	이 지구의 붉은 벽돌 포장, 스트리트 퍼니쳐, 가스가로등 등의 정비를 통한 지구정비의 이미지를 살릴 수 있는 광고물설치를 행한다.	스탠드형 이동간판	• 크기는 50cm*50cm*130cm로 한다. 색채는 광고면은 자유지만 광고테두리는 녹색으로 한다. 광고면 하부에는 "驛馬車"라는 문자를 옆으로 새겨 넣는다. 벽면후퇴 한 부지에서만 설치할 수 있고 점포 등의 숫자만큼 설치 가능하다.
		벽면돌출간판	• 역마차가로 1건물 당 1개 설치가능. 지상 6.5m 이상의 높이까지 설치가능하고 광고면 하부에 "驛馬車"마크를 새겨넣는다.
		1,2층 후퇴부 돌출간판	• 크기는 50*50cm 이내로 한다. 설치숫자는 점포수만큼 설치 가능하다.
		벽면판넬간판	• 2층 이하는 자유지만 3층 이상은 건물, 점토 등의 명칭에 한해서 가능하다. 1건물, 1점포 당 1개의 설치가 가능하다.
山下公園 주변지구	山下公園주변지구에 면하는 가구 일대는 역사적으로 요코하마의 얼굴이 되는 중요한 지구이며, 이 지구의 시가지 환경 보전, 정비, 각 건축물, 광고물의 정비를 통한 매력적인 시가지정비를 행한다.	독립간판	• 광고물개제의 독립공작물을 만들어 개제한다. 지상에 설치하는 것은 높이 5m 이하로 한다. 옥상에는 설치하지 않도록 한다.
		벽 간 판	• 지상에서 광고물 상단까지의 높이는 15m 이하로 한다. 단 건축물 명칭을 단색문자로 개시하는 것으로 건축물 광고물 총면적 10m^2 이하의 것은 이 규정에서 제외된다.
		창문 내면간판	• 실내에 설치해 유리면을 통해 개시되는 광고물은 설치가능하나 창문면에 설치하는 것은 금지한다.

(출전 : 각 지구 시가지협의지침에서 발췌, 정리)

■ 지구계획제도 지구

1998년 현재 요코하마시에서 지구계획제도가 지정된 곳은 41개 지구이다. 지구계획의 '지구정비계획'의 항목 가운데 광고물의 형태, 의장에 대한 규제조항이 포함되어 있다.

41개 지구 가운데 광고물규제에 관한 내용을 포함하는 지구가 21개 지구인데 그 내용을 살펴보면 자극적인 색채나 장식의 제한(7지구), 주변과의 조화(15지구)이며 광고물 설치방법에 대한 규정을 포함하는 지구는 독립광고물의 설치를 제한하는 지구(5지구), 옥외광고물의 설치를 제한하는 지구(16지구), 도로상공 옥외광고물의 설치를 제한하는 지구(1지구)이다.

■ 시가지경관 협정지구

코후쿠(港北)뉴타운 근린상업센터지구를 대상으로 1998년 현재 5지구에 협정지구가 설치되어 있다. 협정지구에는 '협정 가이드라인'을 설정하고 있는데 그 가운데 광고경관정비에 관한 상세한 지침이 규정되어 있다.

표 8.13은 5곳 협정지구의 광고경관정비지침을 정리한 것인데 이 지침의 특징을 살펴보면 우선 각 지구별로 목표로 하는 시가지의 장래상(將來像)을 명확히 하고 광고물도 그에 따라 규제기준이 규정되어 있다는 점, 모든 지구에서 옥상간판을 금지하고 있다는 점, 수치에 의한 설치위치, 규모, 색채 등의 규정뿐만 아니라 점포의 업종 등의 특성에 따른 시가지의 연출이 가능하도록, 광고물의 표현, 연출의 기준이 설정되어 있다는 점 등을 들 수 있다.(그림 8.12)

한편 '시가지경관협정'의 운용 프로세스를 살펴보면 3단계의 수속절차로 나누어지는데 광고경관 컨트롤의 협의는 제1단계의 운용위원회에 의한 사전상담, 조정단계에서 주로 다루어진다. 그 프로세스는 사업자는 건물의 설계에 앞서 가능한 한 빠른 시간에 계획요강을 '협정운영위원회'에 설명하도록 하고 운영위원회는 관계단체 및 기관(시, 생활대책협회, 공단)과 사전협의를 행한다. 사전

협의를 행하는 항목으로는 건축물의 용도에 관한 사항과 건축, 옥
외광고물의 형태 및 의장에 관한 사항이다.

그림 8.11은 '시가지경관 협정'의 운용프로세스를 정리한 표이다.

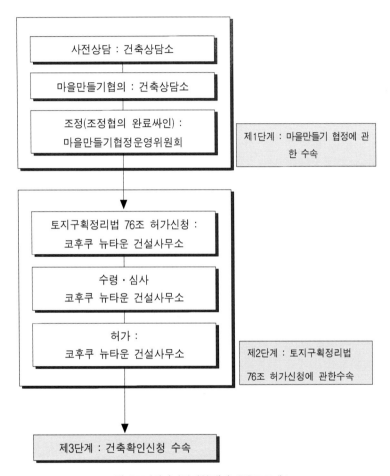

그림 8.11 '시가지경관협정'의 운용프로세스

표 8.13 코후쿠(港北) 뉴타운 '시가지협정지구' 광고경관 정비지구

협정지구	정비지침	정비내용, 기준
中川역전 센터지구	간판, 광고물은 유럽의 이미지에 맞도록 하고, 적절한 배치 및 공간을 배려한다.	(1) 돌출간판 : 지상에서의 높이 3.5m 이상, 건축물에서의 돌출을 1m 이내로 하며 상하크기는 2m 이내로 한다. 상자형 돌출간판은 되도록 피하고 부득 이 한 경우 지상에서의 높이 4.5m 이상, 건축물에서의 돌출 80cm 이내로 해 상하크기를 1m 이내로 한다. 돌출간판은 1건물에 1개를 원칙으로 한다. (2) 벽면간판 : 건물파사드를 중시하고 각 점포의 개성을 살린다. 크기는 건물 1벽면의 면적이 50m² 이상의 것은 가능한 한 1벽면 면적의 1/10 이하로 하고, 1벽면의 면적이 50m² 미만의 것은 되도록 5m² 이하로 한다. (3) 간판은 돌출간판이나 벽간판만으로 한다. 간판이나 광고물은 대지밖을 벗 어나지 않도록 한다.
北山田역전 센터지구	남유럽 스타일의 시가지를 실현하기 위해 간판이나 광고물은 가급적 작게 하고, 개성적인 디자인을 추구한다.	(1) 옥상간판 : 시가지나 건물과의 조화를 해치지 않기 위해 설치를 금지한다. (2) 돌출간판 : 3층 이상에는 설치하지 않는다. 건물로부터의 돌출길이는 80cm 이내로 한다. (3) 벽면간판 : 건물의 양측 돌출벽면을 보이게 한다. (4) 입체간판 : 지상에서의 높이 2.5m 이상으로 하고 나무나 주철 등 특징 있는 소재를 사용하는 것으로 한다. (5) 가로설치간판 : 대지 내에 설치토록 한다.
仲町臺驛 센터지구	네오 클래식풍의 시가지 분위기를 살리기 위해 가능한 한 간판 크기를 작게 하고 디자인에 충분히 배려한다.	(1) 돌출간판 : 점포명 표시로 한정한다. (2) 벽면간판 : 점포명 표시를 기본으로 하며 가로방향으로 긴 형태로 하고 벽면의장, 수평선(코니스 라인)과의 조화를 도모하도록 한다. (3) 입체간판 : 점포의 업종, 상품 등이 시각적으로 표현되기 쉽도록 디자인한다. (4) 옥상간판 : 설치를 금지한다. (5) 가로설치간판 : 대지 내에 설치토록 한다.
타 운 센터지구	시가지의 경계를 표시하기 위해 간판, 광고물의 크기, 위치, 색채 등을 시가지경관과 조화롭게 디자인한다.	(1) 상징광장, 상징도로, 역전광장 주변에는 옥상광고, 창문광고 등의 설치를 금지한다. (2) 점광, 야광싸인 설치를 금지한다. (3) 적색, 황색은 교통싸인이 우선하기 때문에 사용하지 않도록 한다. (4) 3층 이상의 높이에 설치하는 광고물의 색채는 채도를 낮게 한다. (5) 건물의 주소나 명칭을 표시하는 싸인은 가로나 구역별로 통일성 있게 디자인한다.
아마가사끼 센터지구	모던한 시가지 분위기를 연출하기 위해 건물디자인과의 관계를 고려한다.	(1) 돌출간판 : 점포명칭 표시에 한정한다. 1건물에 1개설치를 원칙으로 하고 주택부분에는 설치하지 않는다. (2) 벽면간판 : 점포명칭 표시를 기본으로 한다. 가로방향으로 긴 형태로 하고 벽면의장, 수평선(코니스 라인)과의 조화를 도모하도록 한다. (3) 입체간판 : 점포의 업종, 상품 등이 시각적으로 표현되기 쉽도록 디자인한다. (4) 옥상간판 : 설치를 금지한다. (5) 가로설치간판 : 대지 내에 설치토록 한다.

(출전 : 코후쿠 뉴타운 시가지협정지구 가이드라인에서 정리 작성)

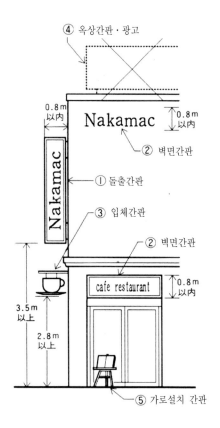

그림 8.12 코후쿠 뉴타운 '시가지 협정지구'
간판설치 지침 사례

4. 소결

　일본 광고경관시책의 구성과 운용실태에 관해 5개의 광역지자체(都道府縣)와 3개의 시정촌(市町村) 지자체를 사례로 살펴보았다. 우선 광역지자체별 광고경관시책의 특징을 정리하면 다음과 같다.

　홋카이도에서는 '우량광고경관 형성추진사업'을 통해 '장려지구'를 대상으로 조성사업을 행함으로써 '우량지구'에로의 유도를 목적으로 하고 있으며 1996년 현재 4개의 지구가 선정되어 지구별로 연간 약 30건 전후가 적용, 조성되고 있다.

미에현은 주요도로의 연도(沿道)경관에 중점을 두어 경관지구가
지정되어 있으며 특히 부적격광고물의 교체에 대해 보조를 행하는
보조사업제도가 마련되어 시행되고 있다. 이는 다른 지자체가 신
설되는 광고물에 대한 규제를 전제로 하는 것에 비해 기존의 부적
격광고물을 대상으로 하고 있다는 점에서 보다 적극적인 시책으로
평가할 수 있다.

효고현의 경우 '경관기금에 의한 보조제도'의 일환으로 '싱글싸
인 사업'이 전개되고 있는데, 이는 광고주, 광고업계 및 지역주민이
자주적으로 우수한 옥외광고물의 설치를 조성하기 위한 제도이다.
특히 이 제도는 제 3섹트인 (재)효고현도시정비협회에 의해 운용
되고 있는 것이 특징이다.

미야기현에서는 모델지구를 대상으로 '광고물 어드바이즈 제도'
가 마련되어 광고물의 디자인, 색채 등에 대해 도시경관의 관점에
서 전문적인 어드바이스와 더불어 강습회, 강연회를 통해 광고주,
광고업자, 지역주민 등의 광고경관에 대한 의식향상을 도모하고
있다.

도쿄도 '옥외광고물조례'는 1) 조례의 운용업무 대부분이 구/시
에 위임되어 광고물 개개의 설치 가부(可否)를 주요내용으로 하고,
2) 조례에 의한 광고물의 수/량을 규제하는 기능은 있지만, 시가
지경관의 시점에서 규제시책으로 기능하지 못하며, 3) '광고협정지
구'의 지정, 운용은 시민협정에 의한 것으로 앞으로 실효성 있는
광고경관시책으로 기대된다.

이와 같이 기본적으로 광역지자체에 있어 광고경관시책은 옥
외광고물법에 근거해 관련조례의 제정을 통해 전개되며 보다 구체
적인 시책은 광고경관형성지구의 지정 및 보조/조성제도를 통해
실현하고 있다. 또한 광고물 어드바이즈 제도, 싱글싸인제도, 부적
격광고물의 교체보조사업 등 다양한 보조/조성사업이 운용되고
있다.

한편 시정촌 기초지자체 광고경관시책의 특징을 정리하면 다음
과 같다.

광역지자체(都道府縣) 옥외광고물법에 근거한 옥외광고물조례를 기본으로 하면서 시, 자치구의 독자적인 요강(要綱)행정, 경관 관련조례 등에 의한 사전협의제도 및 공작물로서 인허가가 필요한 경우 확인신청제도가 더불어 실시되고 있다.

기초지자체 광고경관시책의 유형에 있어서는 카와사키시와 같이 중점지구를 설정하여 건축물과 일체화된 규제가 행해지는 경우와 요코하마시와 같이 전 지역을 대상으로 어반디자인시책의 일환으로 광고경관시책이 전개되고 있는 경우가 있다. 또한 조례, 요강 등 제도적 수법에 의한 광고물의 규제, 유도를 도모하는 '행정주도형'과 요코하마시의 협정지구, 협의지구 등 주민협의를 통해 시책이 전개되는 '주민주도형'으로 구분된다.

여기서 일본에서의 이러한 경험을 바탕으로 앞으로 우리 나라에서 전개될(혹은 전개되고 있는) 광고경관시책에의 시사점과 바람직한 방향을 제안하면 다음과 같다.

첫째, 지자체 조례를 통한 시책의 전개가 필요하지만 시책의 초기단계에는 특히 광고경관시책이 필요한 중점지구를 모델지구로 설정, 행정의 집중적인 지원을 통해 전략적으로 추진해나가야 한다. 또한 모델지구의 가시적인 성과를 바탕으로 점차 시책의 전개를 시 전역으로 확대해 나갈 필요가 있다. 이는 홋카이도에 있어서 장려지구의 집중지원을 통한 우량지구에의 확대시책이 참고가 될 것이다. 특히 지자체 중심의 광고경관시책에 있어서는 지자체의 특성을 고려한 광고경관모델지구의 지정과 시책의 전개가 필요한데, 예를 들면 미에현의 주요가로 연도경관에 중점을 둔 시책의 전개 등은 좋은 예이다.

둘째, 행정의 지원조성제도 또한 명확한 지원의도가 필요하다. 즉 재정적인 지원, 경관 어드바이즈 파견 등 기술적 지원, 주민의 자주적인 광고경관 개선활동에의 지원 등, 명확한 지원의도에 근거한 보다 효율적인 광고경관시책이 필요한 것이다. 또한 지역밀착형 시책이 필요한데 미야기현 광고물 어드바이스 제도의 일환으로 강습회, 강연회를 통한 지역주민의 광고경관에의 의식함양, 도쿄도 조례에 있어 광고협정지구의 설정 등의 사례에서 알 수 있듯이 보다 지역의 광고경관활동과 연계된 시책의 전개가 필요하다.

셋째, 기존 옥외광고물에 대한 대책의 필요성이다. 현재 지자체 광고경관시책의 대부분은 신설되는 광고물을 대상으로 하고 있으며 기존의 보기 흉한 광고물의 경우 광고주가 교체의사가 있을 때만이 개선의 여지가 있게 된다. 이러한 관점에서 미에현의 부적격광고물 교체 보조제도는 보다 적극적인 시책으로 평가될 수 있다. 또 시책의 장기적, 효율적인 전개를 위해서는 효고현 도시정비협회와 같은 제3섹트의 전담기관의 설립도 적극적으로 검토될 수 있겠다.

넷째, 광고경관 행정사무에 있어 광역지자체와 기초지자체의 사무영역을 명확히 할 필요가 있다. 예를 들면 광고업 사무업관련사무, 교통싸인의 총체적 관리 등 광역지자체 레벨에서 종합적인 조정이 필요한 사무 이외에는 기초지자체로 행정업무를 이관해 현재의 광역지자체 옥외광고물조례의 기계적인 운용(인허가 판단여부 등)수준에서 탈피해 지역특성에 근거한 실효성 있는 광고경관시책의 시스템구축이 필요하다.

다섯째, 기초지자체 광고경관시책의 전개에는 중점지구를 설정해 지구특성에 맞게 주민의 자주규제에 의한 시책, 행정에 의한 제도적 장치에 의한 시책 등 시책방법의 명확한 설정이 필요하다. 이와 관련해서는 요코하마시에서의 주민의 자주관리를 적극적으로 지원하는 지구, 지구계획제도, 조례제도 등 제도적 수법에 의한 지구, 행정과 주민의 협의를 통해 실현해 가는 협의지구 등 지구의 상황에 따른 시책의 성격을 명확히 하고 그에 따라 전략적으로 대응하는 대응수법이 참고가 될 것이다.

여섯째, 행정의 경직된 대응방법에 대한 대안으로 '광고물 어드바이즈제도'의 도입도 검토될 수 있다. 일본 미야기현에서는 옥외광고물에 대한 전문적인 관점에서의 의견을 제안하며 사업자, 주민, 행정담당자의 의식함양을 위한 강연회, 세미나 등을 주관하고 있다.

참 고 문 헌

1) 日經産業消費硏究所(1994)："景觀とまちづくり-全國2134 地自体の挑戰-"

2) 都市景觀硏究會(1988)："都市の景觀を考える", 大成出版社

3) 屋外廣告物行政硏究會(1992)；"屋外廣告の知識", ぎょうせい

4) 淸水英夫(1986)："改正東京都屋外廣告物條例と表現の自由", ジュリスト no872

5) 坂田期雄(1989)："都市デザイン アメニティ", ぎょうせい

6) 神奈川縣都市計劃課(1996)："神奈川縣屋外廣告物景觀形成地區檢討調査報告書"

7) 神奈川縣都市計劃課(1995)："屋外廣告物規制區分等檢討調査報告書"

8) 北海道(1993)："北海道 優良廣告景觀形成ガイドライン"

9) 宮城縣(1996)："宮城縣屋外廣告物關係例規集"

10) 兵庫縣(1995)："景觀形成助成金規定集"

11) 東京都(1995)："臨海副都心景觀ガイドライン(案)"

12) 三重縣(1994)："屋外廣告物索引集"

13) 川崎市(1994)："川崎市屋外廣告物關係法令集"

14) 川崎市(1994)："川崎市新都心センタ-新百合丘驛周邊地區上物建設マスタ-プラン"

15) 川崎市(1995)："ア-バンデザイン地區屋外廣告物指導基準"

16) 田村明(1983)："都市ヨコハマをつくる", 中公新書

17) 李 政炯, 西村幸夫(1997)："일본 지자체에 있어 광고경관시책의 현상과 과제", 제32회 일본도시계획학회 학술연구논문집

18) 村上垟司 (1996)："옥외광고물의 현상과 조례규정에 관한 연구", 제31회 일본도시계획학회 학술연구논문집

결

도시경관계획의 향후 발전방향

결 · 도시경관계획의 향후 발전방향

　　지금까지 본서에서는 기성시가지를 대상으로 점진적인 시가지 재편을 전제로 도시경관을 규제·유도 혹은 관리해 가는 수법에 대해 미국과 일본의 사례를 중심으로 살펴보았다. 하나의 도시계획시스템은 사회적 시스템이며 미국이나 일본에서의 경험이 그대로 우리 나라에 적용될 수 있지는 않다. 다만 우리보다 한발 앞서 다양한 경험을 축적한 사례를 검토해 봄으로써 향후 우리 나라 경관계획의 방향, 도달점 혹은 현재의 사회상황을 고려한 중간단계 경관계획의 바람직한 모습을 제안하는데 어떤 실마리를 제공해 줄 수 있을 것이다.

　　따라서 개별적인 관련시책의 개선점 등에 대해서는 각 장의 결론부에서 제안한 것으로 대신하고, 본 장에서는 지금까지 본서를 통해 고찰한 내용을 바탕으로 도시경관계획의 앞으로의 발전방향에 대한 제언과 더불어 이러한 논의가 실현되기 위해 필요한 몇 가지 쟁점들을 정리해 보고자 한다.

1. 기성시가지 경관계획을 위한 제언

■ 계획책정 프로세스의 명확화

　　미국의 죠닝제도를 비롯한 다양한 경관관련시책의 제도적 장치(지구별계획, 도시디자인 마스터플랜, 각종 가이드라인 등), 일본 지자체의 경관조례에 근거한 다양한 지침 등은 우선 시가지의 공간상을 명확히 설정하고 이에 근거해 계획내용을 작성하고 있다. 즉 시가지경관의 공간상을 명확히 한 후, 그것을 실현하기 위해 제도적 장치가 마련되고 있다. 경관관련시책의 제도적 장치는 1) 행정 및 전문가집단에 의한 계획 및 가이드라인의 작성, 2) 공청회 등 주민에 의한 계획안의 리뷰, 3) 계획 및 가이드라인의 제도화 등의 프로세스로 추진된다. 경관계획이 시민의 합의형성을 전제로 할 때 시민이 공유할 수 있는 시가지상의 확립과 이에 근거한 계획책정 프로세스의 명확화는 실효성 있는 계획의 실행에 매우 중요한 요소가 된다.

　우리 나라의 기성시가지가 서구의 도시와 비교할 때 비교적 명확한 시가지공간구조를 형성하고 있지 않아 바람직한 지구의 미래상을 형성하기가 쉽지 않은 것이 사실이다. 따라서 계획책정 프로세스에 있어 지역주민의 적극적인 참여를 통한 지구상의 공유와 투명한 계획책정 프로세스가 더욱 필요하게 되는 것이다.

■ 건축행정과 도시계획행정의 연계

　미국에서는 경관시책과 관련한 개발허가 심사프로세스에 있어 건축물 성능심사를 주로 다루는 건축행정과 개개의 건축행위와 시가지경관과의 조화를 검토하는 도시계획행정이 연계해 이루어지고 있다. 연계시스템의 형태를 보면 보스턴에서는 건축조사부가 건축개체의 성능과 지구별계획의 적합성을 판단하고 '예외(variances)' 판단의 여지가 있는 등 건축조사부의 판단에 한계가 있는 안건에 대해 보스턴재개발국(BRA)에 도시계획적 심사를 의뢰하는 방식을 채택하고 있다. 반면, 샌프란시스코의 경우 건축국에 허가신청이 제출된 건축행위 가운데 '내부수리 / 변경' 이외의 모든 안건을 도시계획국으로 송부해 심사를 행하도록 하고 있다. 또 조망보호시책, 옥외광고물시책 등도 완전히 건축행정과 도시계획행정이 일체화된 연계시스템을 통해 실행되고 있다. 일본에서도 최근 실시되고 있는 경관조례, 행정요강 등을 통해 건축 및 도시계획의 일체화된 경관시책의 운용을 시도하고 있다.

　우리 나라에서도 향후 경관시책의 종합성을 고려해 현재 이루어지는 건축행정, 도시계획시책, 옥외광고물시책 등 각 담당부서에 따라 분리운영되고 있는 시책체계에서 탈피해 각 부서간 연계 체계의 구축이 경관시책의 효과적인 운용을 위해 매우 중요한 사항이 될 것이며 이를 위한 전담부서의 설치 등의 행정체계 정비가 아울러 이루어져야 할 것이다.[1]

■ 행정의 유연한 재량권

경관관련시책의 운용에 있어 효율적인 행정대응을 위해서는 행정측이 개발행위에 대한 규제기준의 적합성에 대해 기계적으로 가/부의 판단을 행하는 것이 아니라, 행정측에 일정한 재량권을 부여해 개발 및 건축행위의 상황을 충분히 감안하고 행정이 적절하게 판단할 수 있도록 해야 한다.

이러한 문제는 행정측에 어디까지 재량권을 부여할 것인가라는 문제가 발생한다. 미국이나 일본의 경관시책 운용경험에서 알 수 있듯이, 이 문제는 권한이나 책임의 분산이 가능한 시스템 설정으로 해결할 수 있다. 미국에서는 행정측의 일방적인 재량권 행사에 대항하기 위해 개발자(신청자)가 행정의 일방적인 판단에 납득할 수 없을 경우 우선 주민의 대표로 구성된 위원회(commission)에 판단을 의뢰하게 된다. 위원회는 단순히 행정측에 판단의 조언을 행하는 것이 아니라 위원회에 준사법권을 부여해 행정적인 법적판단을 가능하게 하고 있다. 나아가 위원회의 결정에도 불복할 경우 제소위원회를 별도로 설치하고 있다. 이처럼 시가지 경관의 상황판단을 위한 2중3중의 시스템을 통해 행정판단에 대한 책임과 권한을 분산하고 있다. 또한 이러한 권한의 분산은 행정측에 대한 책임의 분산으로 이어져 행정의 보다 유연하고 적극적인 재량권의 행사가 가능하게 되는 것이다. 또 일본에서는 경관 어드바이즈라는 행정판단의 전문가에게 일정한 상황판단을 의뢰하는 시스템을 도입하고 있다. 경관 어드바이즈의 권한, 위상 등에 대한 구체적인 사항을 명확히 한다면 행정 재량권의 지원시스템으로 효과를 발휘할 수 있을 것이다.

우리 나라에서도 각종 위원회 등을 통해 행정판단을 지원하면서

[1] 최근 서울시의 경우 '지구단위계획'의 운용을 위해 도시관리과가 신설된 것은 이러한 행정체계의 연계가능성을 보여주는 것으로 향후의 역할이 기대된다.

경관적 심의가 이루어지기는 하지만, 행정측에 부여된 재량권이 극히 한정되어 있다는 점을 감안하면 행정의 일방적인 상황판단에 대응할 수 있는 제도적 장치의 보완이 필요하다 하겠다.

■ 디자인심사 프로세스의 정비

현재 우리 나라에서도 다양한 경관관련 심의(도시계획심의, 건축심의, 옥외광고물 심의 등)가 이루어지고 있지만, 대규모개발을 대상으로 비공개적으로 이루어지고 있으며 계획이 완료된 상태에서 심사가 이루어지는 등 심사 프로세스상에 많은 문제점을 가지고 있다.

디자인심사에 있어 무엇을 대상으로 어떻게 진행해 갈 것인가라는 '프로세스'의 문제가 중요하다. 미국에서처럼 모든 건축행위를 대상으로 경관적 심사를 행하는 것이 이상적이나 우리의 행정능력을 고려하면 현실적이지 않다. 일본의 경관조례 등에서는 중소규모의 건축물까지 심의대상에 포함하고 있으며 특히 계획의 초기단계에 '자기체크'를 통해 충분히 경관적 배려가 이루어지도록 제도화하는 방법 등도 참고가 될 것이다. 또 미국에서는 대부분의 경관심사가 '공개심사'를 전제로 이루어지고 있으며, 제소위원회 등에서는 신청자(계획자)의 의견을 직접 피력할 기회가 주어지는 등 다양한 방법으로 투명하고 공정한 심사가 이루어지도록 제도화되어 있다.

한편 이러한 디자인심사 프로세스를 위해서는 많은 시간과 경비를 소요하게 된다. 근본적으로 이러한 모든 부담을 행정이 담당하기에는 한계가 있다. 오히려 이러한 심사를 책임있게 운용할 제3섹터를 설치하고 심사에 소요되는 경비를 신청자가 부담하게 하는 방식(실제로 미국에서는 디자인심사비용을 신청자가 부담하고 있다. 즐)의 도입도 고려볼 수 있을 것이다.

2. 도시경관계획 실현을 위한 몇 가지 쟁점들

일반의 기성시가지를 대상으로 개개의 개발행위를 규제·유도함으로써 도시를 관리해나가는 관리수법은 우리 나라가 도시 및 건축행위가 개발을 전제로 한 시대에서 관리 및 정비를 전제로 한 시대로 접어들 시기에 있어 고려되어야 할 중요한 내용이다. 향후, 이러한 도시의 경관계획이 일반화되어 가기 위해서는 많은 논의가 필요할 것으로 생각되는데, 여기서는 이러한 향후의 논의방향과 관련된 몇 가지 쟁점들에 대해 개념을 정리해본다.

■ 지자체 권한위임

시가지의 개별적 정비를 전제한 경관계획을 포함하는 도시계획 및 건축행정의 영역은 무엇보다 지역의 특성을 충분히 살릴 수 있는 지역밀착의 행정영역이다. 따라서 지자체가 계획주체가 되고 지자체의 권한 위임이 중요한 내용이 된다. 특히 기초지자체의 역할과 책임이 무엇보다 중요한데 지자체 분권의 시대적 흐름을 충분히 고려하면서도 기초지자체에서 이러한 경관시책을 충분히 소화해낼 수 있는 능력배양이 절실히 요구되고 있다.

우리 나라에서도 지자제 실시 이후 많은 지자체의 노력에도 불구하고 일부 지자체의 난개발 방치, 러브호텔 사태로 대표되는 일련의 사건은 현재로서는 반드시 지자체가 성숙된 모습을 보이지 못하고 있는 실정임을 말한다. 이러한 행정의 불신을 불식하고 시책운용의 주체로서 지자체행정의 능력배양이 무엇보다 중요한 사항이며 도시경관계획의 승부를 좌우하는 요인이 될 것이다. 이러한 내용을 감안한 지자체권한의 범위를 조정해 나가는 일이 필요할 것이다.

한편, 지자체 권한 위임의 의미는 지역의 일은 지역에서 결정한다는 것을 의미하며 권한위임에 따른 도시경영의 책임도 최종적으로는 각 지자체가 부담하게 된다는 것이다. 이는 나아가 자립된 지자체 간의 경쟁 즉 '도시간 경쟁'이라는 문맥 속에서 이해되어져야 한다.

■ 법적 정당성 확보

경관계획의 일반화를 위해 가장 필요한 논의는 법적 정당성의 확보이다. 경관계획은 그 실현에 있어 대부분이 용도규제, 높이규제, 벽면위치지정 등 어떤 형태에서든 토지이용규제나 건축규제가 행해지게 된다. 이러한 규제가 법에 정하는 범위내에서 행해진다면 문제는 없지만, 경관 혹은 미관의 문제는 지역고유의 내용을 다루는 것으로 경관계획의 대부분이 최종적으로는 지자체가 제정한 조례가 최종적인 법적 근거가 된다. 이러한 조례에서 다루어지는 많은 규제의 내용은 헌법에서 정하는 재산권 보장의 문제와 관련된다. 즉 순수하게 경관정비만을 위해 토지이용이나 건축행위를 제한하는 조례의 합헌성에 대한 논의가 필요하게 되는 것이다.

한편 '표현의 자유'에 관한 문제도 있다. 경관계획의 실현에 필요한 높이제한 등은 재산권에 관한 내용이지만 건축물의 색채, 디자인 등의 문제는 헌법에서 보장하는 표현의 자유에 관한 문제로 귀결된다. 표현의 자유는 재산권과 동일하게 우리 나라 헌법의 기본적인 인권의 하나이다. 재산권이 기본적인 인권 가운데에서도 경제적인 자유권에 관한 내용인데 반해, 표현의 자유는 정신적인 자유권의 하나이다. 일반적으로 정신적인 자유권에 대한 제약은 경제적인 자유권의 제약보다도 훨씬 신중하게 다루어져야 한다.

이러한 논의에 대해서는 본서에서 다루어 온 미국에서의 사례가 참고가 될 것이다. 미국은 죠닝이라는 기본적인 토지이용규제수법에 대해 오랫동안 법적 정당성을 확보하기 위한 재판의 역사였기 때문이다. 물론 이러한 법적 논의는 건축물 등의 디자인을 컨트롤하는 것이 양호한 시가지형성을 위해 필요한 것이며 이를 위해 행정에 대해 일정한 권한을 위임할 수 있다는 사회적 합의형성이 무엇보다 중요하다 하겠다.

■ 공공의 복리 개념의 해석

경관계획의 일반화를 위한 두 번째 논의로 시민의식에 관한 문제가 있다. 재산권, 표현의 자유에 대해 일정한 규제를 행정력(경찰력)으로 행하게 될 때 그 법적 근거가 되는 것이 '공공의 복리' 개념이다. 문제는 공공의 복리해석에 있어 고정적인 틀이 있는 것이 아니라 그 해석은 해석하는 주체에 따라 또 시대에 따라서 변화하게 된다. 즉 공공의 복리란 가치관의 문제이며, 가치의식이 자발적으로 변화하기 위해서는 다소의 시간을 필요로 한다. 물론 가치관의 축적이 법률이 되는 관습법을 전통으로 하는 영미법(英美法)과 우리 나라의 법개념이 다를 수 있다. 하지만 법해석이 가치관을 제약하는 것이 아니라 가치관에 의해 법해석이 형성된다는 생각은 만국공통의 개념일 것이다. 물론 새로운 법해석을 형성하는 가치관이 가능한 한 많은 시민에게 공유되어져야 하며 이를 위한 시민의식이 필요로 하게 되는 것이다.

■ 자발적 참여

이상의 논의에서도 일 수 있듯이 경관계획의 일반화를 위해서는 어디까지나 자발적 계획참여가 필요하다. 원래 경관, 미관 등 '미(美)'라고 하는 기본적으로 주관적인 가치관을 실현하는 것은 법률적인 측면과는 거리가 있다. 미의 기준은 법률적인 권리의무의 규범이 아니라 생활의 규범(규칙)을 명시한 것이다. 경관에 대한 가치관은 결코 강제적인 것이 아니라 자발적으로 발견, 형성되어져야 한다. 이러한 점에서 경관계획은 강제력을 동반하는 법정(法定)도시계획과는 달리 시민의 자발적인 참여를 전제로 추진되어져야 한다.

한편 이러한 자발적인 시민참여를 촉진하는 구체적인 방법으로는 지역의 경관가치에 대한 지속적인 계몽활동이 중요하지만 이와 더불어 경제적인 인센티브도 유효한 수법이 될 것이다. 인센티브수법이란 구체적으로는 지역 혹은 소유자에게 보조금을 지급하거나 세금을 감면해주거나 별도의 규제완화를 제공하는 방법 등이다. 이러한 경제적인 인센티브는 새로운 경관가치의 발견과 의식에 대해서는 그 가치를 계획이라는 형태로 실현하는데 발생하는 경제적 불이익을 구제해 줌으로써, 자발적인 가치형성을 촉진하게 되는 것이다. 예를 들면 미국에서의 역사적 환경보전제도에 세제상의 우대조치를 마련한 경우나 공중권이양(TDR)제도 등도 모두 이러한 수법의 하나이다.

■ 다양한 경관가치의 인식

자발적인 계획원칙에 근거한 경관계획의 일반화를 기본적인 방향으로 설정한다면, 경관계획의 새로운 가능성을 전개하기 위한 과제로서 다양한 경관가치의 인식이 요구되어진다.

우리 나라의 도시는 이미 도시기반시설이 정비되어 토지이용이 안정화된 서구의 도시와는 달리 일반적으로 변화가 심한 상황이다. 이러한 상황에서 우선 '변화하지 않는 것'을 우선의 경관가치로 생각하는 것이 당연한 것일 수 있다. 역사적 환경보전, 자연경관 보호의 문제가 경관계획의 중요한 테마가 되는 것이다. 또 고도성장기 급변하는 도시개발의 흐름 속에서 파괴되는 자연경관의 보전, 자연과의 친화적인 개발 등이 중요한 경관계획의 대상이 된다.

하지만, 향후의 도시개발은 지금까지의 개발중심논리에서 점진적인 도시변화가 우리 나라 도시변화의 주류가 될 것으로 예상된다. 즉, 개발의 시대에서 정비, 관리의 시대로 변화되어 갈 것이다. 따라서 이러한 시대에 있어 점진적인 변화 속에서 새로운 경관가치를 발견해내는 것이 필요하겠다. 이를 위해서는 이미 시가지가로의 개성을 거의 상실한 가로경관이나 기성시가지 중심부의 경관 창출을 목적으로 한 경관계획이 대상이 된다. 이 경우 목표로 하는 경관이미지의 설정은 경관보전 이상으로 곤란한 문제일 것이다. 이러한 경우 시민의 합의형성에 의한 경관시책, 수속절차 등 경관계획의 수립이 무엇보다 중요한 요소가 된다.

저자 후기

도시건축 만들기의 새로운 패러다임으로서 '경관계획'

   이 책은 우리의 도시 혹은 도시건축을 보다 아름답게 만들고 가꾸어가기 위한 사회적 시스템형성의 방법론에 대해 얘기하고 있다. 즉, 아름다운 도시만들기를 사회적 제도적 장치에 근거해 하나하나 실현시켜가기 위한 수법에 관한 내용을 해외 선진사례를 중심으로 살펴보았다.

   최근 우리나라에서 전개되고 있는 많은 도시 및 건축행위에 동반하는 민원의 해결방법은 법제도에 근거한 사회적 합의 형성에 의한다기보다는 격렬한 반대시위, 극단적 자기중심논리 등을 통해 자기들의 주장을 관철하고 있다. 또 각종 지자체 공공사업에 대한 '님비(NIMBY) 현상'은 대화와 타협을 통한 합의형성과는 동떨어진 논리에서 진행되기도 한다.

   이 책의 서문에서도 밝힌 바와 같이 도시경관 만들기의 성숙한 사회적 분위기가 어느 정도 형성되지 않은 상태에서, 이 책에서 주장하는 법과 제도에 근거한 행정, 전문가, 시민이 균형 잡힌 제도의 운용을 통한 도시경관 만들기의 실현이라는 논리가 매우 이상적으로 들릴지도 모르겠다.

   하지만, 이 책에서 다루는 내용들은 앞으로 성숙화된 도시만들기에 대비해 혹은 조금이라도 그러한 사회가 빨리 도래하기 위한 방향을 제시한다는데 본서의 의미가 있을 것이다.

   돌이켜보면 20세기 도시만들기는 대량생산의 산업화 도시사회의 급격한 팽창을 수용하기 위한 기능적, 효율적 도시만들기에 주력해왔다. 또 그러한 상황에서는 도시만들기(혹은 도시경관 만들기)는 비교적 명확한 목표와 해답을 가지고 있었다고 할 수 있다. 따라서, 몇 사람의 전문가나

엘리트 기술관료에 의해 도시만들기는 매우 효율적으로 진행될 수 있었다. 하지만, 20세기 후반에 접어들어 이러한 기능주의 도시에 대한 반성과 더불어 다양한 정보, 다양한 주민의 요구가 생겨남으로써 도시만들기의 새로운 다양한 주체가 형성되어 몇몇 사람에 의해 만들어진 도시는 더 이상 도시의 활력을 주지 못하게 되면서 새로운 패러다임에서의 접근을 필요로 하게 되었다. 즉, 도시를 개발하고 계획하던 시대에서 도시를 '관리(management)'하는 시대로 변화하고, 이를 위해 기존의 개발 및 계획시대의 규제적 수법을 전제로 한 행정 시스템에서 관리를 전제로 한 행정시스템으로서의 전환이 필요하게 되었다.

특히, 도시만들기를 실제적으로 결정짓는 도시의 '보이지 않는 선과 면'(행정의 선긋기로 각종 용도지역지구제, 건축물 형태규제, 사선제한 등을 말한다)은 종래의 단순한 규제중심의 평면적(2차원적인 규제에서 3차원적인 도시만들기를 위한 사회적 룰의 형성이라는 새로운 패러다임을 요구하고 있는 것이다.

도시건축의 '경관만들기'는 이러한 새로운 패러다임의 하나가 될 것이다.